JN039274

メタ産業革命

メタバース×デジタルツインで
ビジネスが変わる

小宮昌人
Masahito Komiya

日経BP

序章

メタ産業革命が変える世界

コロナ禍で一般化したデジタルツイン

本書のテーマであるメタ産業革命とは、産業や都市領域におけるデジタルツイン・メタバースを活用した変革を指す。詳細は別途第1章でふれるが、デジタルツインは「現実世界の双子を再現し可視化・シミュレーション・最適化を行う技術」、メタバースは「アバターを介して相互交流することができる3次元仮想空間」だ。

デジタルツイン・メタバースに関して直近どのような動きがあったのかを振り返りたい。コロナ禍において、飛沫のシミュレーションや、病棟の感染状況シミュレーションなどでデジタルツインが活用され、ニュースとして何度も映像が流れた。産業を中心に活用されていたデジタルツインが一気に一般化したタイミングであった。(図序-1左)

企業活動がデジタルに大きくシフト

コロナ禍を受けて出社や現場での対面議論、リアルの展示会・営業活動が大幅に制限される中で、デジタルツインをはじめとしたデジタル技術活用が大きく進んだ。例えば、大手工作機械企業のDMG森精機など、自社でデジタルツインショールームを設置し、展示会活動をデジタルツインに移行した企業もでてきた。

製造業では従来、製品設計やライン設計などでデジタルツインによるシミュレーションが活用されていたが、その範囲がさ

［図序-1］（左）コロナ禍におけるデジタルツインを活用した
飛沫シミュレーション（右）DMG森精機 デジタルツインショールーム

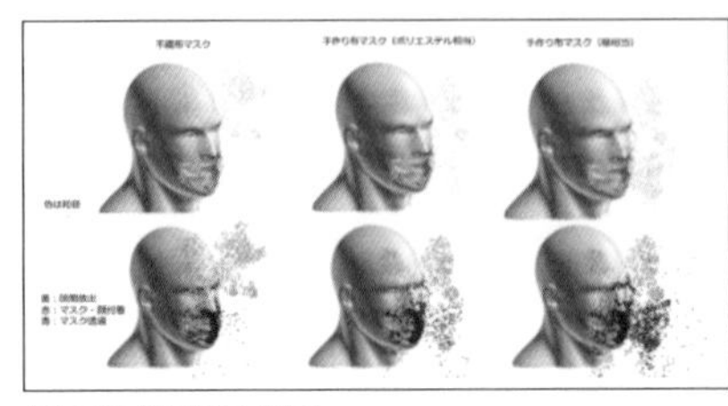

出典：理研・豊橋技科大・神戸大

出典：DMG森精機

らに拡がり、企業側でコロナ後の新しいあり方「ニューノーマル」の模索が進んだといえる。

衝撃を与えたフェイスブックのメタへの改称

2021年秋、メガITプラットフォームGAFAの一角であったフェイスブックの発表が世界に大きな衝撃を与えた。社名をメタ社にリブランドし、フェイスブックや、インスタグラムといった既存のSNS（ソーシャルネットワーキングサービス）からメタバース事業に大きく転換することを発表したのだ。

同分野に毎年1兆円規模の投資がなされることが発表されており、これにより大きくメタバース市場が拡大すると見られている。同社の発表以降、メタバースの名前を聞かない日はない程に大きなムーブメントとなっている。

生活圏・経済圏となったメタバース

メタ社の発表ももちろんであるが、コロナ禍の影響も含め、メタバースが人々の生活空間の一部となり、クリエイターによる経済圏が生まれてきていることもこのブームに拍車をかけている。

メタバースの一つとも呼ばれる米オンラインゲームのロブ

［図序-2］（左）MetaのHorizon Worksrooms、
（右）FortniteでのTravis Scottのライブ

出典：Meta

出典：Travis Scott公式Youtubeチャンネル

ロックスは世界180カ国の約5000万人がデイリーアクティブユーザーとして利用しており、クリエイターによる経済圏は2021年に5億ドルを超えている。また、メタバース空間を提供するEpic Games社のゲーム「フォートナイト」はユーザー登録数が3億5000万人を超えており、戦闘を行う「バトルロイヤル」モードだけでなく、戦闘要素がなく自由に遊べる「パーティロイヤル」モードがあり、メタバースとしての活用が進んでいる。

2020年に実施された人気ラッパー、トラヴィス・スコットのフォートナイト上のライブにおいては同時接続数が1230万人を超えた。2026年には世界中の人々の25%がメタバースで1日1時間以上過ごすようになるとガートナーは予測している。

通常のゲームのように「敵を倒す」などの明確な目的がなくても、ゲーム空間で雑談をしたり、共に過ごしたりするだけといった、生活空間の一部として拡がっているのである。

デジタルツインとメタバースのもたらす2030年の未来

それでは、デジタルツインとメタバースがもたらす世界とはどのようなものだろうか。本書のテーマである「産業・都市」において2030年の未来はどのように変化しているのか、それぞれの姿をのぞいてみたい。

工場現場の未来 工場勤務：谷川さんの例

谷川さんは工場現場で働いている技術者だ。「現場」といっても実際に工場に行くことはない。メタバース空間上に完成品工場や部品工場が一つの仮想工場として再現されており、そのメタバース上の工場に勤務するのである。

メタバース上の工場では、モノの流れや機器・人の動きがリアルタイムに再現されており、製造ラインは3D空間上で設計され、そのシミュレーション結果がライン機器と連動され柔軟に組み換えがなされる。谷川さんはその製造ラインにおける遠隔操作ロボットのオペレーションを担っている。

基本はロボットが自動で動くが、多品種少量生産のため特殊な操作が必要な際には遠隔操作で介入する。そのため、常に1台のオペレーションを担うというわけではなく、複数の工場の遠隔操作ロボットを同時に10台程管理している。

振り返ると、2025年頃までは現場での製造業務は立ち仕事で体力的にも厳しかったが、今はかなり働きやすくなった。最近では産業ロボットの技術者の裾野が広がって、e-sportsの選手など、若い人たちが隙間時間に工場で働くようになった。

ロボットの操作においても、姿勢や体勢などのセンシングデータにもとづいて、常に身体に負担がないように配慮がされている。ロボット操作のノウハウがある程度のレベルになると、それらスキルを教育トレーニング化して、収益を得ることもできる。

都市の未来 市役所職員：房前さんの例

房前さんは市役所勤務である。今日は河川工事で工事業者との打ち合わせだ。

現在、市内のデータはすべて3D化されているので、現地打ち合わせはあまりなく、遠隔で3Dデジタルツインモデルを映しながらメタバース環境で実施することが多い。
今回は河川公園の建設についての打ち合わせだ。街づくりの姿を提案するコンペティションで、住民自身がゲームエンジンで設計した公園が採用された。その公園の3D設計結果であるメタバース空間に、行政や建設企業、住民が入り、一緒になって今後のまちづくりに向けた合意形成をする予定だ。
市の3Dデータは、自動運転車のセンサーから収集され、常に最新の情報へとアップデートされる。3D情報のアップデートに協力した車両にはトークンが発行され、それによって収益を得ることができる。こういったトークンの発行も都市の魅力・競争力の源泉になってきている。
先日は都市の3Dデータ上で、2025年の大阪万博以降、一般化した空飛ぶ車を市でどのように導入するのかのシミュレーションや、デジタル空間上で飛行ルートのPoC(概念実証)を行った。最近では都市全体のCO_2排出量やサステナビリティ担保が住みたい街の魅力を決める要素になってきている。
市の3D空間には地域の工場や企業・店の活動も再現されており、都市3D空間の中で、産官学でいかにCO_2を減らしていくのかの議論が活発に行われている。

生活の未来 看護師:杉本さんの例

杉本さんは看護師だ。子供が生まれたばかりだが、お昼寝のタイミングなどの隙間時間を使って、メタバース空間の病院で働いている。
最近では病院での診療とともに、メタバース空間上の病院で遠隔診療をすることも一般化してきた。CTやMRIでとった3D情報をもとに患者の身体のデジタルツインが形成されており、それらとバイタルセンサーや3Dカメラの情報をもとに、遠隔診療をする。以前は病院で診察をすることが当たり前であったが、3D技術の進展でメタバース空間上であっても変わらず診療ができるようになっている。近くに病院がないご年配の方も安心してメタバース診療を受けることができる。

自宅では外科医の妻が来週の外科手術を3Dでシミュレーションしている。小学校の息子は学校で習ったゲームエンジンを使ってゲームを自分で作って遊んでいる。最近では自分でつくったアバターアイテムでお小遣いを稼いでいるようだ。小学生ながらデジタルの「初任給」で買ってくれたプレゼントは、夫婦の宝物だ。

今日は待ちに待った家族旅行の日で、午前中はパリ、午後はブラジルに行く予定だ。メタバース空間での旅行のため、移動時間はなく、世界中の場所を行き来できる。パリでは自分の身体を再現したアバターで試着をして服を購入した。アバターがその服に着替えるとともに、リアルの衣服も別途配送される予定だ。

バーチャルの旅行先で、父親・母親と合流。足が痛くてあまり歩けなくなっていたが、メタバースでは軽やかに移動できて楽しそうだ。かわいい孫に会いたいためにヘッドセットを買ってメタバース旅行に同行した。もちろんヘッドセットやメタバースの使い方の先生は小学校の息子だ。

以上、デジタルツインやメタバースが拡がった未来での3人の姿を紹介した。遠いSFの世界のように感じただろうか？　これらはすでにデジタルツインやメタバースで取り組まれているテーマだ。本書の中でもその萌芽となる事例を取り上げている。2030年にはかなり近い形まで実現されている、もしくはより進んだ姿が提示されているだろう。

本書の構成

一気に注目されることになったデジタルツインやメタバースであるが、産業や都市の領域ではどのような変化が起こり、企業や省庁・自治体はどのような動きを見せているのだろうか。本書においては、メタ産業革命ということで、デジタルツイン・メタバースの産業・都市へのインパクトについて触れていきたい。

第1章ではデジタルツインやメタバースの定義や、なぜ活用が進んだのかの動向と、その融合としてのメタ産業革命の方向性に触れたい。その上で第2章ではメタ産業革命の構造と、引き起こされるインパクトについて述べる。

第3章から第12章は、製造から建設業、都市、モビリティ、小売サービス、物流、医療・ヘルスケア、農業、働き方・人材といった各産業・領域での変化や、企業や省庁・自治体の事例について触れたい。

第13章から第16章はメタ産業革命のプレイヤー構造とキープレイヤーについて述べる。続いて第17章から第20章で、メタ産業革命において産学官や個人に何が求められるのかを解説する。

本書執筆中にも日々新たな事例や技術が生まれており、本書で紹介している業界動向や事例はこれからのメタ産業革命のインパクトの一部にすぎない。しかし、そのような中でも、本書が読者にとってこの構造変化を理解するための土台となり、活用するための一助になれば幸いである。

メタ産業革命

目次

第4章

建設業のメタ産業革命

第5章

都市領域のメタ産業革命

第6章
モビリティ（自動車）領域でのメタ産業革命

第7章
モビリティ（航空・鉄道・空飛ぶクルマ）領域でのメタ産業革命

第8章
小売・サービス領域でのメタ産業革命

第9章

物流領域でのメタ産業革命

第10章

医療・ヘルスケア領域でのメタ産業革命

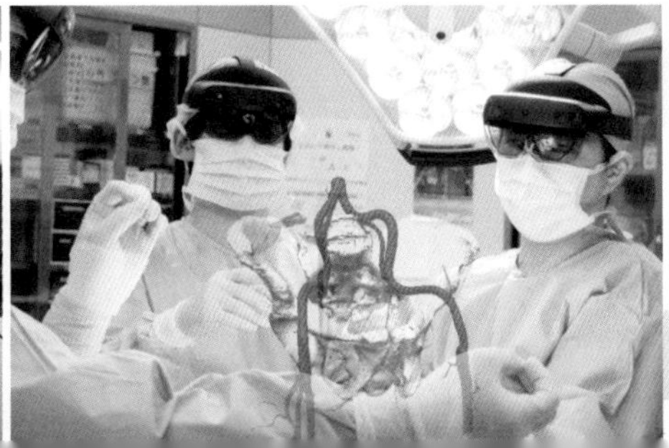

第 11 章

農業領域でのメタ産業革命

第 12 章

働き方・人材／業務領域でのメタ産業革命

第 13 章

キープレイヤー①（産業CPSプレイヤー／ゲームエンジン）

第14章

キープレイヤー②（プラットフォーム／ビジネスプロデュース／通信）

第15章

キープレイヤー③（クラウド／半導体／ハードウェア企業）

第16章 キープレイヤー④（日系IT企業）

第17章 構造変化と求められる視点［産学官連携編］

第18章 構造変化と求められる視点［企業編］

第19章
構造変化と求められる視点［個人編］

第20章
メタ産業革命時代における日本の未来

第1章

メタ産業革命＝デジタルツインとメタバースの融合・補完

Meta-Industrial Revolution

01 メタ産業革命とは?

本書のテーマであるメタ産業革命とは、産業領域におけるデジタルツインとメタバースの活用や、それらの融合・補完による新たな産業・都市などの変革を指す。

そのうち、デジタルツインとは「デジタル空間上の双子」を意味し、現実の世界にある物理的な「モノ」から収集した様々なデータをデジタル空間上にコピーし、再現して可視化・シミュレーション・最適化する仕組み全体を指す。

一方、メタバースは「アバターを介して相互交流することができる3次元仮想空間」を指す。ゲームやSNS・アートの世界で活用されているメタバースが産業・都市領域でも活用が進み、従来産業や都市で活用されてきたデジタルツインとの融合・補完が進んできているのだ。

デジタルツインの双子データがメタバースの中で活用されることや、アバターを介したインタラクションを通じて現実世界の最適化を行うケースなど垣根が低くなってきている。

本書においては便宜上、デジタルツインとメタバースを合わせて呼ぶ際にはCPS(Cyber Physical System)と呼びたい。厳密には従来デジタルツインの文脈で用いられてきた言葉であるが、その範囲が広がっており、本書では便宜上、2つを合わせた概念・用語としてCPSを用いたい。

本書では、産業・都市領域にフォーカスを置き、様々な領域でのCPSを通じたメタ産業革命のインパクト・構造変化や、メタ産業革命時代に求められる企業・産学官の戦略などについて触れていきたい。以下、それぞれデジタルツインと、メタバースの歴史や概要について紹介し、融合によるインパクトに触れる。

第1章

［図表1-1］**メタ産業革命の構造**

メタ産業革命（デジタルツイン・メタバースの融合による産業・都市の変革）

デジタルツイン
（現実空間の双子を再現し、
可視化・シミュレーション・最適化）

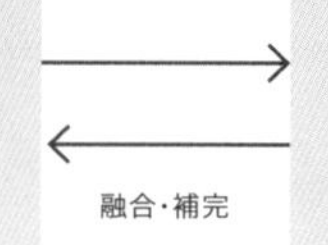

メタバース
（アバターを介して相互交流することができる3次元仮想空間）

- 現実世界の再現（双子）による精緻な分析・シミュレーションと、改善・フィードバック
- ロボット・機器のインターフェース・制御

- 仮想世界・未来世界の創造
- 人・モノ・世界とのコミュニケーション・相互交流
- クリエイターエコノミー・経済／生活圏

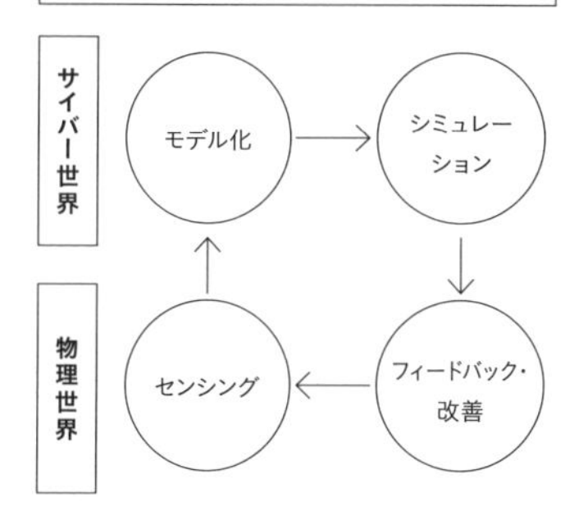

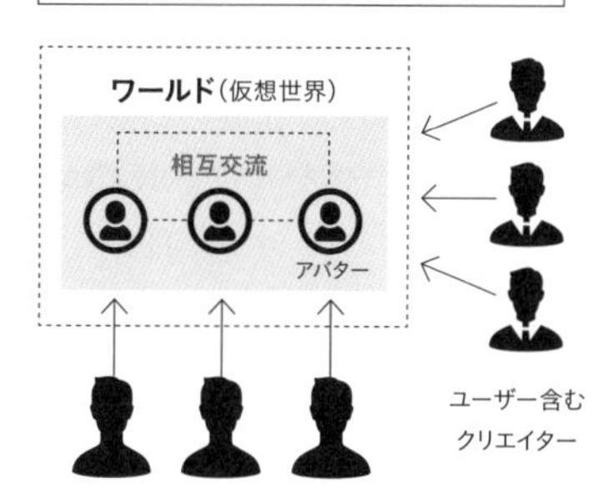

02 デジタルツインとは?

デジタルツインの歴史と広がり

本書では、現実世界のモデルをデジタル空間に転写し、シミュレーション・最適化し、現実世界にフィードバックするとともに、新たな付加価値を生むプロセス全体を解説する。

まず、デジタルツインとはデジタルの双子を意味し、デジタル上に現実世界の「双子」を再現し、事前シミュレーション・分析・最適化を行い、それを現実世界にフィードバックさせる仕組み全体を指す。NASAがアポロ13号時代にペアリングテクノロジーとして活用したことを背景に、全産業に広がり、第4次産業革命の中心技術となっている。

宇宙領域で生まれたデジタルツインは、製造業・建設業などのものづくりで産業として実用化され、幅広い産業(スマートシティ、モビリティ、ロボティクス、インフラ、物流、医療・ヘルスケア、農業、小売など)へと拡大してきている。

Society5.0、第4次産業革命における必須技術

ドイツにおける第4次産業革命=インダストリー4.0は、CPSによる産業革命と定義されている。日本が提示している産業コンセプトであるSociety5.0は、「サイバー・フィジカル空間を高度に融合させたシステムにより、経済発展と社会的課題の解決を両立する人間中心の社会」と定義されている。これからの産業においてはCPSがキーコンセプトになってくることがわかる。

しかし、日本においては第4次産業革命は「AI」「IoT」「ビッグデータ」と部分最適的に解釈されてしまい、正しくCPSのイン

パクトが認識されてこなかった歴史がある。特定の現場の改善にとどまらず、サービス・ソリューション型へのビジネスモデル変革や、全社やサプライチェーン横断でのオペレーションの変化につながるものとして認識する必要があるのだ。

デジタルツインの提供価値とループ

デジタルツインの提供価値は、大きく下記の4点であり、これらがループとして循環させていくプロセスが重要となる。

① 現実世界のデジタル再現（空間・設計・レイアウトなどデジタルツイン生成）
② デジタル上でのシミュレーション・改善（デジタル上でのシミュレーションによる事前検証・改善など）
③ ②の結果の現実世界への反映（シミュレーション結果の設備・機器・ラインへの反映、XRによる現実世界へのデジタルデータを通じた指示など）
④ 現実世界のセンシングデータ・実行結果をデジタルへ連携（製品・車両・ライン稼働データ、人作業状況などのデータ連携による①モデルの高度化など）

「デジタルツイン」は、特定のIT製品を指すわけではなく、CAD（3D設計システム）／PLM（製品ライフサイクル管理システム）／CAE（シミュレーション解析エンジニアリング）／3D工場・プラントシミュレータ／XR／IoT・3Dスキャニングをはじめとした複数の技術の集合体といえる。

デジタルツインやメタバースとなると、形式として3Dに注目がいきがちであるが、形状情報としての3D情報とともに、動作・制御モデルなどの意味データのモデルも含めることが重要な点である。これらの意味データも含め、現実世界をデジタル空間に再現もしくは、新たな空間を設計することで、現実世界にフィードバックしていく動きなのである。

［図表1-2］デジタルツインの構造

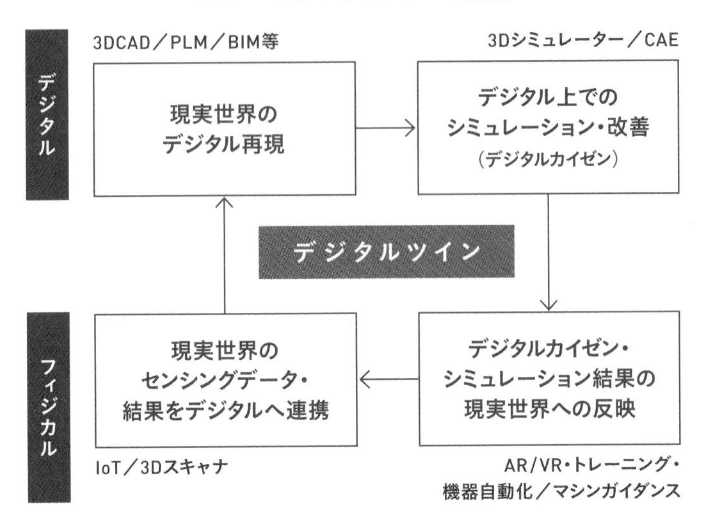

製品・設備から、都市・社会・人のデジタルツインへ

詳細は製造業の領域でも触れるが、これまでも製品・設備・ラインなどのデジタルツイン活用は進んできていたが、それらの領域が広がってきている。人の動作・負荷・リスクや、気づき・判断の可視化、感情シミュレーション、メタバースに関連する領域では人の3Dモデルを活用したバーチャルヒューマンを活用したサービスなど、ラインから「人」のミクロ側へと広がっている。

加えて、社会環境の変化や、産業領域が融合する中で、マクロ側へも広がっている。例えば、コロナ禍・半導体危機などでサプライチェーンの分断が問題となり、さらにCO_2排出量をモニタリング・シミュレーションする必要性が生まれる現在、サプライチェーンを超えたデジタルツインが求められている。さらに、脱炭素や防災・モビリティなど、都市・社会の課題の拡大に即した全体最適のデジタルツインへと、その活用領域は広がってきている。

03 メタバースとは?

メタバースの定義

メタバースは、meta（超越した）と、universe（世界・宇宙）を組み合わせて作られた造語である。言葉としての起源は米国のSF作家ニール・スティーヴンスン氏の1992年発表の小説『スノウ・クラッシュ』に登場するインターネット上の仮想世界を指す言葉である。

後述する一般社団法人Metaverse Japanでは、メタバースを「仮想現実空間を利用し、ユーザー同士のコミュニケーションや現実さながらのライフスタイルを送ることができる世界」と定義している。

そのほかメタバースの定義としては、例えばメタバースプラットフォームにおけるVR チャットの運営会社にも出資しているベンチャーキャピタルメイカーズ・ファンドのマシュー・ボール氏の下記の7つの定義が存在する。①永続的に存在する、②リアルタイム性、③同時参加人数に制限がない、④経済性がある、⑤体験に垣根がない、⑥相互運用性、⑦幅広い企業・個人による貢献。

日本発のメタバースプラットフォームCEOの加藤直人氏は著書『メタバース〜さよならアトムの時代〜』においてこれらに加えて、⑧身体性を提唱しているほか、VTuber・バーチャル美少女ねむ氏は著書『メタバース進化論』において、①空間性、②自己同一性、③大規模同時接続性、④創造性、⑤経済性、⑥アクセス性、⑦没入性をあげるなど、様々な議論が活発になされている。

本書においてはデジタルツインも共通であるが、より広く事例を取り上げている。そのポテンシャルや可能性をより広く捉える観点で、定義を広くとらえている点をご理解いただけると幸いである。萌芽段階であることからも、今後これらの要素が掛け合わされて進化していくことも想定される。メタバースにおける定義や、議論については章末の書籍も参考にしてほしい。

メタバースの歴史と産業・都市活用の位置づけ

2000年代には、仮想空間において人々の生活ができるプラットフォーム「セカンドライフ」が登場し、一大ブームを起こした。その後、コロナ禍でリアルでの活動に制限が生まれたことや、3D・XR・PC処理などの技術革新を通じてあらゆる領域で急速にメタバースのサービス実装が進んできている。

その一つがゲーム領域であり、代表例としてEpic Gamesの「フォートナイト」や、任天堂の「あつまれ 動物の森(あつ森)」があげられる。あつ森は無人島において自分の島をカスタマイズしてどうぶつたちとの暮らしを楽しむゲームで、Epic Gamesのフォートナイトのインパクトは序章で述べた通りだ。

敵を倒す、ゲームをクリアするといった特定の目的ではなく、交流やイベント参加、売買など生活・経済圏のもう一つの世界として機能していることが注目点だ。そしてSNSやデジタルアート領域においてもメタバースが一気に注目を集めた。フェイスブックが「Meta」へ社名変更し、従来のSNS企業から、メタバース企業への大きな転換を表明した。Metaの動向は後述するが、メタバースという言葉を日々聞かない日はないほどに注目を集めているのは同社の影響が大きい。

コミュニケーション領域ではVTuberの活動が進んだ。VTuberとはバーチャルキャラクターの姿での動画配信者であり、キズナアイ氏や、バーチャル美少女ねむ氏などが市場や文化を作りあげてきた。また、デジタルアートなどが、ブロックチェーン技術を用いたNFTなども活用して活発に取引が行われていることを通じ、一気に注目を集めている。

［図表1-3］メタバースの進展と、
産業領域におけるメタバース活用の位置づけ

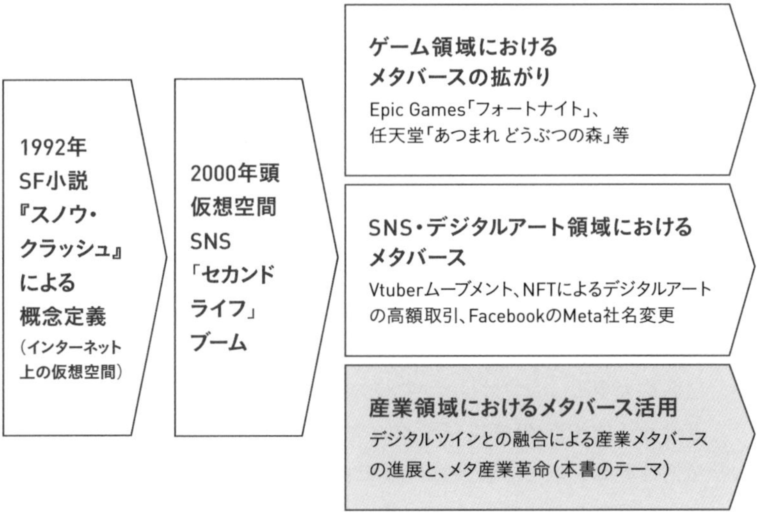

1992年 SF小説『スノウ・クラッシュ』による概念定義（インターネット上の仮想空間）	2000年頭 仮想空間SNS「セカンドライフ」ブーム	ゲーム領域におけるメタバースの拡がり Epic Games「フォートナイト」、任天堂「あつまれ どうぶつの森」等 SNS・デジタルアート領域におけるメタバース Vtuberムーブメント、NFTによるデジタルアートの高額取引、FacebookのMeta社名変更 産業領域におけるメタバース活用 デジタルツインとの融合による産業メタバースの進展と、メタ産業革命（本書のテーマ）

せきぐちあいみ氏は世界でVRアーティストとして市場や文化を切り開いてきたうちの一人だ。さらには産業・都市領域でメタバースの活用が進んできている。本書においては、産業・都市におけるメタバースの活用について主に取り上げていきたい。

元フェイスブック、Meta社の社名変更の衝撃

フェイスブックは2021年10月に社名をメタ・プラットフォームズ社へ変更し、世界に衝撃を与えた。従来まではiPhoneアプリや、ウェブサービスとして、グーグルやアップルなどのプラットフォームの上で動く1アプリケーション・サービスとしての位置づけであった。そのためプラットフォーマーに対して手数料等を支払う必要があった。今回のメタバースへのシフトは、メタ社が念願であったプラットフォーマーとしての立場を得ることにつながる。

メタ社におけるメタバースのプラットフォームとしてはホライゾンワールド(ソーシャルVR、イベント実施のベニューを統合)が米国・カナダ・イギリス・フランス・スペインほか(執筆時点)での展開、ワークルームズ(会議などのアバターを介したコラボレーション)がオープンベータ版として提供されるなどしている。

同社は2021年だけで100億ドル以上をメタバースへ投資している。今後年間1兆円を超える予算を投資するとともに、今後5年間でメタバース開発のために欧州を中心に1万人以上を雇用すると発表。ハードウェアとしては2014年にオキュラスVRを買収し、2020年にオキュラス2を発売(現在ではメタクエスト2と名称変更)。ARではレイバンと連携した機器や、今後MRヘッドセットとしてのプロジェクトカンブリアも発表されており、全方位戦略を取る。普及に向けて特定のヘッドセットの普及度合いに依存しない展開を図っていることがわかる。

同社は3D・XR技術開発に対して多大なリソースを投入すると

[図表1-4] Meta社の主なメタバース展開

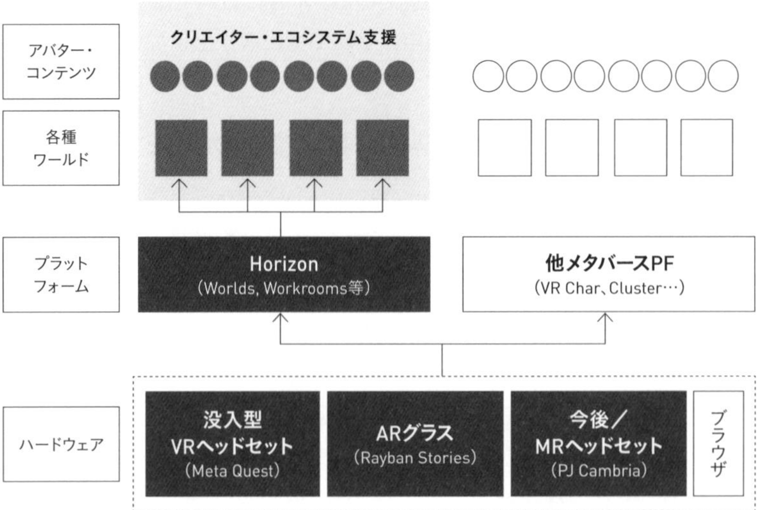

アバター・コンテンツ
各種ワールド
プラットフォーム
ハードウェア
クリエイター・エコシステム支援
Horizon
(Worlds, Workrooms等)
他メタバースPF
(VR Char、Cluster…)
没入型
VRヘッドセット
(Meta Quest)
ARグラス
(Rayban Stories)
今後/
MRヘッドセット
(PJ Cambria)
ブラウザ

ともに、クリエイター・エコシステムの支援を積極的に行っている。プラットフォームの活性化において、ワールドやワールド内のコンテンツを生み出すクリエイターの存在が不可欠であるからだ。クリエイターがVR空間にいながらワールドを直感的に作りあげられるツールの提供を行うとともに、大規模な資金提供を行いクリエイターを支援している。

実は着々と進化してきたセカンドライフ

メタバースと聞くと「セカンドライフ」をイメージする人も多い。セカンドライフは2002年に米リンデンラボが展開した3D仮想空間だ。

通常のゲームと異なり目的は存在せず、人々は交流したり、生活したり、イベントに参加したりともう一つの世界として活動を行っている。また、経済圏が生まれており、米ドルにも変換できるリンデンドルと呼ばれる仮想通貨で、人々がデジタルアイテムや、デジタルの土地・建築物を売り買いしたり、仮想空間上でサービスを提供しお金を稼ぐこともできる。

「失敗」とのイメージも強いが、当時は技術的に早すぎた過剰なブームが去っただけであり、実は今も着々と進化している。現在もセカンドライフは運営されており、1日20万人のアクティブユーザーがおり、年間6億ドルの経済圏を生み出しているのだ。

当時はPC処理能力や通信速度などの技術が未成熟であったが、現在ではこれらの技術が相当に進んできており、状況は大きく異なっている。メタバース関連は様々な情報が飛び交っているが、イメージに流されずに捉えていくことが重要だ。

産業・都市レイヤーにも拡がる
クリエイター・エコノミー

メタバースにおける「toC領域（個人向け）」のゲーム・コミュニケーションの中では、ユーザーが世界やアイテムを作り、収益を得るというUGC（ユーザー・ジェネレイテッド・コンテンツ）による経済圏、つまりクリエイター・エコノミーが創出されている。

例えば、メタバースプラットフォームのクラスターにおいては、ユーザー自体がワールドと呼ばれるメタバース空間を作っており、これらを支援するツールが整備されている。

これらクリエイター・エコノミーの大きなうねりが、toB（ビジネス向け）の産業や都市にも大きく及んできている。

例えば後ほど紹介する医療分野のHoloeyesでは、医師や患者が医用3Dデータを提供する経済圏の創出を図っている。また、渋谷未来デザインやKDDIなどが、メタバース空間上でのハロウィンイベントなどを開催している「バーチャル渋谷」の取り組みにおいては、今後ユーザー側が渋谷の情報を発信するイベントを行えるUGCを強化していく方針だ。

一般ユーザーや、エコシステムと呼ばれるパートナー企業が、いかにアプリケーションやサービス・コンテンツを自律的に作れる環境を用意し活性化するのかが、今後の展開における視点として重要となる。

メタバースとNFTの関係性

メタバースの拡がりの中で、NFTと同一のコンセプトだと混同されるケースも多い。NFTはメタバースを加速させる上での重要な技術要素の一つであるが、同一・必須ではない。両者は組み合わせて活用されることはあるものの、分けて考える必要がある。NFTはNon-Fungible Token（非代替性トークン）の略であり、例えば下記のような定義が存在する。

– 代替不可能なトークンで、それぞれ固有のIDや情報を持たせることで唯一無二であることを証明することが可能(天羽健介氏／『NFTの教科書』)
– ブロックチェーン技術を活用して改ざんと複製が不可能なデジタル証明書を作り、個人間トレードなどを可能にする技術(バーチャル美少女ねむ氏／『メタバース進化論』)

NFTはゲームやアートといったtoC分野での展開が活発であるが、toBの産業分野においても取り組みは存在する。例えば、特許などに対してNFTを付与する取り組みも展開されている。

技術的な詳細については専門書をご覧いただければと思うが、ここまで述べてきたように「メタバースとNFTは同一・必須要件ではなく、“NFTが効果的な用途において”メタバースの取り組みと掛け算として活用される」といった認識をここでは持っておいてほしい。

また、NFT自体は「所有していること」を証明するものであり、バーチャル美少女ねむ氏も指摘しているように、NFTを持ったとしてもデジタルコンテンツそのものを所有したことにはならないこと、また、元のデジタルコンテンツが複製できなくなるわけではないこと、デジタルコンテンツの作者の真正性を証明するものではないといった点を踏まえて捉える必要がある。

Web3とメタバース

加えて、Web3.0(Web3)とメタバースの位置づけも整理しておきたい。

Web1.0はインターネットの普及初期段階の情報の作り手と受け手が分かれている時代を指し、この時代はユーザーは「閲覧」に徹していた。Web2.0はユーチューブやSNSなどの登場で、誰もが「発信者」となったウェブのあり方の変化を指す。

Web2.0時代においては、巨大IT企業がプラットフォーマーとしてユーザーに関するデータや、そのデータを通じた収益(広告収益、マーケティング収益など)を集約して得ることになった。データの所有権やそれを通じて収益を得る権利が個人やデータ生成者にはなく、プラットフォーマーが持つ構造となったのだ。

それに対して非中央集権的な構造へのウェブのあり方の変化と、ユーザー側にこれらデータの所有権などを戻すといった動きやコンセプトがWeb3だ。DAO(Decentralized Autonomous Organization)と呼ばれる民主的な意思決定階層やインセンティブの仕組みを有する分散型自律組織、トークンによるインセンティブ・経済圏などが一例であるが、そのほか詳細なコンセプトや技術動向については、章末の参考書籍をご覧いただきたい。ここではメタバースとWeb3の関連性について簡潔に触れたい。

Web3も、NFTと同様にメタバースと親和性が高いものの、必須・同一ではなく掛け算の議論になっていくことを述べておきたい。メタバースの取り組みの進展と、ウェブの中央集権・非中央集権などのガバナンスのモデルは分けて考える必要がある。

しかし、メタバースにより自律分散的なコミュニティや経済圏が形成されることで、Web3モデルのシナジーや親和性はより大きくなる。そのため、現在のメタバースの取り組みとしてもWeb2.0のモデルから、Web3へと徐々にシフトしていくことも想定される。

Web3自体はコンセプト段階であり、本書で扱うメタバースの事例においても、必ずしもWeb3の世界になっているわけではない。しかし、今後急速にこのコンセプトがあらゆる領域で発展・浸透する可能性が高く、動向を注視する必要がある。

例えば、異業種でのデータ共有ネットワークとして製造業の章で紹介するGAIA-Xは、フェデレーションサービスと呼ばれる中央サーバーを介さない分散型のデータ共有が志向されている。
　このほか、CO_2などのデータをサプライチェーン内で相互に共有する分散型の仕組みを作るにあたり、トークンを通じた経済圏を創出する形が模索されている。
　また地域行政においても、新潟県の限界集落である山古志地域において、山古志住民会議は錦鯉をシンボルとした長岡市公認のNFTアートの「カラード・カープ」を発行している。このNFTは電子住民票を兼ねており、800名の現実村民を超える約900名のデジタル村民が生まれた。NFTで集めた財源をもとにした施策を決める「デジタル総選挙」などを通じて地域のガバナンスにも関与している。
　今後デジタルネイティブ企業や領域のみならず、既存産業や都市領域においても非中央集権・分散型のWeb3の考え方が浸透していくことも想定される。

04

デジタルツインとメタバースとの融合とメタ産業革命

ここまで見てきたデジタルツインとメタバースが融合することによる産業・都市の変革が「メタ産業革命」だ。デジタルツインが製品・設備・建物から、医療・人間や、都市空間・社会などへと広がる中で、人と人とのコミュニケーションや、経済活動・生活などを取り込んでいくのだ。

都市や建物を再現したデジタルツインデータが、アバターを

［図表1-5］デジタルツインとメタバースの融合によるメタ産業革命（再掲）

メタ産業革命（デジタルツイン・メタバースの融合による産業・都市の変革）

デジタルツイン
（現実空間の双子を再現し、可視化・シミュレーション・最適化）

融合・補完

メタバース
（アバターを介して相互交流することができる3次元仮想空間）

- 現実世界の再現（双子）による精緻な分析・シミュレーションと、改善・フィードバック
- ロボット・機器のインターフェース・制御

- 仮想世界・未来世界の創造
- 人・モノ・世界とのコミュニケーション・相互交流
- クリエイターエコノミー・経済／生活圏

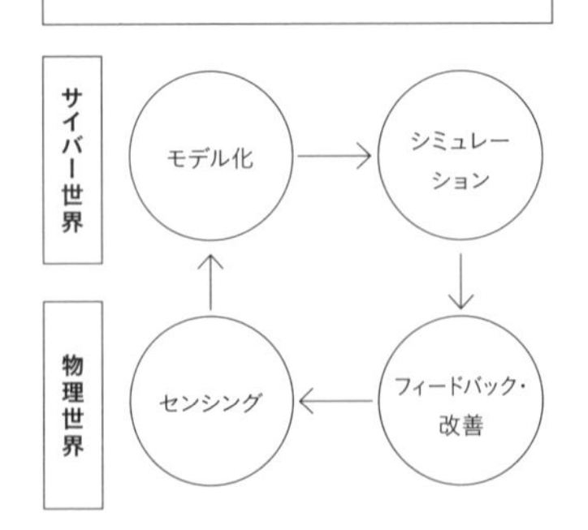

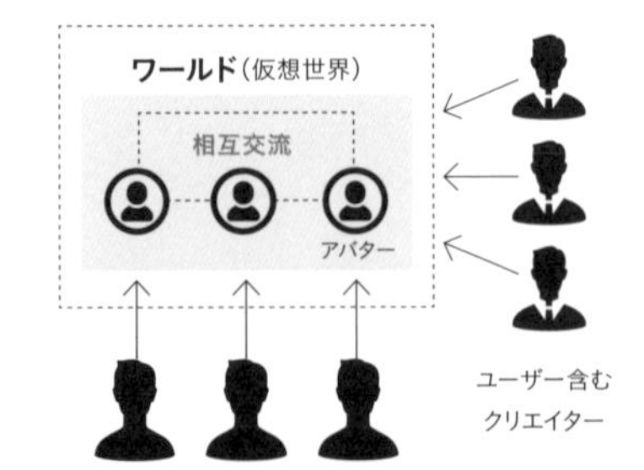

介して交流・活動するメタバースとして活用されることや、メタバース空間の相互交流の世界の中で新規技術のシミュレーションを行うといった方向性も生まれてきている。

コロナ禍で早まったデジタルツイン・メタバース活用

デジタルツインやメタバースの取り組みが広がった背景としては、コロナ禍の影響が大きい。今まで物理的な現場で、対面で行っていた業務・オペレーションや、生活の行動などが大幅に制限されたからだ。

例えばある自動車会社においては、製造現場に外部業者が入る際には携帯電話などの持ち込みが厳格に禁止されていたが、遠隔でのARを活用したコミュニケーションの必要性が高まる中で、カメラなどの使用が許可されることになった。今まで人手に頼り、対面・現場でなんとか実施できていたものが、完全に不可能になってしまったことで、デジタル化が大きく進むこととなったのだ。

メタバースも同様だ。今までのように、物理的にイベントを開いたり、人と対面で会って交流することができなくなった。そうした中で、ゲームの中で敵を倒すといった目的ではなく、人と交流したり、イベントを開いたりできる「もう一つの世界」としての生活圏・経済圏が広がっていった。

本書で紹介するメタバース関連企業も、昨今のメタバースブームの中で生まれた企業というわけではなく、今まで着々と進めてきたものがコロナの中で加速したといった経緯がある。例えばメタバースプラットフォームのクラスターは2015年創業であり、米国のロブロックスも2006年にリリースされている。

ゲーム・コンテンツの領域と、産業・都市領域が融合

メタ産業革命の中で、ゲーム・アニメ・コンテンツ領域と、産

業・都市領域の垣根も低くなってきている。従来もイノベーションがゲームやコンテンツ領域から先に生まれて、産業・都市へ応用されることもあったが、それがより直接的につながってきているのだ。

後述するが、ゲームの3D技術の土台となっているゲームエンジンをもとに産業のデジタルツインや都市のメタバース空間を作る形も広がってきている。個別最適化する各産業のデジタルツインをつなぎ合わせ、全体をつなぐ統合デジタルツインとして活用する企業も増えているほか、ゲームエンジンで自動車部品を設計するケースもでてきている。

規制や既存の商慣習などに縛られないゲーム・コンテンツが、スパンの長い取り組みとなる産業・都市を引っ張り、産業・都市での取り組みがゲーム・コンテンツにフィードバックされる関係性となってきている。人材としてもゲームエンジンや3Dクリエイターが産業・都市の領域において重宝され、活躍するケースも増えてきている。

［図表1-6］**ゲーム・コンテンツ産業と、産業・都市領域の融合**

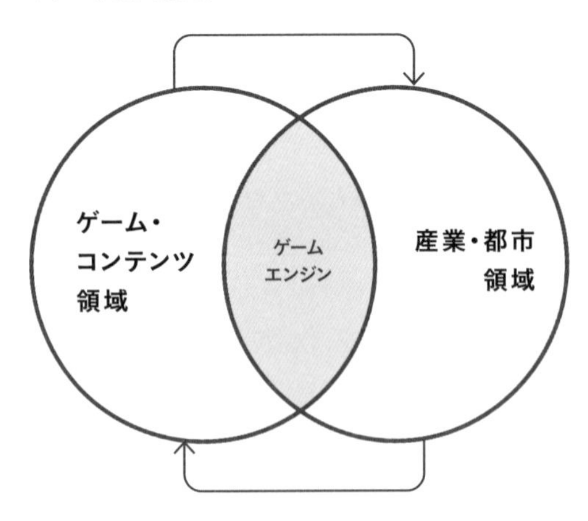

XR＝AR／VR／MRの違い

また、メタバースやデジタルツインの議論の中で重要となるのがXR技術だ。PC・ブラウザやモバイルとともに、デジタル世界と現実世界のインターフェースとなる。

どのような形でバーチャルコンテンツと現実世界が関係するのかや、必要となるハードウェアはそれぞれ異なる。ここでは、前提としてVR・AR・MRの違いを整理しておきたい。

VRはVirtual Realityの略で仮想現実と呼ばれ、VRヘッドセットでバーチャルコンテンツ内に没入する。ARはAugmented Realityの略で拡張現実と呼ばれ、現実空間にバーチャルコンテンツを投影する。MRはマイクロソフトのホロレンズ2が代表例だが、現実世界とその投影するデジタル世界が連動する複合現実だ。

これらの違いを意識して、人にデジタル世界に入ってもらいたいのか、現実世界にデジタルコンテンツ・データを持っていきたいのかなど、提供したい価値から使い分けていく必要があるのだ。

例えばポケモンGO！で著名なナイアンティックはARを基軸とした「リアルワールドメタバース」を提唱しているほか、Meta社はAR／VR／MRなどの全方位戦略をとる。

VRヘッドセットなどの専用ハードウェアは、まだ価格や重量などの関係で完全に普及していないが、今後Meta社をはじめとする巨額の投資が入ることにより、急速に一般化していくことが想定される。没入型VRヘッドセットで得られるリッチな体験の提供やデバイスの普及・低価格化とともに、スマホ・ブラウザを含めて多くの人が参加できる、ハードルを下げた展開の掛け合わせで市場を創出していくことが求められる。

［図表1-7］XR技術の整理

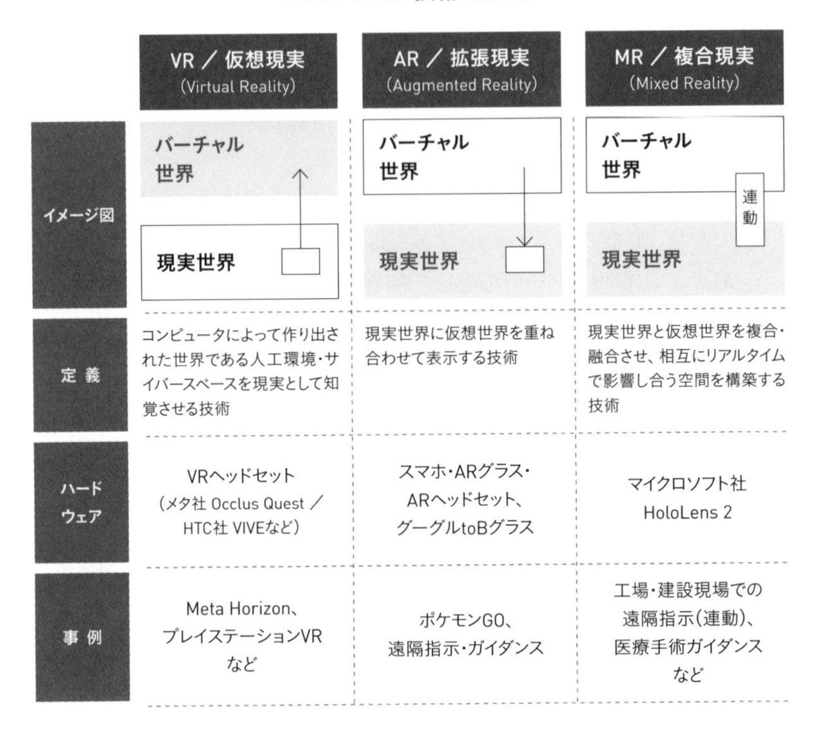

	VR／仮想現実 (Virtual Reality)	AR／拡張現実 (Augmented Reality)	MR／複合現実 (Mixed Reality)
イメージ図	バーチャル世界 現実世界	バーチャル世界 現実世界	バーチャル世界 連動 現実世界
定義	コンピュータによって作り出された世界である人工環境・サイバースペースを現実として知覚させる技術	現実世界に仮想世界を重ね合わせて表示する技術	現実世界と仮想世界を複合・融合させ、相互にリアルタイムで影響し合う空間を構築する技術
ハードウェア	VRヘッドセット（メタ社 Occlus Quest／HTC社 VIVEなど）	スマホ・ARグラス・ARヘッドセット、グーグルtoBグラス	マイクロソフト社 HoloLens 2
事例	Meta Horizon、プレイステーションVR など	ポケモンGO、遠隔指示・ガイダンス	工場・建設現場での遠隔指示（連動）、医療手術ガイダンス など

参考文献

『メタバース～さよならアトムの時代～』（Cluster社CEO 加藤直人氏著）
『メタバース進化論』（バーチャル美少女ねむ氏著）
『メタバースとは何か～ネット上の「もう一つの世界」～』（岡嶋裕史氏著）
『NFTの教科書』（天羽健介氏・増田雅史氏著）
『テクノロジーが予測する未来～Web3, メタバース、NFTで世界はこうなる～』（伊藤穰一氏著）
『メタバースとWeb3』（國光宏尚氏著）
『Web3新世紀 デジタル経済圏の新たなフロンティア』（馬渕邦美氏・絢斗優氏・藤本真衣氏著）
『未来ビジネス図鑑 仮想空間とVR』（株式会社往来著）
『VRビジネスの衝撃「仮想世界」が巨大マネーを生む』（新清士著）
『バーチャルリアリティ学』（日本バーチャルリアリティ学会著）
バーチャル美少女ねむ氏 のnote

第2章

メタ産業革命の構造

Meta-Industrial Revolution

01

メタ産業革命の4つのインパクト

第1章で述べた通り、メタ産業革命はデジタルツインとメタバースの活用による産業・都市の変化を示す。デジタルツインは効率化・精緻化を、メタバースは創造性・ゲーミング・交流を大きく提供価値としている。産業・都市領域におけるそれぞれの変化の構造・インパクトを4つの項目にもとづいて触れたい。

［図表2-1］**メタ産業革命4つのインパクト**

		メタ産業革命 （デジタルツイン・メタバースの融合による産業・都市の変革）	
		デジタルツイン （現実空間の双子を再現し、可視化・シミュレーション・最適化）	**メタバース** （アバターを介して相互交流することができる3次元仮想空間）
提供価値		可視化・効率化・精緻化・シミュレーション	創造性・ゲーミング・交流・生活・社会・経済活動
変化構造	❶変化への柔軟な対応・未来の創造	・変化に対するシミュレーションを通じた柔軟な対応	・未来社会・仮想社会の創造・デジタルツインでのPoC、社会実験
	❷可視化・モデル化	・製品・設備・機器・建物等 ・人の動作・オペレーション	・世界観・ビジョン ・人の判断・メンタルモデル ・都市・社会全体
	❸オープンなコラボレーション	・3Dを共通言語とした組織・企業を超えた連携	・リアルタイムでのアバターを通じたコミュニケーション ・身体・物理の制約を超えた連携 ・生活圏（購買、エンタメ、交流等）
	❹産業の水平分業とクリエイターエコノミー	・水平分業、ビジネスモデル変化（ユーザーからソリューション企業へ）	・UGCによるクリエイターエコノミー

変化への柔軟な対応・未来の創造

最初のポイントが変化への柔軟な対応と、未来の創造だ。デジタルツインを活用することにより、試作品や試作ライン、模型などを物理的に作る前にデジタル上で検証を行うことができる。変化に柔軟に対応しシミュレーション・改善を行った上で、最小限の時間・リソースで現実世界での業務に移れるのだ。

変化が起こったときに、物理的な対策を行うと時間がかかってしまうが、これらをデジタル側で事前に実施することで市場投入スピードを向上させるとともに、品質向上やリスクの低減を図ることができる。

VUCA(変動性、不確実性、脆弱性、曖昧性)と言われるように、予測が難しい環境下や、顧客ニーズ・ビジネス環境の変化が激しい時代においては、変化を正確に予測するよりも変化に対応する能力「ダイナミックケイパビリティ」が重要とされる。例えばコロナ禍やウクライナ危機などは事前に予測することは難しく、起こった際にいかに迅速に対応できるかが欠かせない。

デジタルツインはその特性から、まさにダイナミック・ケイパビリティを構築する上で必須のコンセプトといえる。一方メタバースは、自動運転や空飛ぶクルマ、ロボット社会など、現実世界でのPoCに制約がある先端技術などにおいて役に立つ。メタバース空間で「デジタルPoC」を行い、その結果をもとに社会受容性を測ったり、技術開発に活かす社会実験を仮想空間上で行ったりすることで、未来を創造することができる。

可視化・モデル化

次に可視化・モデル化である。デジタルツインでは、今まで属人化し暗黙知となっていたオペレーションや知見を可視化・モデル化することで標準化・形式知化することにつながる。

日本企業として現場のスキル・技術の伝承や、拠点を超えた移管に苦労をすることも多いが、デジタルツイン活用により技能伝承や品質の平準化につなげることができる。これまではこうした技能・スキルは現場で「背中」を見て実践で覚える必要があったが、デジタルツインを通じて可視化・モデル化することで、誰もが習熟・実施可能となる。

その対象は従来のデジタルツインの製品・設備・機器の動きから、人の動作まで拡がってきている。加えて、3Dで検討することにより、製品・機器の内部構造など、今まで目視確認ができないために熟練者の「勘と経験」に頼っていた領域も事前検証ができるようになり、従来のプロセスよりも品質が向上しているケースも存在する。

さらに、対象が一製品や機器から、自動運転車をはじめとしたハードやソフトウェアが複雑に絡むシステムや、スマートシティなどの都市や社会へと複雑化する中において、可視化・モデルはより重要になってきている。個別要素の最適化では課題が解決できず、トレードオフとなる複数の主体のニーズや課題に応えていく必要があるからだ。

またメタバースでは、ヘッドセットやセンシング機器を活用して、人の目線・判断や感情などをセンシングするとともに、アバターを通じた行動を可視化・分析することも可能となる。現実世界のモデルを再現するだけでなく、未来の状態を作り上げて、ビジョンや目指す世界のイメージを創り、参加者間で解像度をあげていくことも可能だ。

オープン・インタラクティブなコラボレーション

これまでは設計図面の読み解きや、目指すビジョン・世界の想定については、個人の理解・熟練度や、捉え方・解釈によって差がうまれていた。これらがCPSにより3Dで表現されることによって「共通言語」として誰もが見える形で同じイメージを持って検討が進むことにつながる。

従来は限られた現場の人たちによる暗黙の了解として共通言語が形成されていることも多かった。しかし、デジタル化や領域の融合、グローバル化などの中で、今までとは異なる幅広い人々との合意形成や、連携が必要になってきている。

そうした中で、非言語で直感的に伝わるインフラとして、3Dが効果的に機能する。誰もが見える形で検討が進むことにより、前工程から後工程という順を追った検討だけではなく、検討段階から前工程・後工程双方の意見を盛り込むなど、組織を超えた連携が実施しやすくなるのだ。

例えば製品設計のコンセプト検討段階から、量産のしやすさ、サービスのしやすさ、想定される顧客の反応などの観点について、組織を超えて議論し高度化するなどのコラボレーションがスムーズとなる。これは企業を超えた連携においても同様である。協力・委託会社や、サプライチェーン企業と検討段階から効率的に連携を行うことができる。

メタバースでは、アバターを通じて人々が身体や場所などの制約を超えてリアルタイムにコミュニケーション・コラボレーションする場となる。その結果として、交流やイベントの場にとどまらず、買い物やエンターテインメント、教育、仕事などメタバース上での日々の生活が行われるとともに、経済活動が生まれていくのだ。

メタバース上での時間の価値があがるにつれて、社会の接点となるアバターは自分自身と同じか、もしくはそれ以上の価値を持つようになる。そうなると、アバターのファッションをはじめデジタルアイテムの重要性が今まで以上に増すこととなる。

産業の水平分業とクリエイター・エコノミー

上記の2番目に触れた「可視化・モデル化」が進むと、暗黙知であったノウハウ・オペレーションが、誰もが理解できるデジタルに表現されることで、移管ができるとともに、強みを活かしたソリューションとして展開することにもつながる。製造業だけでなく、建設業の鹿島建設、物流では日立物流など、デジタルツイン活用による自社ノウハウの他企業への展開を図る企業が生まれてきている。

例えば製造ライン設計を3D化し、自社のライン設計ノウハウを他社製造業に外販していくビジネスモデルなどが挙げられる。製造業に限らず、幅広い産業で現場オペレーションに強みを持つ日本企業にとって、デジタルツインを活用し、自社の強みをソリューションとして競争力に変えていくことが可能となる。

こうした技術力のある企業がソリューション提供側へと回るのと同様に、メタバースにおいてはクリエイター・エコノミーが非常に重要な要素となる。クリエイターがワールド自体や、アバター、デジタルコンテンツ、サービスなどを作りあげ、それにユーザーが課金をして利用する。その経済圏の中で、よりメタバースが魅力的になるコンテンツが生まれ、それによってさらにユーザーが増えるといったサイクルが生まれるのだ。

メタ産業革命では領域の垣根とともに、サービスなどの受け手側と提供側の立場の垣根も低くなり、融合する。自社・個人にとっては、何が強みなのかが問われるとともに、強みが大きなチャンスとなるのだ。

02

ロボット社会とメタ産業革命

次に、急速に進展しているロボット社会とメタ産業革命の関係性について触れておきたい。

CPSとロボットはお互いの進展において密接な関係性にある。CPSでのシミュレーションや動作検討結果を実機ロボットの制御にフィードバックすることや、実機の動きをCPSへ反映させてよりシミュレーションを高度化することが可能となっている。それにより、デジタル上での検討結果を、ロボットやモビリティなども含めた機器と連携させることにより、多くのオペレーションが実現できることとなる。

[図表2-2] 機器のデジタルツイン活用

デジタルツインにおける機器シミュレーション

実機の動作に基づくシミュレーションの高度化、改善の継続実施

デジタルツインのシミュレーションと現実世界が密接に連携しており、実際に稼動させることなく機器動作のシミュレーションができる

サイバー上でのエンジニアリング、デジタル試運転・検証の実施、実機への動作連動

実際の機器オペレーション

写真：SIEMENS

CPSがロボットとのインターフェースになる

デジタルツインを活用することによって、上位の計画システムなどと連携し、計画システム上の前提条件をシミュレーションに反映することや、逆にシミュレーションや実行結果を計画システム側へと連携することができる。同時に、CPSのシミュレーション結果を機器の制御や人への指示を通じてフィードバックするとともに、実行結果がCPSへ連携される。

これら機器・設備・ロボット・モビリティなどを介して、CPSがデジタルと現実世界をつなぐインターフェースとなっていくのだ。

［図表2-3］デジタルと現実世界のインターフェースとしてのCPS

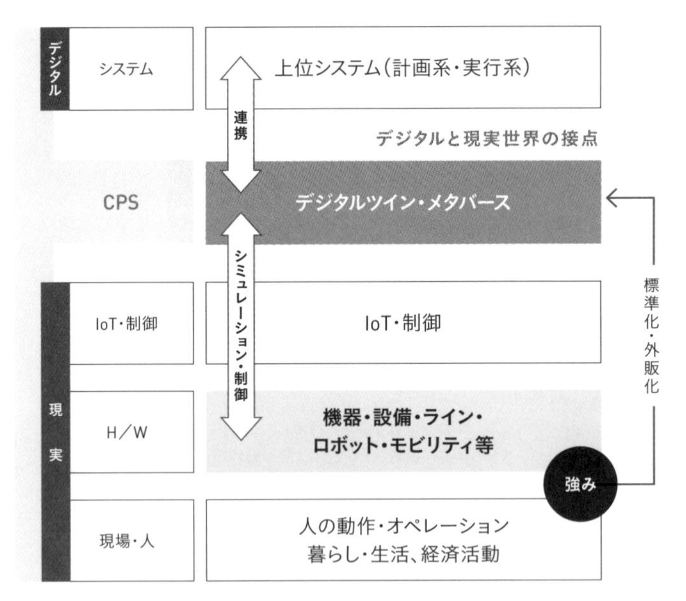

CES2022では、1000億円以上を投じてボストンダイナミクスをソフトバンクから買収した現代自動車が、メタバースとロボットを接続し、リアル空間にフィードバックさせる「メタモ

ビリティ」コンセプトを発表した。メタバースを通じてモビリティロボットを移動させ、危険地での作業や火星などへの旅行や、遠隔地から韓国にいるペットに餌をあげたり抱きしめたりできることなどを目指すと表明している。

これらCPSをインターフェースとして機器を制御する取り組みは、すでに産業界で多く進んでおり、製造ラインにおけるロボットや、建機、農機などに活用されているほか、都市やビルの自律移動ロボット等では後述するBIM情報と連動した動作制御がなされている。

テレイグジスタンス(遠隔存在)技術を軸としたロボットスタートアップのテレイグジスタンスは、物流倉庫やコンビニなど小売のバックヤードで遠隔のオペレーターがVR空間を通じてロボットにマテリアルハンドリング(モノの移動などの取り扱い)の指示を行う取り組みを行っている(図表2-4)。

ロボットによる自動化はこれまでも進んできたが、人の判断が必要となる作業で遠隔操作が求められる領域は多い。今後CPSを通じて遠隔操作ロボットを操作する新たなオペレーション・働き方が広がっていくことが期待される。

[図表2-4] テレイグジスタンスによるニチレイロジグループ倉庫での遠隔ロボット実証

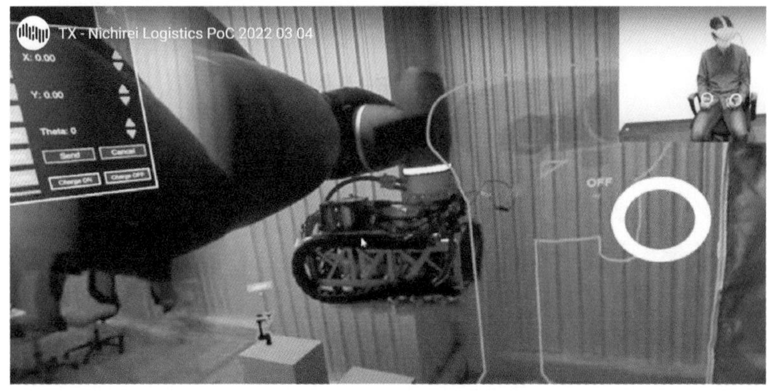

出典:https://www.youtube.com/watch?time_continue=80&v=CdIYSjFbHXg&feature=emb_logo

拡がるロボティクス4.0

現在、ロボットは従来の製造ラインなどから、あらゆる産業や都市、生活へ広がってきている(ロボティクス3.0)。ここでカギの一つとなっている自律移動ロボットでは、LiDARなどのセンシング情報から簡易デジタルツインとしての環境地図を生成し、自己位置推定やルート生成、障害物を回避しながらの走行を行う。

ここに建物の設計デジタルツインとしてのBIMを連携させ精度を上げることも進む。さらには、従来は技術力のあるロボット企業のみがロボットを展開していたが、誰でもロボットを展開できるように変わるロボティクス4.0へと変わってきている。

例えばソニーグループは、先述の自律移動ロボットの頭脳であるOS(オペレーションシステム)を提供するプラットフォーム開発を行っている。ロボット専門企業でなくとも、新規参入企業や今まで活用側だったユーザー企業が、自らロボット展開を行えるようになってきているのだ。

[図表2-5] **ロボティクス1.0〜4.0**

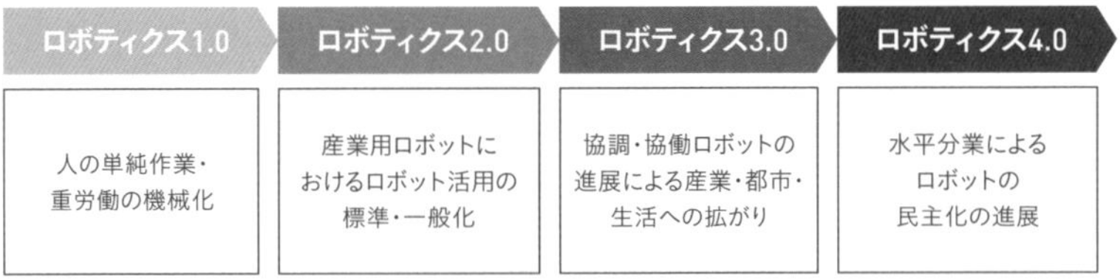

ロボティクス1.0	ロボティクス2.0	ロボティクス3.0	ロボティクス4.0
人の単純作業・重労働の機械化	産業用ロボットにおけるロボット活用の標準・一般化	協調・協働ロボットの進展による産業・都市・生活への拡がり	水平分業によるロボットの民主化の進展

メタ産業革命×ロボット社会では何を実現したいのかの価値が重要

こういった技術要素が組み合わさることで、都市やあらゆる領域においてCPSによるシミュレーションを通じた変化への対応、ロボットを通じたその結果の反映、さらにはロボット動作・

センシング結果をCPSへフィードバックするというサイクルが回る形となる。

こうすることで、実行前にデジタル上でPDCAサイクルをシミュレーションした上で、現実世界のロボットではそのデジタル上でのシミュレーションや改善結果をインテグレーション(I)で反映し、センシング(S)結果を基に、さらなるモデル化(M)を図っていくループが生まれる。

このPDCA-ISMモデルはCPS・ロボティクス4.0時代におけるオペレーションの前提になっていくだろう。これらが確立してくると、オペレーションの対応スピードと品質が標準化・高度化し、ある程度のオペレーションは技術で実現可能になる。

そうするとより上位概念である、何を実現したいのか、つまり「何を価値にしたいのか(V:Value)」という観点の重要性がますます高まるのだ。

すべての企業・組織にとって、オペレーションプロセスよりも、CPSとロボティクスを活用した上で、社会・経営課題解決などの価値の違いが差を分けることとなる。次章以降で具体的な産業におけるメタ産業革命の動向について触れていきたい。

[図表2-6] **メタ産業革命×ロボティクス4.0におけるフィードバックサイクル**

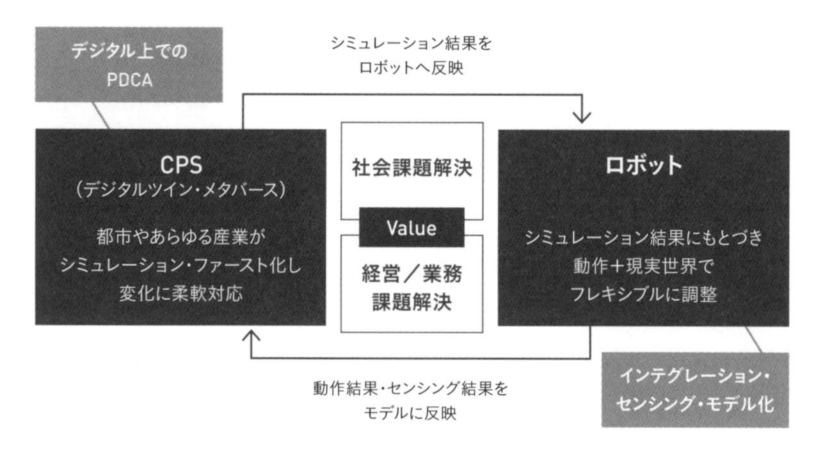

第3章

製造業のメタ産業革命

Meta-Industrial Revolution

01

第4次産業革命における キー技術

デジタルツインが提供する4つの機能

先述の通り、産業CPS(デジタルツイン・メタバース)による革命は、あらゆる産業や都市領域に拡がっている。その中で、土台となっているのが製造業での展開である。

デジタルツインの起源としては宇宙分野であるが、それが製造業のインダストリー4.0(第4次産業革命)の中で産業として普及し、その経験を土台に各産業に拡がっている背景がある。

製造業におけるデジタル化が急速に進んだきっかけとしては、2011年に提唱され、メルケル首相を中心にドイツの国家戦略として進められている「インダストリー4.0(第4次産業革命)」の影響が大きい。

第1次産業革命が蒸気機関、第2次産業革命が電力化、第3次産業革命が電子・IT・自動化による産業革命を表している。そして、インダストリー4.0は、現実世界とデジタル世界が融合する、CPS(サイバー・フィジカル・システム)による産業革命を表している。直近では、これらがさらに進んだインダストリー5.0も議論されてきている(後述)。

デジタルツインは「デジタルの双子」を意味する。デジタル空間上に製品・工場ライン等の物理空間の双子を再現して事前シミュレーション・分析・最適化を行い、それを物理空間にフィードバックさせる仕組み全体を指す。

デジタルツインが提供する機能としては大きく下記の4点である。

① 現実世界のデジタル再現:PLM設計データや、工場3Dレイアウトを通じたデジタルツイン生成など
② デジタル上でのシミュレーション・改善:設計シミュレーション、工場のラインシミュレーションによる事前検証・改善など
③ ②の結果の現実世界への反映:シミュレーション結果の機器・ラインへの反映、XRによる現実世界へのデジタルデータを通じた指示など
④ 現実世界のセンシングデータ・実行結果をデジタルへ連携:製品・ライン稼働データ、人作業状況等の連携

［図表3-1］製造業におけるデジタルツインの構造例

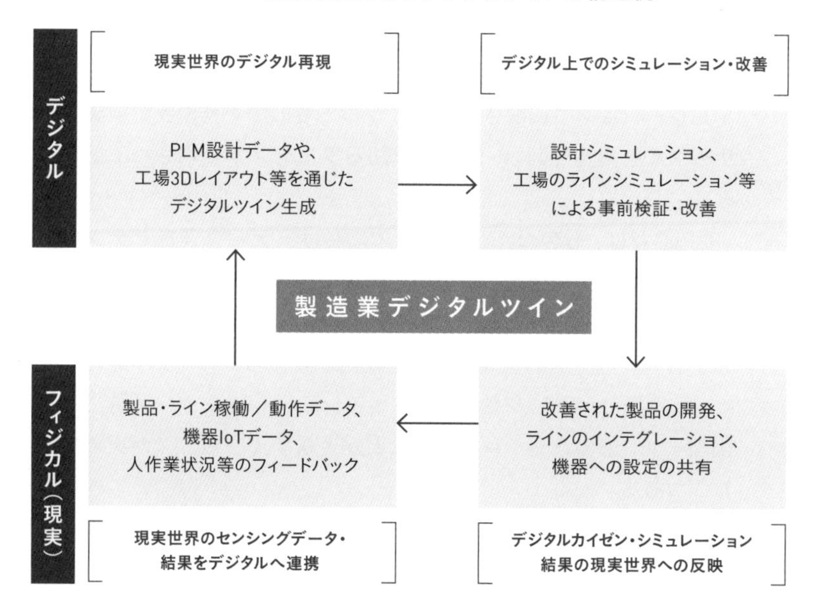

ものづくりの仮説検証サイクルを回す

また、「デジタルツイン」という特定のIT製品があるわけではなく、下記をはじめとした複数の技術の集合体といえる。

- CAD・PLM（Product Lifecycle Management：製品ライフサイクル管理システム）
- CAE（Computer Aided Engineering：シミュレーション解析エンジニアリング）
- 3D工場／プラントシミュレーション
- AR（拡張現実）・VR（仮想現実）
- IoT・3Dスキャニング

製造業においては製品設計―ライン設計―実製造―メンテナンスなどのエンジニアリングチェーン全体をデジタルツインでつなぐ動きが起こっている。製品設計、生産設計、製造実施、実製品動作をデジタルツインでつなぐ。これにより、デジタル上でのシミュレーションを工場ラインや製品などの物理世界にフィードバックし、さらに物理空間での変化をデジタルでのシミュレーションに反映させる。こうしてものづくりの仮説検証サイクルを高速で回し、最適化を図るプロセスが提唱されている。

図表3-2は、ものづくりプロセスにおけるデータ連携とデジタルツインの関係性を示している。製品の企画から生産・販売・メンテナンス・廃棄のライフサイクル全般にわたって製品データを管理するPLM（製品ライフサイクル管理システム）を軸に、製品設計（CAD）や製品・プロセスシミュレーション／解析（CAE）、3D工場シミュレーター―などが連携するプロセスが実現しつつある。

以下、具体的に現在どのような形でデジタルツインが活用されているのかを見ていきたい。本章においては組立産業をメインに紹介するが、プロセス産業での個別論点は後述する。

［図表3-2］製造業におけるデータ連携とデジタルツイン

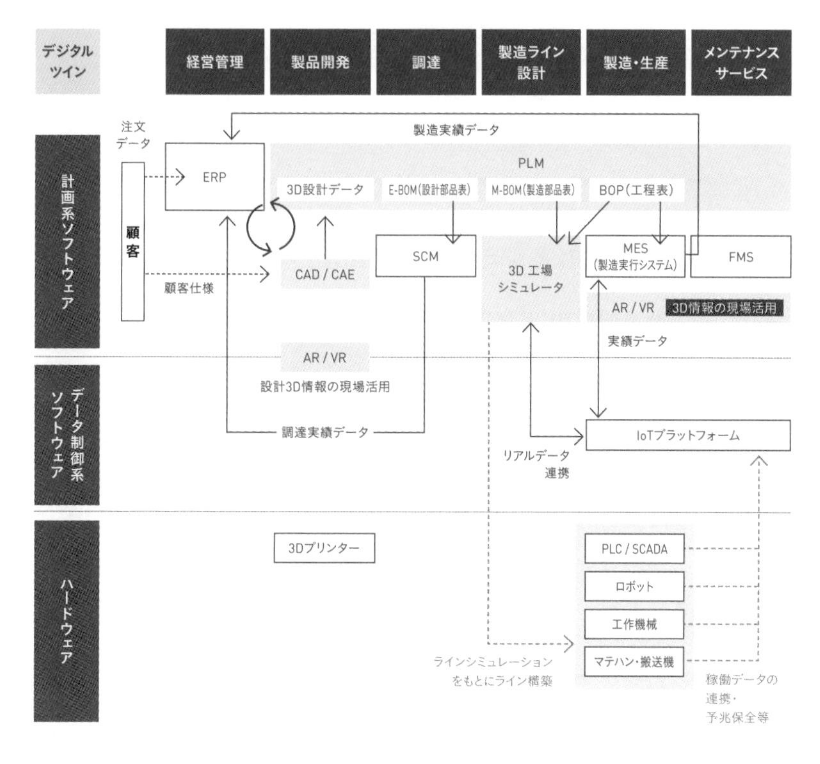

02

製品設計を 3Dでシミュレーション

製品の3D設計とシミュレーション

まず製品設計の3D化である。以前よりCADソフトウェアを用いた設計の3D化が進んでいる。そこから3D設計をCAE(コンピューター・エイデッド・エンジニアリング)と呼ばれる製品開発段階での力・構造・熱・流体などのシミュレーション・試験や、VR上で設計の確認を複数人・遠隔で行うプロセスが行われてきた。

これにより試作や実験の回数を減らし開発リードタイムを短縮することができる。製品がシステムとの連携も含めて複雑化するとともに、ニーズや技術の変化の高速化によりライフサイクルも短くなっている中において、デジタルツインでのシミュレーションは必須となっている。

また、脱炭素化がもとめられる中で、エネルギーを最小化するためにいかに軽量化できるかや、環境負荷の低い素材を使った際のパフォーマンスの検討においても、シミュレーションが重要となってきている。これら製品設計のデジタルツイン化が、

［図表3-3］製品の3D設計シミュレーション

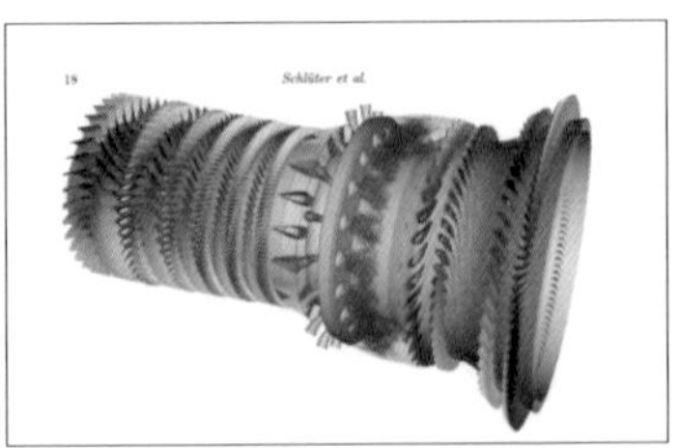

出典：理化学研究所

あらゆる項目のデジタル化の基盤として重要となる。

3Dプリンター・工作機器連携

ものづくりでは、従来、試作・設計においてプロトタイピングを行い、設計イメージを立体的に確認してすり合わせを行う上で、3Dプリンターの活用が進んでいる。実製造においても、少量・カスタマイズ品や、メンテナンス・補給部品などの製造で、3Dプリンターの活用が進んでいた。例えば航空機などの受注製造産業においては、実際に3Dプリンターで成形した部品が搭載され運用されている。

これら3Dプリンターや、工作機械(CNC加工機)の活用においても、インプットデータとなるのが3D設計データだ。3Dデータと機器があれば、ある程度のものづくりができるようになってきており、ものづくりの民主化が急速に進んでいるのだ。

最適自動設計(ジェネレーティブデザイン)

従来、設計はエンジニアの経験や熟練が必要であったが、設計が3D化し、パラメーターで管理できるようになっている中で、これらを組み合わせたAIによる最適自動設計も、製造業のみならず建設など幅広い産業で進んでいる。

これはジェネレーティブデザインと呼ばれ、多くの業界で適用が進んできている。設計目標や、機能、空間条件、材料、製造方法、コストの制約などのパラメーターをソフトウェアに入力すると設計案を自動生成するものだ。高級感、力強いなどのイメージにもとづく設計提案も可能だ。自動車や家電などをはじめ幅広い領域で活用される。

例えば、図表3-4はGMによる自動車部品のジェネレーティブデザインの事例だ。3Dプリンターにより、従来の個別部品の組み立てではなく最終形を成形することができるようになり、複雑な形状の製造が可能となる。それら3Dプリンターの特性を踏まえた最適な設計・形状をAIで自動提案するものだ。

従来の技術では不可能であったり、熟練のエンジニアでも想定ができなかったりした設計を提案することや、設計プロセスを大幅に短縮することにつながっている。

［図表3-4］Generative Design

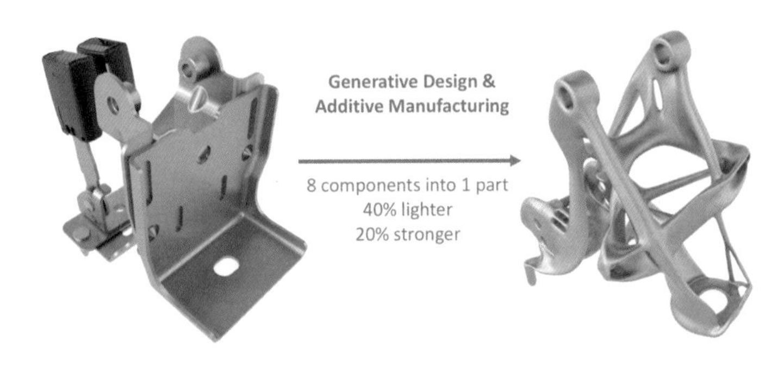

出典：Autodesk（Image courtesy of General Motors）

デジタルツインを活用した調達の効率化

製品設計の3D化は、調達の効率化にも活きる。例えば、大手機械部品販売企業のミスミは、3D設計データをアップロードするとAIが即座にその形状を認識し、数秒で調達品の見積もりを返すmeivy（メビー）を展開している。これは同時に生産側にも連携される。

アップロードされた設計データから工場で動く工作機械、検査機器などを動かすプログラムを自動的に生成し、直接製造にもつなげることで、調達品の見積もりから製造までほぼ自動化している。

03 工場のライン シミュレーション・メンテナンス

実際の生産ラインをバーチャルシミュレーション

生産ラインの設計・検討においても、デジタルツインの活用は拡大している。今までの製造ラインは、2次元図面やテキストベースなどにもとづいて、生産技術部門の熟練エンジニアが経験とノウハウにもとづいて検討していた。そのため生産技術エンジニアはライン構想を視覚化することが難しく、製造ラインの定量的な生産性シミュレーションや干渉確認などは、熟練者のノウハウに頼る部分が大きかった。

これらに3Dモデルでのラインシミュレーターを活用することにより、検討段階から誰もが見える形で視覚的にライン構想を形にして各組織・協力会社との共有・議論を行うことができる。製造工程では実際に稼働・変更させることなく、工場の設計や試運転、改善のシミュレーションができ、定量的なシミュレーションもできるようになってきているのだ。

さらには、これらシミュレーション結果を、実機のコントローラーにつないで動作連動をすることができ、その動作結果をシミュレーションにフィードバックする、といった循環も可能となってきている。

また、これらの実物大のシミュレーション

［図表3-5］製造ラインのデジタルツインシミュレーション

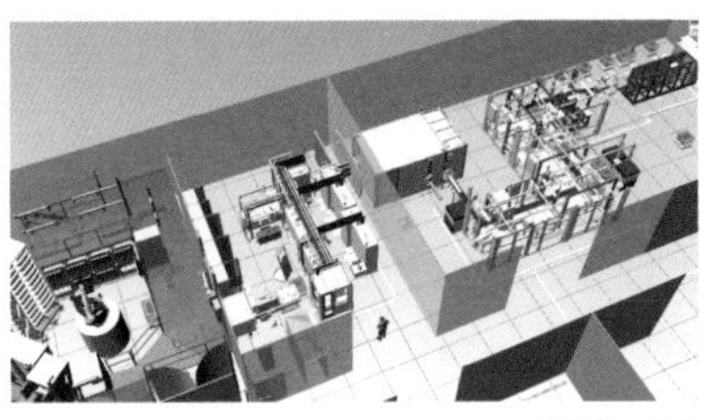

出典：シーメンス

結果をメタバース空間上に再現し、ヘッドセットを装着し作業者として中に入ることもできる。それにより、実際の作業状況や、作業負担などを自分の身体を通じて確認することができるのだ。

［図表3-6］製造ラインVR
（実際に人間が実物大のラインに入り確認ができる）

出典：シーメンス

さらには上記で設計した製造ライン・機器のデジタルツインに対して、稼働IoT動作データを紐づけて遠隔監視や予兆保全に活かす取り組みも行われている。詳細な設備のメンテナンス指示は、別途解説するARの技術を活用してデジタル指示がなされている。

ラインビルダーにおけるデジタルツイン（三明機工）

平田機工（熊本）、三洋機工（愛知）などとともに、日本の主要なラインビルダーである三明機工の取り組みについて紹介したい。ラインビルダーとは製造ラインの構想・設計からハード・ソフトの調達・インテグレーション・試運転・教育までを一括で担う企業だ。ものづくり・製造業の競争力の根幹を支える「黒子企業」といえる。

同社は自動車産業を中心とした製造業のライン導入を担っているが、製造業企業はライン発注時点で要件定義があいまいであることも多く、仕様変更や出戻りが発生してしまうことが業界全体としての課題であった。そこで同社はバーチャルロボットソリューションセンターを設置し、デジタルツインを活用した顧客とのすり合わせ・提案を実施している。

顧客の依頼に対して製造ラインを3Dデジタルツインで設計してイメージをその場で具体化する。顧客工場を3Dスキャナーでトレースした空間に新規ラインを重ね、VRゴーグルを通じて仮想体験として製造ラインの検証も提案時点で行うこともできるのだ。それにより大幅な工数削減と、出戻り防止を実現している。

［図表3-7］**三明機工のバーチャルロボットソリューションセンター**

出典:三明機工

04

デジタル生産指示

マスカスタマイゼーションや多品種少量生産など、生産のあり方が複雑化する中で、製造作業者に対する指示をデジタルツインで行う動きもでてきている。例えばセル生産において、設計3D情報にもとづく作業指示をARグラスなどで行うといった取り組みが進む。

また、設計情報にもとづき3Dの作業指示を自動生成する取り組みも行われている。日立製作所の大みか事業所においては3D組立ナビゲーションの仕組みを通じた作業指示を実施しており、他社へも外販している。

組立ナビゲーションシステムは、部品の属性情報や組立ノウハウなどを付加した完成品の設計データ(3D CADデータ)から、設計/構造情報を読み取り、3Dの組み立て作業手順書を自動生成するシステムだ。従来の2Dモデルの作業手順書は「読み込み作業に習熟するまで10年かかる」と言われており、習熟度による差が生まれてしまっていた。これが3Dナビゲーションにより、デジタルツイン化することで、習熟までの時間を大幅に短縮するとともに、作業の品質を標準化・維持することができている。製品設計と製造部門が横断的に連携している好例だ。

［図表3-8］組立ナビゲーションシステム

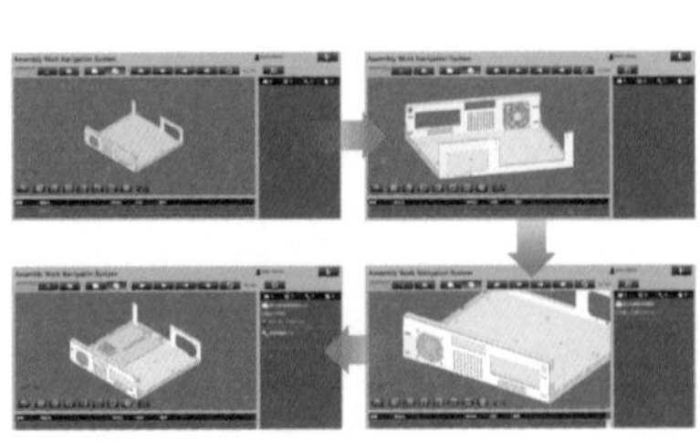

出典:日立製作所

05 製品・設備の品質管理・メンテナンス

また、製品の品質検査や、製品・生産設備などのメンテナンスにおいても、設計時のデジタルツインを活用したオペレーションが重要となる。

品質検査や、メンテナンスにおいては、やはりノウハウの習熟に時間がかかるとともに、属人的なオペレーションとなっており、改ざんなどが起こりやすい構造となっていた。

こうした問題に対応するため、設計3Dデータを活用して、品質確認や、点検・メンテナンス時の対応ガイダンス・結果管理に活かす取り組みがなされている。

従来は熟練の作業者が現場を訪れ業務を行う必要があったが、熟練作業者が見るポイントやノウハウをARコンテンツとして手順を表示させることにより、非熟練者であっても品質を維持した業務ができる。さらに複雑なオペレーションであっても、熟練者が画面上で指示を出すことで遠隔でのサポートが可能となる。

昨今では品質問題が構造化しており、こうしたヒューマンエラーや改ざんを防止する仕組みが求められているとともに、カーボンニュートラル対応など社会的需要の変化により業務が高度化している。

［図表3-9］ボルボによるARを活用した製品品質管理

出典：PTC

例えば、CO_2排気量

の検査や、リサイクル材料などにより環境負荷の低い部材を活用した際の強度・パフォーマンス測定など、確認項目が増加・複雑化しており、3D活用が求められているのだ。図表3-9が欧州自動車メーカーのボルボでの製品品質管理プロセスにおけるAR活用である。

［図表3-10］トヨタ自動車によるマイクロソフトホロレンズ2を活用した製品メンテナンス

出典:日本マイクロソフト

特にメンテナンス業務では自社社員のみならず、ディーラーやメンテナンス会社など幅広い主体に手順やノウハウを移転する必要がある。トヨタ自動車は、マイクロソフトのホロレンズ2を活用して、3Dを通じて効率的に車体メンテナンスが行える仕組みを構築している。

06 統合的なデジタルツイン活用

製品設計・製造ライン設計・製品パフォーマンスがつながる

ものづくりのデジタルツイン活用は、製品設計─ライン設計─実製造─メンテナンスなどのエンジニアリングチェーン全体に広がっている。

インダストリー4.0の中心的存在であるシーメンスは、製品設計、生産設計、製造実施、実製品動作をデジタルツインでつなぐことで、デジタル上でのシミュレーションを工場ラインや製品などの物理世界にフィードバックし、さらに物理空間での変化

［図表3-11］設計、ライン計画、製造実行の包括的なデジタルツインでの連携（伊自動車会社マセラッティ）

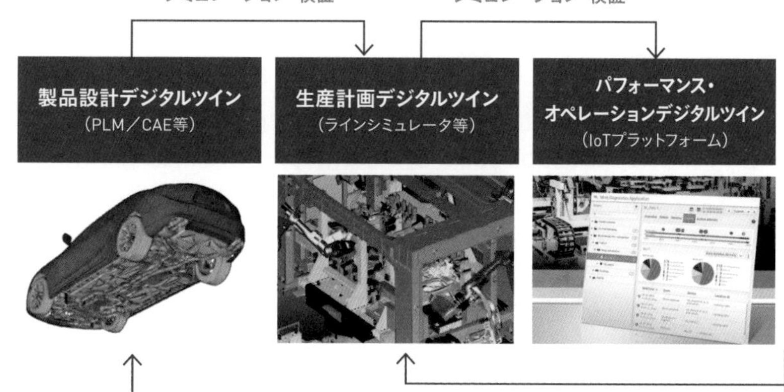

出典：シーメンス

をデジタルでのシミュレーションに反映させるサイクルを回し、ものづくりの仮説検証サイクルを高速で実施・最適化を図るプロセスを提唱している。

例えば、イタリアの自動車メーカー、マセラッティは、包括的にデジタルツインを活用している(図表3-11)。これらが実現されると部門間や拠点間の連携が効率化され、市場投入スピードが短縮されることや、柔軟なシミュレーションを通じた生産・リソースアロケーション(資源配置)が可能になる。

加えて、図面などで行われてきた熟練者の属人的・暗黙知的ノウハウや技術を、3D情報やソフトウェアを通じて可視化し、業務を標準化することができるのだ。

新興プレイヤーによるデジタルツインを徹底活用したキャッチアップ

これら技術・ノウハウが3Dで表現されるようになると、企業を越えた技術・ノウハウのやりとりが可能となり、新興プレイヤーの急速なキャッチアップにもつながる。

デジタルを活用し、技術・ノウハウの調達を通じた早期キャッチアップを果たしている例がベトナムのビンファストである。同社はベトナム最大のコングロマリットであるビン(Vin)グループの傘下として2017年に設立された国産自動車メーカーである。

同グループは不動産をはじめとしたコングロマリットであり、自動車製造、さらには製造業のノウハウや経験はなかった。いわば自動車産業においては「素人」なのである。その中で、デジタル技術や外部企業・ノウハウの徹底活用を通じて、新規参入が難しいとされてきた自動車製造に参入し、通常の約半分の期間の21カ月で工場立ち上げ・量産を行うなど、早期市場投入を実現している。

同社は、創設直後にBMWの旧モデルの車体ライセンスを受けている。結果として、製品設計データと、生産・販売するライセンスを取得した。そのうえで、BMWのライン導入を行ったラインビルダーの紹介を受け、彼らを活用することでBMWと同様のラインを自社工場に構築したのである。同社のラインがデジタルツイン化されていることが、このことを可能にした大きな要因だ。

同社は新興国向けに展開するとともに、米国への参入を発表した。技術を調達して市場投入しながら精度を高めていくアジャイル型のものづくりが、新興国だけでなく先進国市場においても展開されていくのだ。既存技術やノウハウを徹底活用したビンファストの早期展開の成功は、高度な技術やノウハウの蓄積が要求される自動車産業であっても、デジタルツインを活用することで新規参入企業がスピード感をもって展開できることを示している。

［図表3-12］**ビンファストによるデジタルツインを活用したアジャイル製造**

製品設計	ライン設計・構築	製造	品質管理
❶BMWより**車体ライセンス**を購入し製品3Dデータ（デジタルツイン）を活用	❷BMWが活用した**ラインビルダー登用**により同様のライン構築（製造ラインデジタルツイン活用）	❸**デジタルツイン・IoTプラットフォームを活用**し、効率的にノウハウを移転・蓄積	❹GMよりトップエンジニアを要職に登用

出典：シーメンス

07

グローバルで進む 第5次産業革命とCPS

社会・環境・人間の視点が入る

本章で第4次産業革命について触れたが、現在欧州では次の産業革命に関する議論、つまり「インダストリー5.0」の検討が進んできている。ドイツでは2019年のハノーヴァーメッセにおいて発表されたビジョン2030は、インダストリー4.0の次の10年のコンセプトとして「主権／自律性」「相互運用性」とともに、「持続可能性(Sustainability)」が重要なコンセプトとして定義された。

このビジョン2030に沿う形で「Sustainable production: actively shaping the ecological transformation with Industrie 4.0(持続可能な製造 ～インダストリー4.0によるエコロジカルな変革～)」と題したレポートにおいてサステナブルな製造の実現に向けた具体的なシナリオも提示されている。また欧州委員会においては、「人間中心」「サステナブル」「レジリエント」をキーコンセプトとしたインダストリー5.0が2021年に発表されている。

インダストリー4.0はデジタル化により産業の効率化やビジネスモデルの変化を目指したものである。しかし、人間の視点や社会・環境の観点でそれが十分ではなく、その点を考慮したインダストリー5.0が提唱されたのだ。その他、中国・米国などにおいて、インダストリー5.0の議論が着々と進んできている。

［図表3-13］欧州で進む次世代Industry4.0（第5次産業革命）

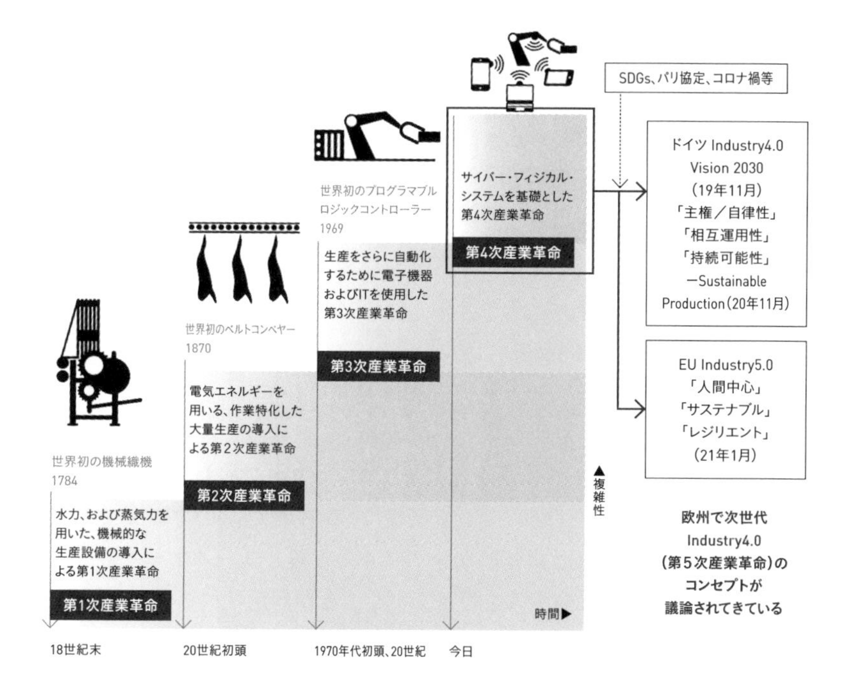

［図表3-14］製造業におけるCPSの変化

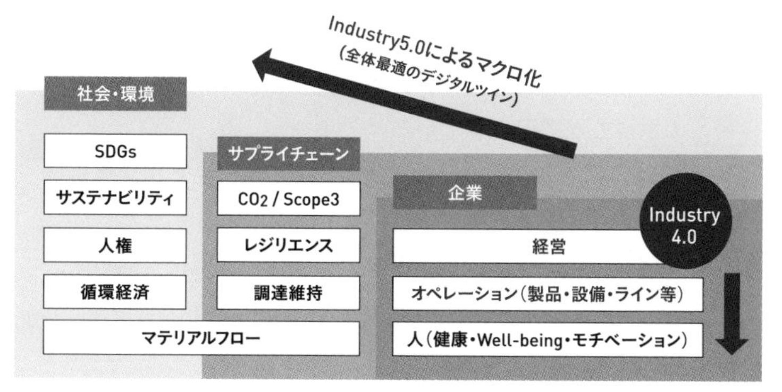

サステナビリティと、人間中心を実現するためのデジタルツイン

これら次世代インダストリー4.0、つまり第5次産業革命においてもCPSの存在が重要となる。例えば、先述のインダストリー4.0推進機関が提唱しているサステナブル・プロダクション・レポートにおいては、持続可能な製造に向けて3つのPath（方向性）が示されており、各方向性の11の具体的ユースケースが提唱されている（図表3-15）。

これまでも、インダストリー4.0は実現するべきシナリオをアプリケーション・シナリオとして定義し、産学官で連携した具体的なユースケース作りを通じて、コンセプトで終わらせることなく社会実装を行ってきた。同様に、サステナブル・プロダクションにおいても、具体的なシナリオの定義とユースケースを蓄積し、急速に社会実装を行っていくことが想定される

サステナビリティデジタルツイン

上記のシナリオの中でも「サステナブルツインズ」と呼ばれるシナリオが定義されており、原材料レベルからのCO_2排出データを始めとして、サステナビリティを実現するためのデジタルツインの重要性が提示されている。

従来ではコスト・パフォーマンスの2つのトレードオフを解いていたデジタルツインが、さらにサステナビリティなどを加えた複雑なトレードオフにアプローチするために欠かせない要素となるのだ。

欧州ではサステビリティが担保されていなければビジネスが成り立たなくなる規制が整備されつつあり、これがグローバルに急速に広がることが想定されている。

規制とともにNGOからの訴訟などのプレッシャーも日々強

［図表3-15］サステナブル・プロダクション・レポートにおける具体シナリオ

Path	シナリオ	
Path1 Reduce Consumption, Increase Impact （消費を減らし・インパクトを増やす）	インテリジェント資源管理	センサー・AR・予兆保全・スマートメータ・IIoTプラットフォーム等を活用した総合的なデータ収集・監視。全てのマテリアルフローとエネルギープロセスが同時監視され、相互に連携する。
	データ処理対象の最適化	意思決定のためにコンピュータ・データセンタの容量を増やすのではなく、データ処理の対象を絞り込む。
	カーボンニュートラルの実現	インテリジェントな資源管理を通じたカーボンニュートラルの実現。エネルギーチェーン全体の効率化に向けた再生エネルギー活用、熱電併給による自家発電。
	サステナビリティ数値の指標化	サステナビリティに関する数値を財務会計に必要な指標として記録し、評価・比較を実施する。全ての企業がサステナビリティ台帳を用いて、生産プロセスや中間製品に伴う資源消費や排出を記録する。
Path2 From Mass production to transparent service offering （大量生産から透明性のあるサービス提供へ）	ライフサイクルマネジメント	ライフサイクル全体でのサステナビリティマネジメントを通じた収益性と資源消費の最適化。例えば開発段階の材料消費量やリサイクル性などのデザインによる持続可能性など。
	サステナブルツインズ	サステナビリティ実現のためのデジタルツイン。主材料・部品リスト・作業計画から一般的な生産条件や部品の詳細に至るまでをデジタルツイン化し持続可能なProductionに必要な意思決定を実施。
	マテリアルパス	バリューチェーンに沿って素材の詳細、リサイクル要件、環境フットプリント情報等を継続的に蓄積される情報。生産者はユーザーに製品に関する情報を提供するとともに、逆も同様である。
	リ・マニュファクチャリング	保守・メンテナンスプロセスを通じて使用済みデバイスが再処理され新たなデバイスの品質基準に戻される。再生産後は機能・安全性・品質の面で新品同様の部品となる。また、再生産の過程で機能の拡張や、状況に合わせた調整を行う。
	リバース・ロジスティクス	顧客は利用期間を終えた商品をサプライヤーへ返却しリサイクルする。AIがスマートな分解プロセスを支援し、廃棄物流・返品物流・修理物流で新たなヴビジネスモデルが創出。
Path3 Sharing and Networking （循環型経済システムにおける連携）	循環型付加価値ネットワーク	バリューチェーンからバリューネットワークへの変化することで、極端な特殊性・個別性がなくなり柔軟性が向上する。顧客の要求に応じたフレキシブルな工程が可能となる。また、IoTプラットフォームを通じて資源の効率的な利用を行う。
	付加価値共有工場	デジタル製造プラットフォームによりさまざまな工程が束ねられる。種々の企業がプラットフォームにアクセスし、付加価値要因や製品データがプラットフォーム上で共有。地域クラスターでの弾力性のあるネットワークとなる。生産能力の共有によりスケールメリットを享受することができる他、設備・機器の稼働率を向上でき、また、高度な専門性とカスタマイズを享受できる。所有せず、使用するという原則のもと原材料の保管効率が向上し、必要な際に3Dプリンタ等で都度生産するようになる。

出典：Platform Industrie4,0より筆者作成

まってきている。さらに欧州では、消費者や投資家からサステナブルな企業でなければ選ばれなくなってきている。自動車OEM企業などは、自動車材料にリサイクルプラスチックなどのサステナブルな部材を使うことをコミットメントしており、部品サプライヤーは対応が迫られている。

こうした流れを受けて、企業の意思決定を支えるデジタルツインとしては環境指標なども含めた複合的なシミュレーションが必須となってくる。今後、ものづくりを支えるFA(ファクトリーオートメーション)企業などは、ものづくりの生産性や効率性を支えるのは当然のこと、企業のサステナビリティ担保を支援していかなければ生き残れなくなる、とグローバルでは議論されている。

CO_2排出モニタリング・シミュレーション

サステナブルツインズの一例として、シーメンスは先述の製品のCO_2排出量(カーボンフットプリント)をサプライヤー分も含めて集約、算出するツール「SiGreen」を提供している。製品のライフサイクルにおけるCO_2排出量のうち、90%以上がスコープ3と呼ばれるサプライチェーン全体の排出である。このため、企業を超えた連携が重要となってくる。

これらを認証機関による認定のもと、製品1単位あたりの排出量をサプライチェーン横断でモニタリングし、企業のサステナビリティ担保を支えるのだ。

リサイクルプラスチック活用シミュレーション

また、サステナビリティ担保にあたっては、設計時にどのような素材を活用するかも重要な要素となる。例えば、自動車をはじめ多くの業界において重要となっているリサイクルプラスチックの活用検討でもデジタルツインが効果を発揮する。

[図表3-16] **製品設計時のリサイクルプラスチック活用の検討影響シミュレーション**

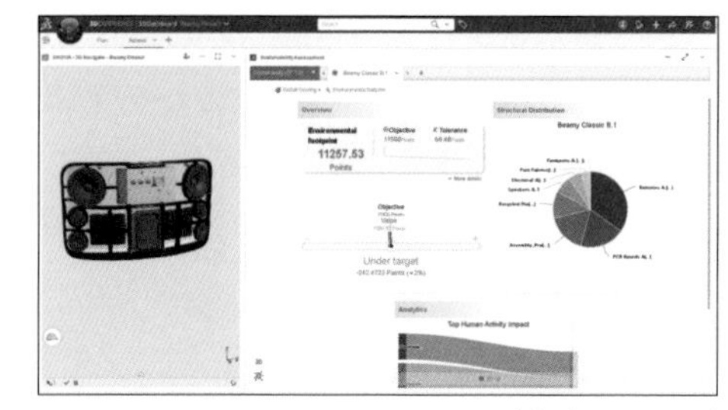

出典：ダッソー・システムズ

リサイクルプラスチックを活用する場合、製品ライフサイクルにおけるCO_2排出など環境への影響はプラスになるが、その分コストや品質とのトレードオフになる。サーキュラーエコノミーの実現に向けたリサイクル・再生品の活用が重要となるいま、いかにこのトレードオフの中で意思決定するかが問われる。

ダッソー・システムズは、素材・設計・製造・使用から廃棄までを製品のライフサイクルと捉えて、ライフサイクル全体での環境負荷を包括的に検討できるよう、3Dモデルとシミュレーション、実データの統合である「バーチャルツイン（同社におけるデジタルツイン）の活用を提案している。

人間デジタルツイン・メタバース環境での作業検証

従来から製品や機器・設備などのデジタルツイン化・シミュレーションは進んできていたが、現在では人のデジタルツイン化へ拡がってきている。人間動作モデルを活用した操作性の分析、エルゴノミクスを活用した姿勢などの負担の分析や、筋骨格障害などの長期的なケガや痛みのリスクなどをシミュレーションする取り組みが進む。

ヘッドセットをかぶり、身体センサーを装着して複数人で3Dライン上にアバターとして入り、製造ラインの作業の詳細を確認することもできる。

製造ラインは身長や体格によって動きやすさが異なる。センシングデバイスを通じて自分の体格を再現したアバターによって検証ができるため、実環境に即した人が働きやすいラインの検討ができるのだ。

日本企業においては、以前からいかに現場の人が気付き、自律的に改善をしていけるのかを意識した、ニンベンのついた「自動化」が重要視されてきた。上記の技術や本来の日本企業の強み・哲学を活かして、「ニンベンのついた」デジタル化の推進が求められる。

［図表3-17］製造業ラインのメタバース上での検証

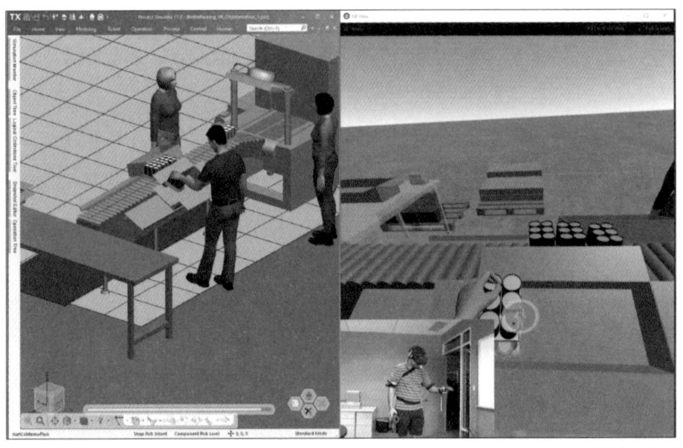

出所：シーメンス

08 レジリエンスと データ共有ネットワーク

複数企業間連携へデジタル化の構造が変化

先述のスコープ3においては、サプライチェーン全体での排出量管理・サステナビリティ対応とともに、COVID-19・半導体危機・ウクライナ危機などサプライチェーンが分断される事態などに対応するためのレジリエンス(回復力)が論点となっている。このためには、サプライチェーンや、取引先企業を超えてデータ連携を行っていくことが欠かせない。

CPS時代に企業や領域の垣根がなくなり、データの連携の加速が求められる中で、欧州をはじめグローバルでは、企業を超えたデータ共有ネットワークの取り組みが加速度的に進む。

インダストリー4.0は企業とそのエコシステム(生態系と呼ばれるパートナー)間での「閉じた」デジタル化であったが、インダストリー5.0時代においてはデジタル化のあり方が変わる。より「オープン」にサプライチェーンや、企業・産業、産官学を超えたデータ連携を通じて新たなイノベーションを創出することへ力点がシフトしつつある。

例えば、インダストリー5.0のキーコンセプトの一つの「サステナビリティ」に関して、自社のみならずサプライチェーン全体(スコープ3)でのCO_2排出のマネジメントが求められ、さらに今後は人権などコンプライアンス遵守のトレーサビリティが重要となる。イノベーション創出の「攻め」の部分だけではなく、規制対応はじめ、企業が存続し事業を行うために必須の「守り」の観点からも、データ共有についてグローバルに議論されているのだ。

［図表3-18］インダストリー5.0時代のデジタル化の変化

Industry4.0の時代	Industry5.0の時代
1企業＋αのデジタル化	複数企業をまたぐデジタル化・データ共有・連携
☑ いかに自社＋周辺エコシステムでデータを蓄積・創出（囲い込み）し、競争力を構築するか ☑ デジタル技術を通じたダイナミックケイパビリティ	☑ いかに業種を超えたデータサプライチェーン・データ共有ネットワークを形成し、市場ルール担保と、競争力を構築するか（Scope3対応含む） ☑ データ共有・連携を通じたダイナミックケイパビリティ・エコシステム

データ共有を主導する IDSA、GAIA-X、Catena-Xとは

ドイツはじめ欧州においては、企業・業界を超えてデータ共有を行い、データ共有基盤による新たな付加価値・競争力創出を図る枠組みづくりが産学官で強力に推し進められている。ドイツのフラウンフォーファー研究機構（欧州最大の応用研究機関）を中心に設立された「インターナショナル・データ・スペース・アソシエーション（IDSA）」や、ドイツ・フランス・欧州連合が中心となりIDSAとも連携する「GAIA-X」などである。

前者のIDSAは、データ主権を担保したデータ共有の標準・ルールの策定を目的とし、自動車・通信・化学・金融・鉄道・ITなど幅広い業界から130以上の企業・組織が参画し、すでに60以上の事例が生まれている。

同様にGAIA-Xについても中央サーバーを介さない分散型のデータ共有（フェデレーションサービス）のためのクラウドデータ基盤・アーキテクチャの策定を目的として300以上の企業・組織が参加し、90以上の事例が生まれている。

これらの取り組みから自動車業界におけるデータ共有エコシステムであるCatena-X（カテナX）も生まれ、100社以上の企業・

組織が参加し企業を超えた連携が行われている。その他、先述のシーメンスはサプライチェーン横断でCO_2排出量モニタリングのデータ共有を促進するための産学ネットワークの「サイタニウム」を展開している。

［図表3-19］**グローバルで進むデータ共有ネットワーク**
（IDSA、GAIA-X、Catena-X）

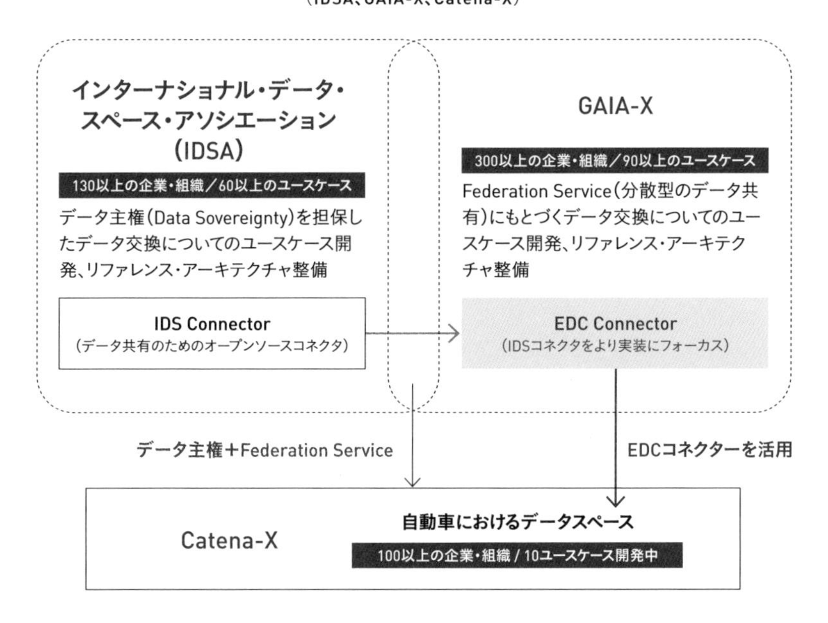

今後デジタルツインなどCPS活用が進む中で、企業・領域の垣根が低くなり、グローバルで企業を超えたデータ共有の取り組みが進む。日本においてはデータの競争・協調の振り分けが進んでいないことや、企業間連携においても契約や連携の範囲などが明確でないことが、企業を超えたデータ連携を多く遅らせる原因となってきた。

欧州では2024年には電池規制が施行され、EVなどバッテリーのライフサイクルの各段階での二酸化炭素（CO_2）総排出量、独立した第三者検証機関の証明書などの提出が義務化される。

サプライチェーン間でのデータ共有は「あったらよい」という「Nice to have」ではなく、なければビジネスが成り立たない「must have」の「必須対応事項」に変わってきている。

日本企業として、①自社の競争力の源泉としてクローズドにする情報と、②他社と共有することによって新たな価値を生み出す情報を振り分け、他社とのデータ連携を加速していくことが求められる。

09

日本の強みを生かした
デジタルツイン活用の方向性

デジタルにノウハウ・オペレーションを転写

これまでのオペレーションは、図表3-20左側のように技術・ノウハウを蓄積している熟練者が図面などをベースに構想・設計をし、実際に物理的に形づくり、それを活用する中で改善を繰り返していく構造であった。IoTなどのデジタル技術は、物理的なPDCAサイクルのあくまで補完ツールの位置づけであった。これがデジタルツインの活用により図表3-20右側のように変化する。

［図表3-20］メタ産業革命時代のオペレーション

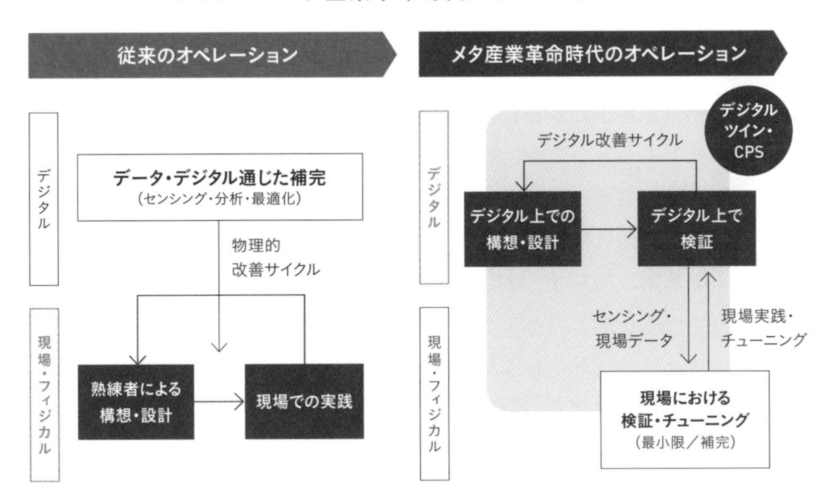

デジタル上で構想―検証・シミュレーション―改善の一連のPDCAを事前に行い、ある程度の検討が完了している状態で物理的な実践と調整を行う。その結果として現場における物理的な作業はデジタル上でのシミュレーションを実現するための補完として負荷を最小化するのである。コロナ禍で、現場での物理的な接触の最小化が求められる昨今においては特に重要なコンセプトとなる。

これらの流れを生むうえで上記にて示したデジタルツインを構成する各技術が重要な役割を果たすこととなる。これらを行うことで、暗黙知となっていた自社の強みを標準化し、マザー工場から新興国工場など自社内で移転・継承をしていけるとともに、強みを外販ソリューションへと転換することにもつながる。

日本の現場の技術・ノウハウを外販ソリューションへ

上記の通り、暗黙知であったノウハウ・オペレーションが、誰もが見えるデジタルに表現されることにより、強みを活かしたソリューション展開、新たなビジネスモデルの構築につながる。例えば製造ライン設計を3D化することで、自社のライン設計ノウハウを他社製造業に外販していくビジネスモデルも取り得る。

製造業に限らず、幅広い産業で現場オペレーションに強みを持つ日本企業にとってデジタルツインを活用し、自社の強みをソリューションとして競争力に変えていくことにつながるのだ。

図表3-21が拙著『製造業プラットフォーム戦略』で示したCPSなどを活用して、製造業として培ったプロセスを外販ソリューションとして展開している例だ。

従来日本は、現場の技術・ノウハウとともにインダストリー5.0において重要となる人や現場の気づき・能力を尊重し重視

［図表3-21］CPS等の活用により自社ノウハウ・技術を外販ソリューション展開している例

何を売るのか	展開パターン	概要	企業例	
製品設計・コア技術部品	コンセプト・モジュールメイカー	設計・開発力を活かし製品コンセプト・コア部品を同業や他業界へ売る	トヨタ自動車	水素自動車のコア部品技術をもとに同業・異業種のものづくりを支援
			ソニー	自社製品のコア技術を他社・異業種へ外販するソリューションビジネスを展開。自社設計ノウハウをデザインコンサルとして提供
生産技術	ものづくり教育・コンサル	生産技術・ノウハウを活かしものづくり教育や、コンサルティングを展開	デンソー	自社ものづくりで培った生産技術を活用したものづくり／ライン教育・コンサルティングをASEANで展開
	ラインビルダー		日立製作所	生産技術力を活かし顧客製造業のライン設計・構築までを支援
ケイレツ・サプライチェーン	デジタルケイレツ	自社・サプライヤーをつなぐIoTの仕組みを展開し、サプライチェーン外にも展開	コニカミノルタ	自社・サプライヤーをつなぐIoTの仕組みを展開し、サプライチェーン外にも展開
	生産シェアリングプラットフォーム	サプライヤ管理ノウハウを活かし生産シェアリング・マッチングを展開	日本特殊陶業	ものづくりノウハウ・ネットワークを活かして生産シェアリングプラットフォームの「シェアリングファクトリー」を展開
工程／現場・業務ノウハウ	工程プラットフォーマー	各工程の熟練ノウハウをソフトウェア化・機器化し外販展開	武蔵精密工業	搬送・検査工程の課題解決を図る機器・ソリューションをイスラエルAI企業との合弁会社を通じて外販
			ヒルトップ	24時間稼働の生産プロセスを確立し、他社試作・開発支援事業を展開。自社生産管理システム「ヒルトップ生産システム」を外販
製造能力	コンサル型EMS	製造能力・設計能力を活かした、製品設計レベルから他社ものづくりを支援	VAIO	PC製造の技術を活かしロボット・ドローンなど他社製造を支援する高付加価値EMSの展開
	インキュベーション型ものづくりプラットフォーム	自社製造設備・能力を活用しスタートアップをインキュベーション	浜野製作所	自社製造設備・能力を活用しスタートアップをインキュベーションするガレージスミダを展開

出典：小宮昌人『製造業プラットフォーム戦略』（日経BP）より

したライン・オペレーション（ニンベンのついた自働化など）や、公害対応の歴史も含めてエネルギー効率や環境負荷を考慮したものづくりがなされてきた。今までこれらは暗黙知化するとともに、他社・他国に対して効果的にアピールすることを苦手としていた。

しかし、CPSを通じて可視化・モデル化することにより、自社内の共有のみならず、グローバルにアピールしていくことや他社への外販展開にもつながる。最終製品のモノとしての競争環境が厳しくなる中で、CPSを土台に日本企業として強みを持つ生産技術や製造能力・現場力などをソリューション展開することと掛け合わせることで、インダストリー5.0時代に再び日本のものづくり企業が世界で競争力を発揮していくことを期待したい。

第4章

建設業のメタ産業革命

Meta-Industrial Revolution

01

建設業における活用の全体像

第4章では建設業におけるCPS(デジタルツイン・メタバース)活用の動向について触れたい。前提として、建設業のDXの構造を語るにあたり、土木と建築とに大別したい。土木はトンネル、橋梁、ダム、河川、都市土木、鉄道、高速道路などを作る建設工事を、建築はオフィス、マンション、商業施設、工場、病院や学校などを作る建設工事を意味する。

建築と土木でデジタル化の構造が異なるため、まず共通の動向について触れたうえで、建築・土木でのそれぞれの論点や事例について紹介したい。

[図表4-1]土木・建築の違い

	土木	建築
建設投資額 (名目値/出所国交省)	24兆3,000億円 (2021年)	38兆3,500億円 (2021年)
施工対象例	トンネル、橋梁、ダム、河川、都市土木、鉄道、高速道路	オフィス、マンション、商業施設、工場、病院や学校など構造物
施主・顧客	公共・鉄道会社・道路会社など	主に民間企業
3D基盤	BIM/CIM(2018年よりCIMから名称変更)	BIM
使用機械一例 (双方使用あり)	ショベル、ホイールローダー、ブルドーザ、ダンプカーなど	クレーン、高所作業者、施工ロボット(溶接等)、搬送ロボットなど

CPS活用をはじめとしたDXが待ったなしの状況

建設業においては、人手不足と生産性の向上が喫緊の課題となっている。特に熟練技能者の高齢化・退職が進んでおり、今後建設需要に対して、労働者が圧倒的に不足することが予測されている。技能労働者340万人のうち、今後10年間で離職する50歳以上の労働者が110万人にものぼるという試算が出ているのだ。

「きつい、危険、汚い」仕事という3Kのイメージから、建設業界で働こうと考える若者は少ない。また、2024年4月より労働基準法の改正に伴い、建設業における労働時間の上限規制が施行されることとなっており、それまでに建設各社は急ぎ働き方改革が求められているのが現状である。

さらにコロナ禍で従来の三現主義（現地・現物・現場）を見直し、デジタル活用との組み合わせを進めることを余儀なくされている。これら待ったなしの状態の中で、CPSをはじめとしたデジタル投資が急速に進んできているのだ。

［ 図表4-2 ］
（左）建設労働者数の推移と推計、（右）低い建設業の労働生産性

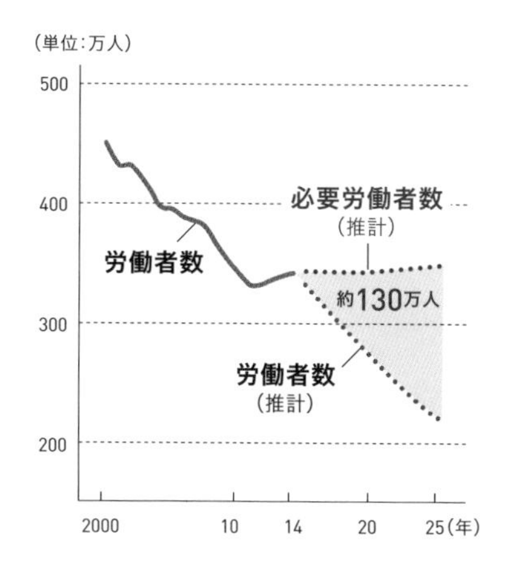

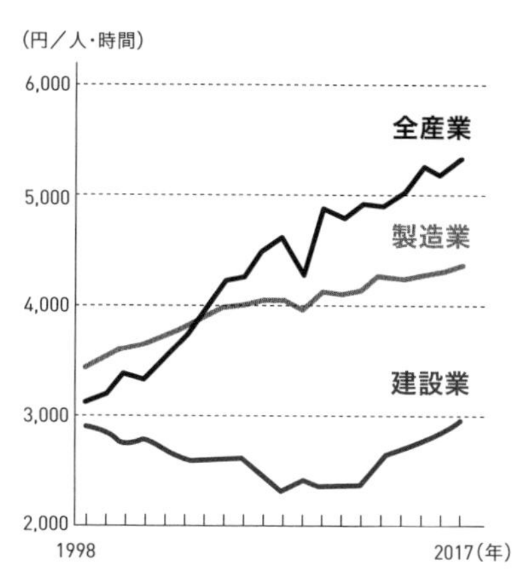

出典：Landlog HP / https://www.landlog.info/about2/

ステークホルダーが多様

建設業共通の論点としては、ステークホルダーが多様であることだ。まず、プロジェクトの予算を有しているゼネコンと、それぞれの実施工を担うサブコン・施工会社が別の主体となる。

サブコン・施工会社には中小企業も多く、十分なデジタル投資の余裕がないことが多い。このことから、デジタル投資やロボット投資などが進みづらいことが課題である。

大手ゼネコン企業としては、自社でデジタルや自動化の仕組みを構築し、それを施工会社・サブコンへ提供する形をとるケースが多い。建設業におけるBIM／デジタルツイン活用やロボット導入などにおいても、ゼネコン側が投資をしてプロジェクトの中でサブコンなどに提供する形で展開が進むこととなる。

［図表4-3］建設業の多様なステークホルダー例

土地保有者
（＊発注者と同一の場合も）
発注者
（請負契約）
（業務委託契約）
設計・統括
施工管理
など
建設会社
（元請）
連携
調査測量・
計画策定
など
建設コンサル
設計会社
測量会社・地質調査会社
（請負契約）
（専門工事）
施工管理
建設会社（1次下請）
…
（請負契約）
（請負契約）
（専門工事）
施工
建設会社（2次下請）
…
…
…
製品・サービス提供
〈その他関係企業〉
建設機械会社
建材販売・
調達会社
保険会社
サービサー
（ドローンサービサーなど）

02 建設業におけるCPS活用

BIMによる3D情報統合

建築領域はBIMを活用した3Dでの設計や施工シミュレーション、維持管理などの業務で最適化が図られている。BIMとはBuilding Information Modelingを表す。3次元の建物のデジタルモデル(意匠方言・構造設計など)に、コストや仕上げ、管理情報などの属性データを追加した建築物のデータベースである。これにより、建築の設計、施工から維持管理までのあらゆる工程で情報活用を3次元でことができ、BIM専用のソフトウェアがさまざまな企業より提供されている。

［図表4-4］設計BIM・施工BIM・維持管理BIM

設計BIM	施工BIM	維持管理BIM

出典:オートデスク

建設業においては「設計」→「施工」→「維持管理」の各工程のBIMを用いたデジタルツイン化により、効率的な工程設計や、現場の安全性向上・生産性向上が図られている。顧客ニーズに合わせた設計BIMを作成し、より具体的な工事を行う上で生産設計を行い、施工BIMへと更新する。設計と施工会社が別の場合は、施工会社が引き継いで施工BIMに更新する流れとなる。

施工BIMにより詳細なモデルができるため、実施工結果との比較で検査が可能となる。引き渡し後もBIMを活用することで維持管理・メンテナンスを効率的・高精度に実施することが可能になる。そのため、分離発注となる土木と比較し、設計―施工―維持管理と一気通貫でゼネコンなどがBIMなどのデジタルツインを活用して実施するケースも多い。業界全体としてアナログ・2Dでの業務から、誰でも判別でき意思決定がしやすい3Dモデルを通じた業務プロセスの変革が求められているのだ。

BIMのソフトウェアとしてはデジタルツインプラットフォーマー・DAPSAの一角であるオートデスク(Autodesk)のレビットやグラフィソフトのアーキキャドなどが普及している。その上でゼネコンなどのユーザー企業が自社ノウハウや経験を活かしてこれらを使いこなした取り組みを展開している状況だ。

［図表4-5］建築において目指されているデジタル化の大枠

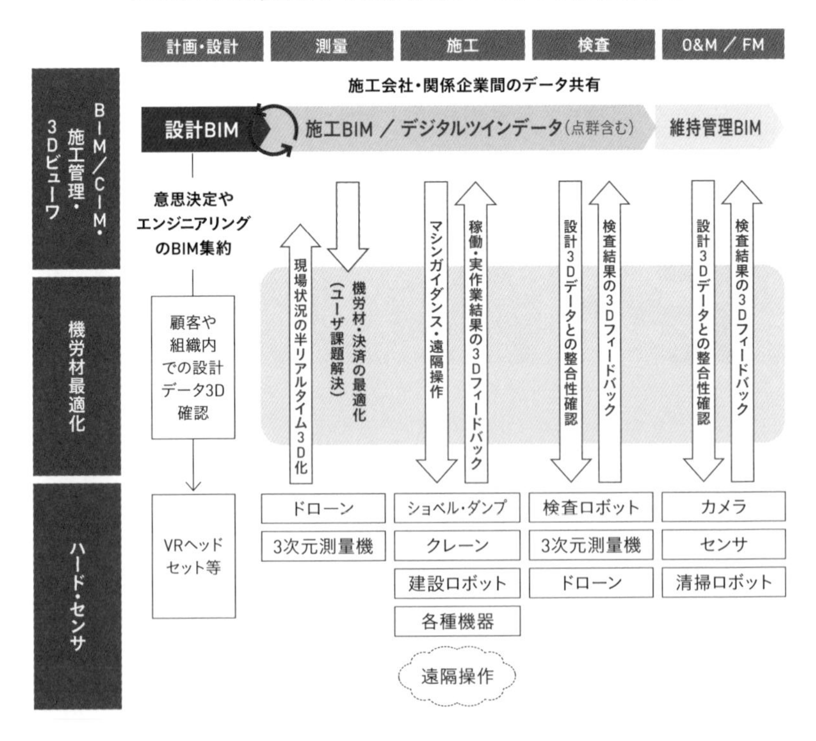

自動設計・コンピュテーショナルデザインも進む

建築設計が3D化・デジタルツイン化される中で、設計のコンピュテーショナルデザインと呼ばれる自動化も進んできている。例えば清水建設では、企画・基本設計の初期段階のコンセプト構想やシミュレーションにおいて「Shimz DDE(Shimz Digital Design Enhancement platform)」と呼ばれるコンピュテーショナルデザイン手法を活用して各種の検討を行う取り組みが進んでいる。これにより従来の設計工数を大幅に削減するとともに、熟練エンジニアでも発想できなかった設計アプローチを検討することにもつながっている。

[図表4-6]
清水建設によるコンピュテーショナルデザイン「Shimz DDE」

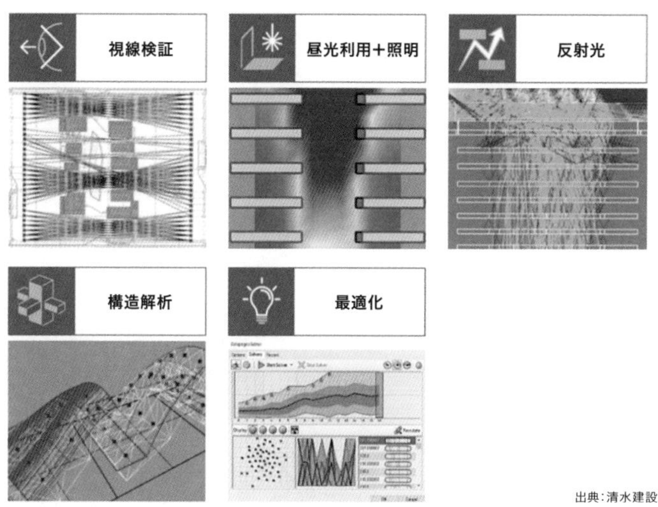

出典:清水建設

XR・メタバースを活用したコミュニケーション

また、建設する前段階から顧客や部門を超えて合意形成などをXRで行うことは以前から行われてきた。例えば建築物の3D

設計情報をVR空間に表示して確認することや、建設予定地に外観3D情報をMRとして重ね合わせることでマンション購入検討者がイメージしやすくする取り組みなどだ。それがメタバース空間において、複数人でアバターを介して設計した建築物を確認し、デザインレビューをしたり、合意形成を図る取り組みも生まれてきている。

センシングを通じたフィードバック

建築領域のデジタル化の難しさが、設計情報と現況のずれにある。製造業工場のように繰り返し業務でなく、日々刻々と変化する現場であるため、現況では3Dデータとのギャップが生じる。そのため現場の今の状況を正しく反映し、施工管理・意思決定や、ロボットの制御・シミュレーションに活用する必要がある。

そこでレーザースキャナーや、ドローン、段差を乗り越えるためのクローラー型ロボット、四足歩行ロボットなどで現場をセンシングし、収集したデータによって、現況を「デジタルツイン」に反映することが重要なのだ。建築領域のみならず、建築後の建物やインフラの検査・維持管理においてもこれらセンシングロボットが重要な役割を果たしている。現在は遠隔操作形式であるが、今後は自律型移動への高度化が期待されている。

［図表4-7］建設現場で活用される四足歩行ロボット

出典：竹中工務店

03 大林組による4D施工管理支援システム（建築施工デジタルツイン）の取り組み

ここで施工領域において効果的にデジタルツインの取り組みを行っている事例として、大林組を紹介したい。

土木・建築・都市づくり、メタバースまで幅広いCPSの取り組み

1936年設立の大手ゼネコン企業の大林組は、建築、土木分野やスマートシティ都市づくりのそれぞれの領域においてCPS（デジタルツイン）の取り組みを展開している。経営陣がCPS・デジタルツインを経営の基軸にすることを宣言しており、全社の推進に向けて協力や理解を得られていることが大きい。ロボティクス生産本部が2019年4月に、DX本部が2022年2月に立ち上がり、各部門の取り組みをより推進し、強化をしていく方針である。

施行情報を反映した「動的デジタルツイン」

同社は建築領域においては施工をデジタルツイン化する「4D施工管理支援システム」を展開している。これまで建設業界では、後述するマイクロソフトのホロレンズ（Mixed Realityヘッドセット）などで、現実空間に3Dの完成形モデルを投影して、施主と合意形成をすることなどが進んできた。完成形のデジタルデータを活用する「静的」なデジタルツイン活用だ。

同社は、今後業界としては「動的」なデジタルツインが重要となると見る。完成時の3D情報にはない、施工時の地形データ、施工機材の稼働情報、足場、人の動きなどのデータを踏まえたデジタルツインだ。そのためにはBIM／CIMなどの設計時のデジタルツインだけでなく、環境データや、人・重機の情報など施工中のデータを反映し、これに時間軸の情報を付加することで動的デジタルツイン整備を図る。

こうすることで、実際に現場に行かなくとも遠隔で現場管理ができ、データの蓄積により施行計画のシミュレーションを行えるなど様々な価値が生まれる。

［図表4-8］大林組が目指す動的デジタルツイン（4Dデジタルツイン）

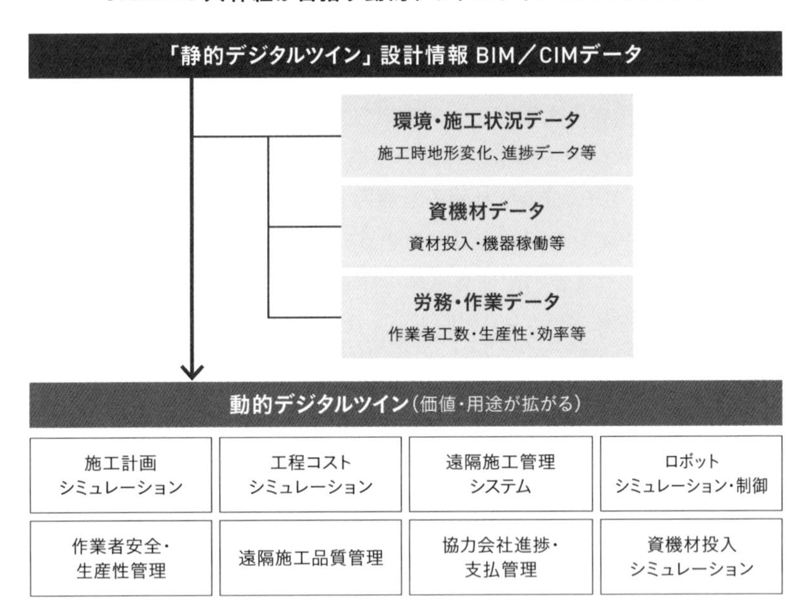

エスコンフィールドHOKKAIDOでの4Dデジタルツイン

大林組の施工4Dデジタルツインの事例が、図表4-9のエスコンフィールドHOKKAIDO(北海道日本ハムファイターズの新球場)の建設だ。コンクリート躯体、鉄骨屋根、ガラス壁などのBIM／CIMの設計情報とともに、周辺地盤の点群データ、クレーンなどの施工用機械のデジタルツインを統合し、現場のデジタルツインを実現した。

クレーンに搭載されたセンサーを通じて傾きや位置、回転などの動作情報をセンシングし、リアルタイムにデジタルツインに反映し、実機と連動させている。これによりクレーンなどの機器の稼働状況(稼働率等)の可視化ができ、生産性分析や、再配置検討につなげている。加えて、機器の動作・稼働状況や人の作業状況から、BIMで進捗情報の視覚的管理が可能となっているのだ。

これらにより、必要となる投入資機材が予測できるため、協力会社への支払処理にも活かせる。同社は今後4Dデジタルツインを活用した施工を様々な施工プロジェクトに横展開し、ノウハウ蓄積やシミュレーター開発を進める。

［図表4-9］**エスコンフィールドHOKKAIDOにおけるCPSを活用した施工管理**

出典：大林組

進む業界連携と、ゼネコンのソリューション企業化

急速に業界内連携も進んでいる。技術開発においてはゼネコン同士での競争であり、各社がしのぎを削っていたが、近年では自社で尖っていくべき競争領域と、協調領域の振り分けが進んでいる。

例えば、ロボット領域においては、鹿島建設・清水建設・竹中工務店のスーパーゼネコンと呼ばれる大手企業や中堅ゼネコン企業の正会員25社と、協力企業88社（執筆時点）による「建設RXコンソーシアム」が形成され、共同開発をはじめとした各種連携が図られている。同様にCPSにおいても、自社のみで活用するのではなく、業界他社も含めて外販をする動きが進んできている。

もともと建設プロジェクトもJV（共同企業体）で共同受注するケースが多く、他社連携の土壌がある中で、今後デジタルツインを起点に、業界全体で企業を超えたオープンイノベーションが加速することが期待されている。

これらデジタル化の中で、ゼネコン・建設企業の在り方も変わってきている。今まで自社の案件における建設・ものづくりを行ってきていたが、デジタル化の中で、他業界同様に水平分業や、ソリューション企業化が進んでいる。自社のノウハウ・技術を活用して、業界内横展開や、異業界へソリューション展開を行うケースもでてきている。

例えば鹿島建設は自社のデジタルツインの仕組みである3D K-Fieldを業界他社も含めて外販を行っているほか、準大手ゼネコンの西松建設は自社のノウハウにもとづく3D施工管理システムをBIMのアドオンソフトとして外販している。

次節では、鹿島建設の取り組みについて触れたい。

[図表4-10] **建設業におけるゼネコンのあり方の変化**

今後のゼネコンのあり方		
従来のゼネコンのあり方		新たに生まれるゼネコンのポジショニング例
従来ゼネコン 自社プロジェクトにおいて施工会社等を活用して、トータルでの計画・設計ー施工ー品質管理を実施	自社プロジェクトのノウハウを外販事業へ 相互にシナジー 外販事業で得た知見を自社プロジェクトへ活用	**デジタルツインプラットフォーマ** （開発したデジタルツインの仕組みを他社外販） **BIMアドオンノウハウ外販プラットフォーマ** （BIMにアドオンする施工管理等のアプリケーションを他社外販） **自動化ソリューション外販プラットフォーマ** （マシンコントロール・ガイダンスや遠隔操作技術・ソリューションを外販） **工種特化プラットフォーマー** （強みの工種ノウハウを他社プロジェクトにも提供） **専用材料外販プラットフォーマ** （開発した専用材料を他社にも外販） **専用機器・ロボティクス外販プラットフォーマ** （開発したロボットや専用機を他社にも外販）

04 鹿島建設による取り組み

鹿島建設は1840年創業の大手建設会社である。同社はデジタルツインを自社の建設プロセスに積極的に活用するとともに、そこで蓄積した技術を競合も含む他社へ展開し、ソリューション企業化を図っていることが大きな特徴だ。

3DのBIM情報と、施工現場スキャンの比較分析で施工管理

同社は施工現場のデジタルツイン基盤の「鹿島ミラードコンストラクション」を展開している。BIMなど3D設計や、引き渡し後の維持管理でのデジタルツインが業界として進みつつある中で、施工段階のデジタルツインへの取り組みに注力。施工段階においては、施工計画としてのBIMモデルと、現場の実施工結果を比較して管理していくことが求められる。

従来は写真を撮影して、問題があればそのつど会議で議論をするというプロセスであるため工数がかかり、施工管理者の知見・経験が必要であった。これを360度カメラや点群のデータを活用して、施工の現況3Dデータを生成し、BIMデータと比較することで施工品質や進捗の管理ができるデジタルツイン基盤を提供しているのだ。

3Dで視覚的に管理・共有ができることで、建設現場での多くの専門工事会社や協力企業との協働において効果を発揮している。同技術は落合陽一氏がCEOを務めるピクシーダストテクノロジーズとの共同で開発した。

［図表4-11］**鹿島ミラードコンストラクション**

出典：鹿島建設

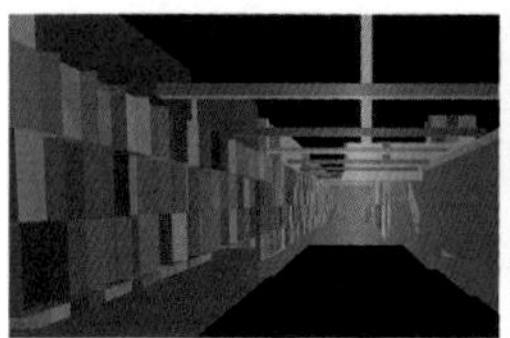
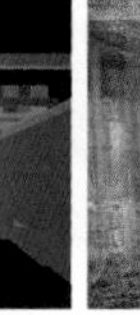

BIMデータ

点群データ

BIMと点群から生成した出来形ビュー（緑エリア：施工完了、赤エリア：未完了）

企業を超えて活用しやすい柔軟なソリューションへ

鹿島ミラードコンストラクションの特徴は、データ処理と可視化・分析部分を価値と捉え、点群や360度カメラなどのセンシング技術やハードウェアは市販製品を活用できるようにしていることだ。進化の早い既存ツールと連携して活用できる仕組みとしたことで、特定の現場や、特定のプロジェクトに限らず、汎用的に活用できるデジタルツインとなっている。

用途としては、外装や、鉄骨、電気配線、設備配管、空調設備

［図表4-12］**鹿島ミラードコンストラクションの仕組み**

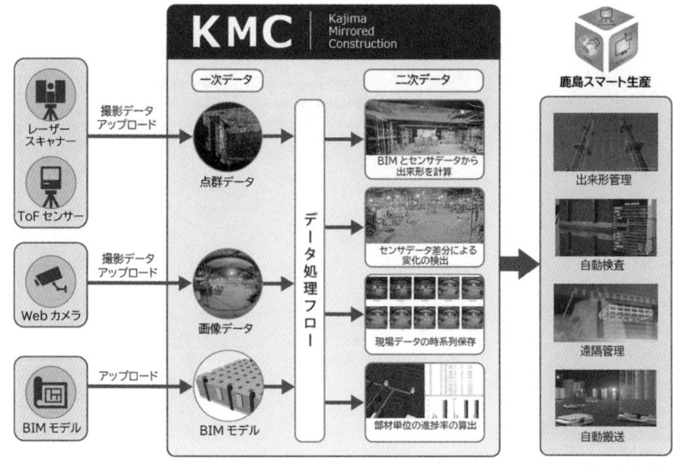

出所：鹿島建設

などの施工管理において効果が大きいと見る。建設業界は、現場に実際に行き、目で見て確認しなければならないといった「三現主義」を原則としている。しかし、コロナ禍で遠隔での一部の施工管理が可能となり、いかに効率的に現場に負荷をかけない管理プロセスを行うかが業界全体で重要になってきている。

施工中の現場の状況をリアルタイムに反映

また、同社は建築現場の遠隔監視を行うためのデジタルツインである「3D K-Field」を展開している。経営陣のコミットメントのもと、全社をあげて開発された。従来、建設現場が刻々と変化する中で、資機材の場所や稼働状況が正確に管理されていないのが実情であった。

これをリアルタイムで「見える化」して、現場の効率化を図ったのがK-Fieldだ。当初は2Dでの情報であったが、多階層での建設現場の1フロアごとの管理にも活かすために3D化した。現場に設置されたさまざまなIoTセンサーで取得したヒト・モノ・機器のデータを仮想空間に表示することで、分散している現場の

［図表4-13］鹿島建設による3D K-Fieldの展開

出所：鹿島建設

情報を統合してリアルタイムの建設現場を可視化している。

これら建築現場に人や資機材の動きを3D情報として蓄積することで、他の現場でのリソース検討やシミュレーションにも活用できる。現場の経験や暗黙知を、デジタルツインを通じて標準化することで、誰もが活用できるようになるのだ。

スマートシティや維持管理にも活用するとともに他社にも外販

さらに建設後の維持管理や、同業への外販も行っている。大和ハウス工業などとともにスマートシティの運営主体として同社も参画している羽田イノベーションシティにおいても3D K-Fieldが活用されている。建設業のみならずエリア・街単位での維持管理へと適用範囲を広げているのだ。

また、自社活用にとどまらず、他の建設企業に対しても外販を行っていることが大きな特徴だ。通常外販においては自社技術を同業に提供する際に、社内での抵抗にあい、事業化が進まないケースも多い。しかし同社は、ソリューション企業へ転換

［図表4-14］羽田イノベーションシティにおける3D K-Fieldの活用

出所：鹿島建設

するという経営陣の強いコミットメントのもとで、同業も含めた外販を進めている。ビジネスモデルとしてもSaaS型のビジネスモデルとして提供する。導入にあたってのコンサルティングや、必要となるセンサー・ソリューションの展開も検討し、デジタルツインの商材を業界全体へ広げるべく強化している。

05 土木におけるメタ産業革命

土木におけるデジタル化の構造

土木の3D基盤は建築同様にBIMであり、グローバルではBIM for infrastructure、日本ではBIM／CIM（2018年にCIM〈Construction Information Modeling〉から名称変更）と呼ばれている。

土木においては多くの建築案件と異なり、設計と施工が分離発注となる。そのため現地調査・計画・設計は主に建設コンサルタントが行い、BIM／CIMを作成する。その上で、施工は施工会社が実施する形となり、別プレイヤーが担うことになる。そのため施工を前提としたBIM／CIMを施工会社側が引き継いで更新する形になる。これが建築との構造の違いだ。

また、建築においてはゼネコンなどが自社の品質管理基準にもとづき検査するが、土木においては行政をはじめとした発注者が検査を行う。その構造の中で下記i-construction政策をはじめ、国交省を中心に基準改定が積極的に行われている。土木においては国交省が積極的に政策を推進するとともに、鉄道会社や道路会社など施主企業側がCPSの活用を主導している。

土木のBIM／CIMは、建築のBIMとソフトウェアとして得意領域が異なるため分かれている。オートデスクのCivil3Dや、国産の土木3D CAD（カワダ「V-nas」、福井コンピュータ「トレンドコア」、建設システム「KENTEM」）などが活用される。

デジタルツインを展開するプレイヤーとしては、これらBIM／CIMソフト企業とともに、広大な土地をドローンや測量機でセンシングし点群・3D化することが重要であることから、現場でのセンシング接点を持つコマツなど建機メーカーが展開する

［図表4-15］土木領域で目指されているデジタル化の構造

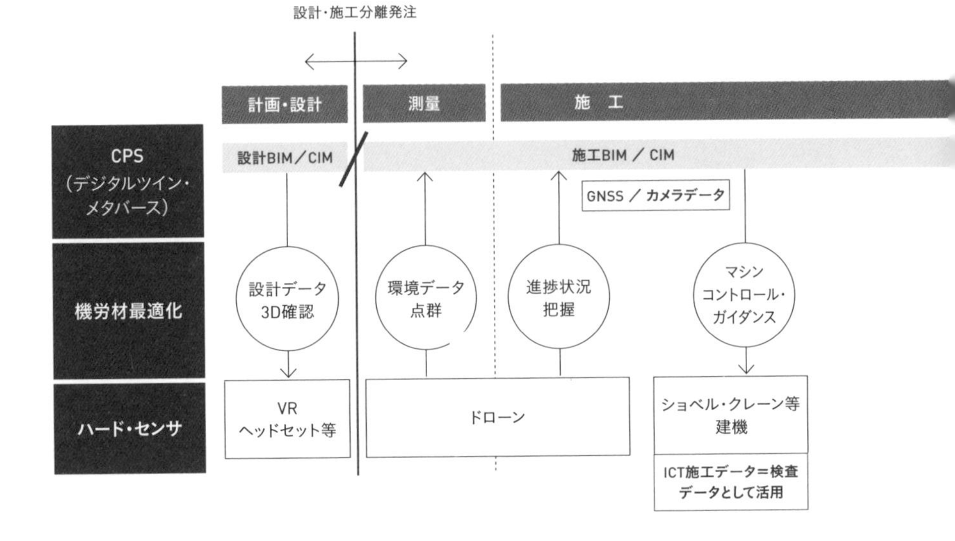

［図表4-16］i-construction政策（国土交通省）

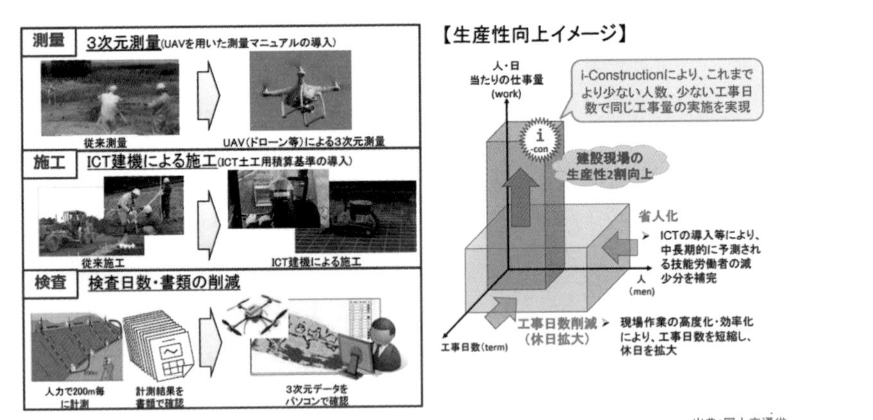

出典：国土交通省

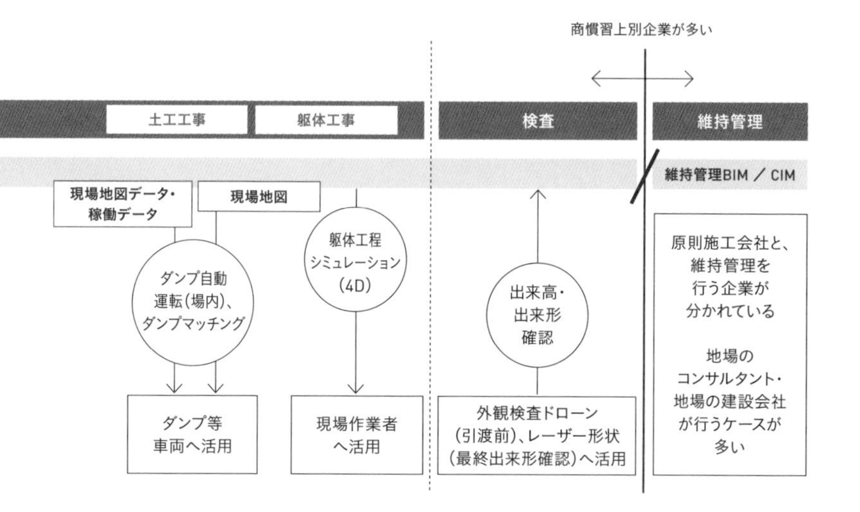

ケースや、トリンブル・トプコンなどの測量会社、ドローン企業などが重要なプレイヤーとなってきている。

国交省によるi-construction政策

土木領域のデジタル化においては、2016年より国交省が「i-construction」政策を主導している。2025年までに建設現場の生産性を2割向上させることを掲げている。

柱の1つに「ICT土工」が位置づき、ドローンなどによる3次元測量や、3次元データにもとづく設計・施工計画、ICT建設機械による自動制御、検査の省力化など、3Dデータをプロセス横断で活用することが鍵となっている。

06 コマツによる取り組み

前述の通り、土木領域においてはドローン活用などによる3次元測量が重要な要素となる。当該工程を基軸にデジタルソリューションを展開しているのがコマツだ。

コマツは土木業界におけるデジタル化ソリューションである「スマートコンストラクション」において、ドローンセンシングを通じて土木現場のデジタルツインを生成することで、進捗管理を実施。測量効率を大幅に向上している。建設業界においては、ドローンで地形データを取得して3 次元データ（デジタルツイン）を構築することによる測量プロセスの効率化や、工程の自動生成などが行われている。

これまでは測量が人手で行われており、相当な時間を要するボトルネック工程となっていた。日々の進捗や現場の状況を正しく把握することが困難であり、その結果、工程遅れや非効率が発生してしまっていたのだ。

こういった状況に、コマツは建設業界におけるデジタル化ソ

［図表4-17］コマツのスマートコンストラクションを通じた土木現場のデジタルツイン

出典：コマツ

リューションである「スマートコンストラクション」によって、ドローンによるセンシング（センサーによる計測）とそのデータの点群化処理を通じて、土木現場のデジタルツインを生成し、進捗を管理している。

その結果、測量効率を大幅に向上し、例えば、約2〜3日かかっていた作業を20分程度でできるようになった。日々の業務の始めと終わりに上記プロセスで現場のデジタルツインのアップデートを図ることで、工程進捗を可視化し、現場責任者、経営者が迅速な意思決定を行えるようになっている。

プロセス全体の課題解決を行う

また、デジタルツインは施工効率性・生産性向上のためだけではなく、施工会社の意思決定や、経営環境の改善にも活用されている。これら現場をデジタルツイン化することにより、進捗率の把握のみならず、工程や投入機資材・人員のシミュレーションなどを行うことができる。

デジタルツインとしては見える化は第一歩であり、そこを通じていかに異なる価値やビジネスモデルにつなげるかが鍵である。同社はデジタルツインを土台としてビジネスモデル設計を行っている示唆の例となる。

マシンガイダンス・コントロール建機によるICT施工

土木においてBIM／CIMなど3次元データと、GNSS（衛星測位システム）を活用して機器の自動制御・操作指示を行うマシンコントロール・マシンガイダンスの取り組みが進んでいる。これらの機能を持っている建機はICT建機と呼ばれ、従来は通常の建機よりも高価格となっていた。

しかし、購入における政府の補助金があることに加え、後付けセンサーによってICT建機でなくても同様の機能が実現できることにより、その活用が進んでいる。従来建機の使用は熟練の技術・ノウハウが必要であったが、これら3D情報や制御技術の活用により誰もが高品質の業務ができるオペレーションが整備されつつあるのだ。

［図表4-18］ICT施工建機の構造

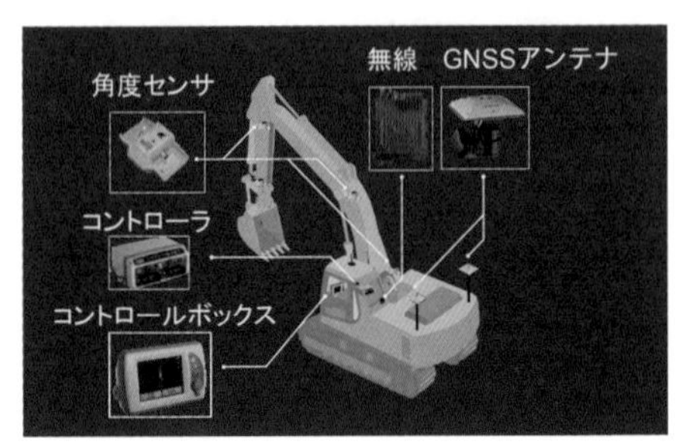

出典：大林組

また、ICT建機の施工データ・刃先の履歴データは工程によっては検査データとしても活用できる。座標データを持っており、地球上のどこを施工しているのかが情報として蓄積されるため、新たに検査データを取得する必要がなくなるからだ。

大林組のタワークレーンとCPS連携（三重県川上ダム）

先述の大林組はCPSと機器の連携にも積極的に取り組んでいる。三重県の川上ダム（発注：独立行政法人水資源機構）の施工において、3D設計データのCIMとタワークレーン情報を連携したCPSを使用して、タワークレーンの自動（自律）運転を行っている。

クレーンの操作には熟練ノウハウが必要であるが、熟練オペレーター不足が課題だ。このクレーン操作を熟練者でなくてもある程度可能とするため、オペレーター支援や自動制御、新たに任意点間の運搬作業が自動でできる形を模索した。

この取り組みにおいては、対象コンクリート部材の据付位置をCPS上で指定すると、クレーンが自動で動くというものだ。

その際に、仮想空間上で運搬経路のシミュレーションを行うとともに、物理空間でLiDARセンサーを通じてセンシングをした現場の障害物や人の情報をCPSへ集約し、制御に反映して安全性を確保している。

タワークレーンを題材に、CPS-機器の連携ノウハウの蓄積や技術者の育成を行い、搬送ロボットや、バックホウなど他の機器にも横展開し、生産性・安全性の向上や働き方改革に活かしていく考えだ。

［図表4-19］川上ダムにおけるCPSを活用したタワークレーンの遠隔制御

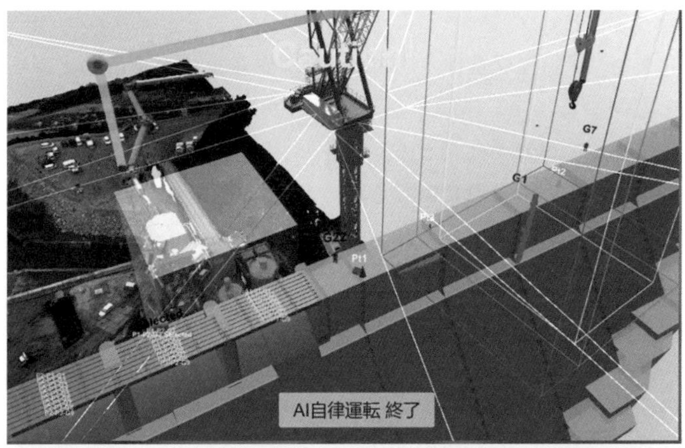

出典：大林組

建機企業、ドローン企業、測量機器企業、レンタル会社などの展開

土木におけるデジタルツインを形成するプラットフォーマーとしては、大手ゼネコン企業とともに、ドローン企業や、トプコン・トリンブルといった測量時点でのデータ取得を行うための測量機器のメーカーが存在する。それとともに、コマツなどの建機メーカーが、工事を行う施工会社に対して、自社機器のみならずプロセス全体を支援するためのソリューション展開を行っている。

また、建設業界全体としては、デジタルツールや自動化機器を展開する上で、建設レンタル会社がキーとなっている。グローバルではユナイテッドレンタル、日本企業ではアクティオ、ニッケンなどがこれにあたる。

例えばアクティオは、「レンサルティング」(レンタルとコンサルティングを合わせた造語)をコンセプトに、従来の機器レンタルとともに、ドローンを活用した工事現場のデジタルツイン化などのデジタルソリューションの展開を行っている。これらの企業が建設でのデジタル領域のキー企業となる。

07

九州地方整備局による取り組み

九州地方整備局による
ゲームエンジンを用いた河川開発

河川をはじめとしたインフラ開発においても、メタバースを活用した住民との合意形成が進む。九州地方整備局は国土交通省の地方支分部局で、沖縄を除く九州7県を管轄している。同局は河川空間とまち空間の融合が図られた良好な水辺空間の形成を目的とした山国川の「かわまちづくり」において、ゲームエンジン(Unreal Engine)やメタバースを活用した住民との合意形成を行っている。川づくりのインフラ整備においては住民に利活用されることで価値が生まれる。

本ケースでは、ゲームエンジンを用いて川づくり後の3D世界を構築した。説明会などでヘッドセットを用いて住民に整備後

［図表4-20］九州地方整備局によるゲームエンジンを通じた河川開発の合意形成

出典：九州地方整備局

の3D世界に入ってもらい、議論や合意形成、フィードバックをもとにした設計のブラッシュアップを行ったのだ。行政側としては国土地理院をはじめ、データを取る計測分野に強みを持っていたが、利活用は他分野に比較すると遅れていた。これら測量データの利活用を進め住民と一体となったインフラ開発を行うことが今回の取り組みの背景だ。

技術を開発・公開し、国内へ広く普及・啓発を行う

同局は企画部にインフラDX推進室を設置し、国立研究開発法人土木研究所、建設コンサルティング会社の日本工営と連携、技術の研究を行ってきた。既存の3Dツールである先述のBIMは建築用・構造物のツールであり、自然の影響を受ける河川の環境をリアルに捉えることはできなかった。

しかし、ゲームエンジンのシミュレーション技術を活用することで、合流地点の流れの変化や渦を巻く様子など、複雑な川の流れや、日陰・日射の状況などをリアルに再現できている。

従来は模型やイメージパースを制作し住民への説明・合意形成を行っていたが、コストやリードタイムがかかるにもかかわらず、十分にイメージを伝えることには限界があった。ゲームエンジンやメタバースを活用することで、設計にかかる工期・コストの削減を実現するとともに、手すりの高さ・階段の段差・川の飛び石の間隔・水深なども含めて住民がイメージすることができ、スムーズな合意形成につながっている。

同局はBIM／CIMへの相互のコンバーターや、センシングデータをゲームエンジンに取り込むコネクターの技術開発・公開も行っている。ゲームエンジン・メタバースを活用したインフラ開発のマニュアルを作成し、広く自治体や民間企業への技術移転・普及も図る。すでに複数の河川で本手法の適用が進んでいるほか、今後河川に限らず、道路・港湾など幅広いインフラ開発に適用するための技術開発を行っている。

08
インフラ管理・検査におけるメタ産業革命

インフラの深刻な老朽化と求められる3D活用

本章の最後に、インフラ管理・検査におけるメタ産業革命についても触れたい。道路・橋梁・トンネル・上下水道・送電線・河川・ダム・港湾・鉄道などインフラは、国や都市・生活の土台を支える重要な存在であるが、インフラの深刻な老朽化に伴う事故などが相次いでおり社会問題となっている。

これらインフラ更新には数百兆円規模が必要になると見積もられており、限られた財源で、かつ点検・管理や修理を行う人員の高齢化・不足の中で、いかに維持管理・更新を実現していくのかが問われている。

加えて、インフラ老朽化に伴う事故では、定期的な点検などで目視確認されていたにもかかわらず事故が発生しており、抜本的な方法の転換が求められている。そこで鍵となるのが3D・デジタルツイン技術なのだ。

設計3Dデータをもとにした遠隔監視・シミュレーション

先述の通り、インフラを含む建設物はBIM／CIMの3Dモデルでの設計が普及してきている。これらBIM／CIMデータを活用し、インフラ管理においても維持管理に活かす取り組みが進んでいる。BIM／CIMを軸にデジタルツインが活用され、遠隔でのオペレーションの管理や、目視で確認できない部位の劣化状況のシミュレーションを行うのだ。

例えば阪神高速道路は、橋や道路をデジタルツイン化して、センシングデータにもとづき劣化や損傷を予測・シミュレーションし、メンテナンスを行っている。加えて、南海トラフなどの大規模な地震を想定した構造物の被災状況のシミュレーションを行い、そこで得られた結果を現実世界での事前対策や復旧計画の策定に活かしている。

［図表4-21］**阪神高速道路におけるデジタルツイン**

出典：阪神高速道路

GEによる取り組み

GEは風力発電インフラにおいてデジタルツインを活用することで、視覚的に風車の寿命・劣化予測を行うとともに、風向きに合わせて発電量を最大化している。海洋風車は洋上にあるため確認は困難で、多額の費用が必要となってしまう。そこにデジタルツインを活用することで、リモートかつリアルタイムに情報の分析ができ、オペレーターはすぐにモーターの交換時期の計画を立てることができる。

風力発電用タービンは設置場所の地形に影響を受けるため、個体ごとに部品の消耗度が異なる。GEではそれぞれのタービンブレードの表面状態を撮影し、その画像に温度、回転数を組み合わせてブレードの劣化具合を分析、故障前に適切な対応を取ることで稼働率を向上させている。

同社の例は、既存オペレーションをデジタルに置き換えるだけではなく、物理的なオペレーションでは実現できなかった新たな付加価値を生むことを示している。

［図表4-22］GEによる洋上風力のデジタルツイン管理

出典：アンシス

09 イクシスによる取り組み

センシング結果の3D化によるBIMフィードバック

センシング結果を3D化することや、BIMへ反映させることも重要だ。インフラは使用状況や環境により日々設計段階から変化していく。そのため、現況をセンシングデータにもとづき、常にBIMを更新し続けることが重要となる。

センシングにあたっては、ドローンやロボット、MMS（車両搭載の計測器によるセンシング）、水中ドローンなどインフラの特性に合わせたセンシング手法がとられる。設計BIM情報があるインフラについては、BIMの更新を行い、現況を反映させる。BIMデータが存在しない古いインフラについては、センシング結果をもとに生成したデジタルツインで管理を行う。

このうち、ロボットを活用したセンシング・デジタルツイン化を通じてインフラ管理を支えているイクシスの取り組みを紹介したい。

イクシスは1998年設立の、ロボットを活用したデジタルツイン企業である。従来はインフラ領域の個別ロボット開発を行う

［図表4-23］イクシスのインフラ点検・センシングロボット

出典：イクシス

スタートアップであったが、ロボットを通じてセンシングしたデータにもとづく「デジタルツイン」を提供価値とするビジネスモデルへと舵を切っている。

要素技術自体の開発よりも、いかにロボットで価値を出すのか、社会課題を解決するのかに注力した結果として事業モデルをシフトしたのだ。

ロボットは自社開発したものを利用するだけでなく、適用範囲をより広くするためにソニーグループのプラットフォームと連携するなど、他社システムとの連携も進めている。図表4-23がイクシスのロボットの一例だ。橋梁・道路・鉄道・ダム・公共施設をはじめとしたインフラや、プラント・商業施設などの維持管理・検査の現場や、建設現場の施工管理・完成検査などで活用されている。

インフラ管理においては老朽化が進む中でいかに状態を管理して維持管理のBIMに反映するのか、施工管理においてはいかに施工BIMに現状を反映するのかが重要となる。

IMデータを拡充し「育てる」

物理世界のサイバー空間とリアル世界を双子のように双方向で連動して、シミュレーションしたり、状態監視をリアルワールドと連携しながら行ったりしている。イクシスのデジタルツ

[図表4-24] **イクシスのロボットから作成されるデジタルツインデータ**

出典：イクシス

インを活用することで、ターゲットとなるインフラ領域で、設備構造物の遠隔監視や施工・操作が可能となる。

インフラ管理・建設双方において、人手不足やコロナ禍によって遠隔対応が求められている。その中で、いかに現場の状況のデータをBIM／CIMに連携するのかが重要となる。

そのためにも、イクシスとしてはロボットのセンシングデータをもとにインフラや施工物の状況をBIM／CIMにデータを付加することで、BIM／CIMデータを「育てる」のだ。

ロボットのセンシングデータはBIMのデータフォーマットであるIFCフォーマットに変換されて、既存のBIMデータを最新情報にアップデートする。BIM空間上でロボットに指示を送ると、ロボットが現実世界でその通りに動いて、そのセンシング結果がBIMへと追加される。インフラや施工物において、デジタルツイン化によりひび割れ等の存在を特定するだけではなく、時系列で比較することで、なぜひび割れが起こったのかまでさかのぼって解析を行うのだ。

センシングデータから デジタルツイン自体の生成も

同社はロボットのセンシングデータをもとにデジタルツインとしてのBIMをアップデートしていくモデルだが、古いインフラ施設・建設物の場合、3DのBIM設計データ自体がないものも存在する。

そのような場合は、同社ロボットのセンシングデータにもとづいて、デジタルツインとしてのBIMを生成することもできる。同社のロボットが、物理世界と、デジタル世界の橋渡しになっているのだ。

［図表4-25］ロボットセンシングデータからのBIMへの変換

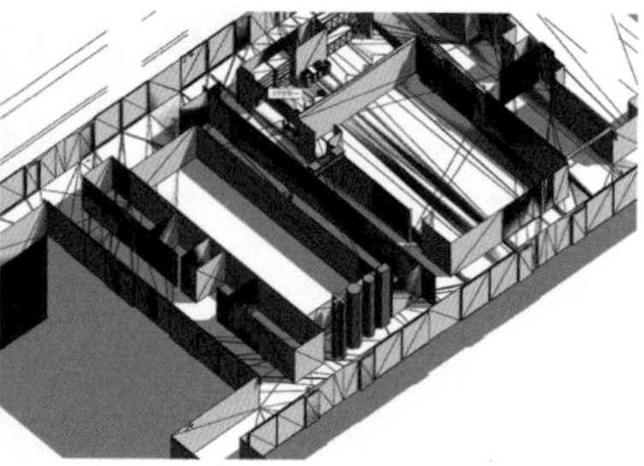

出典：イクシス

社会基盤をデジタルツインで支える

今後、2023年までに公共工事は原則3D BIM／CIMが原則適用されることとなり、3次元モデル成果物の作成ができなければ入札自体ができなくなる。ここが同社のチャンスと捉えている。公共事業などの建設会社の多くは、まだBIM／CIMの扱いに慣れていないケースが多い。そういった建設会社に対してロボットを活用したBIM／CIMのデジタルツインの支援をしていくことのニーズがより高まる。

今後老朽化が進むインフラの強靭性を高めるために、同社はロボット技術を活用したデジタルツイン展開をより強化する。

10 日立製作所による取り組み

インフラのデジタルツインにおいては、可視化やシミュレーションとともに、そのシミュレーション結果を実機に制御として反映することが重要となる。インフラごとに個別設備特性を踏まえた上で制御を行う必要があるのだ。

日本はエッジ領域の高精度なインフラ制御に強みを持っており、デジタルツイン時代の競争力となりうる。

ここでインフラ制御技術を強みにCPS展開を行う日立製作所の取り組みを紹介する。日立製作所は1910年創業の複合企業である。同社はOT（制御・運用技術などのオペレーション技術）と、ITを組み合わせたCPS展開を行っている。製造業とともに、電力・鉄道や幅広い社会・産業インフラがCPS展開のターゲットだ。

社会インフラのDXを推進

同社としては現場のデータを「Sense」し、分析の「Think」を行い、制御・フィードバックの「Act」の循環全体をCPSととらえる。同社は制御モデルを起点に高度化したCPSを通じてインフラの安心・安全・高品質を支える。

例えば、鉄道ではJR東日本へ鉄道運行管理システムのATOSを提供している。同システムにおいて列車の運行状況をリアルタイムに可視化・自動制御することで、安全かつ正確な運行管理を行う。

こうしたシステムを構築している同社の大みか事業所では、鉄道網をサイバー空間上に再現して、シミュレーションやトラブル対応検討などを事前に行うことで品質向上に活かしている。

同様に電力分野においてもサイバー上に電力網を再現し、電

［図表4-26］（左）**鉄道運行管理シミュレーション、**
（右）**電力系統制御シミュレーション**

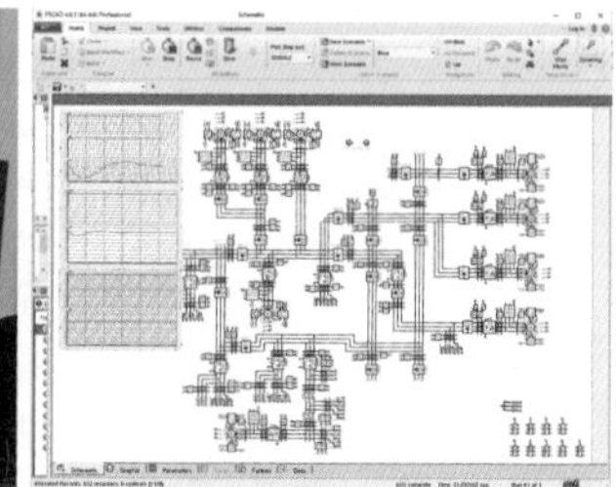

出典：日立製作所

力系統シミュレーションや安定化制御に活かすなど、幅広い社会インフラ分野でのデジタルツイン化を図っている。

実インフラを再現し、サイバー攻撃をシミュレーション

また、社会インフラの制御やセキュリティの重要性が増している中で、顧客であるインフラ事業者のサイバー攻撃への対策トレーニングでもデジタルツインが活用されている。

同社大みか事業所に、実際のインフラシステムをサイバー上で再現し、仮想上のサイバー攻撃を同社がかけるという訓練を、事業所内のサイバー防衛訓練施設「NxSeTA（Nx Security Training Arena）」にて行っている。これによりインフラオペレーションにおける有事対応の組織的トレーニングができるのだ。発電所などのインフラのリアルなモデルをデジタルツインとして再現しており、制御実機をもとに訓練を行う。

同社は今後も制御技術や、自社製品・システム、製造現場など事業を通じた幅広い知見を活かして、社会・産業インフラを支えるCPS展開を強化し、顧客のGX（Green Transformation）／DX（Digital Transformation）を支援する。

［図表4-27］インフラ事業者向けのサイバー防衛訓練施設
「NxSeTA」

出典：日立製作所

第5章

都市領域のメタ産業革命

Meta-Industrial Revolution

01 広がるスマートシティ

都市のあり方がデジタル化の中で大きく変化し、スーパーシティ・スマートシティとして進化している。都市におけるメタ産業革命においては、建物のみならず、道路などのインフラ、車両・交通、エネルギー・人流といった広い範囲のシミュレーションや分析が求められるため、様々なデータを組み合わせてCPS(デジタルツイン・メタバース)が生成される。

また複雑な課題、多様なステークホルダーが存在するため、デジタルツインを通じて可視化し、複数の要素を調整しながら都市づくりや都市マネジメントを実施する必要があるのだ。

国をあげたスマートシティが進展

日本におけるスマートシティは他国と比較し遅れているといわれていたが、昨今では国や自治体との連携のもとスピード感を持った積極的な取り組みがなされている。

例えば政府として「住民が参画し、住民目線で、2030年頃に実現される未来社会」を目指すスーパーシティ構想が展開されている。2022年3月には大阪市とつくば市がスーパーシティ特区に、デジタル田園健康特区には吉備中央町(岡山県)、茅野市(長野県)、加賀市(石川県)が認定された。

これらの地域では、その特徴や課題に応じたスーパーシティが提案されている。例えば大阪市は日本発の空飛ぶ車の実装など大阪万博を見据えた取り組みが、つくば市ではデジタルツインやロボット等の先端技術を社会実装するスーパーサイエンスシティが提案されている。

デジタル田園健康特区は、デジタル技術活用により健康・医

［図表5-1］スーパーシティの構成

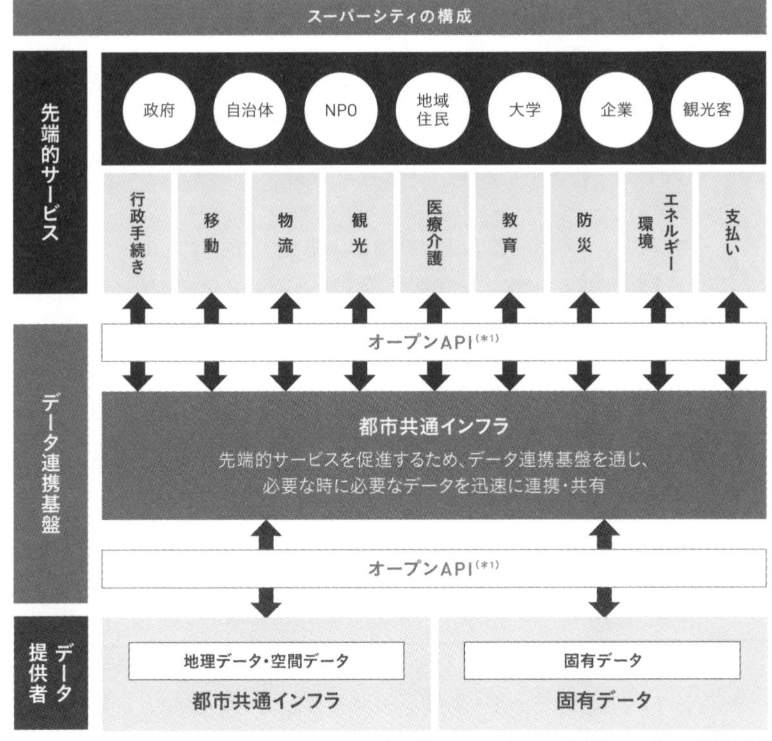

（*1）API：Application Programming Interface 異なるソフト同士でデータや指示をやりとりするときの接続仕様　出典：内閣府資料より

療の課題解決に取り組む自治体を指定したものだ。岸田政権において2021年に田園都市構想が提唱されている。同構想は「デジタル実装を通じて地方が抱える課題を解決し、誰一人取り残されず、すべての人がデジタル化のメリットを享受できる心豊かな暮らしを実現する」ことを目指している。

社会課題・都市課題をデジタル技術で解決

現在の都市においては人口減や、交通弱者への対応、医療・健康、防災、CO_2排出減をはじめとしたサステナビリティ担保などの社会的課題が山積している。これらの課題を解決するとともに、生活の付加価値をあげてウェルビーイングを向上させていくことがミッションだ。

これら複雑な課題を多様なステークホルダーとの合意形成のもと解決し、都市づくりに活かしていくうえで可視化やシミュレーション・最適化を行うデジタルツインの活用が必要不可欠となる。

中国やシンガポールなど、政府による強力なイニシアチブや、半ば強制力をもってトップダウンで進められる国・地域と異なり、日本におけるスマートシティ展開においては住民との合意形成が重要となる。その観点で、住民や多様なステークホルダーと共有し、合意形成を図るためのデジタルツイン活用が今後の鍵となる。

3D都市モデルをオープンデータ化

日本の都市デジタルツインの取り組みの特徴としては、国交省がイニシアチブを取って進めていることだ。自治体が従来保有している地図データ・測量データをもとにCity GMLとよばれるフォーマットで3D都市モデルをオープンデータ化しているのだ。

それぞれのデータがフラグメント化(断片化)することを防ぐために、標準フォーマットのCity GMLで標準化し、各自治体や企業などが新たなイノベーションを生む土台を作り出している。

今後の動きとしては日本国内の取り組みのみならず、新興国のODAやインフラ輸出などにおいて、日本の高精度な測量技術やProject PLATEAU(国交省)の経験を踏まえて、当該国の3D都市モデルの整備を支援し、日本と他国都市のデジタル上での連携土台を構築することも有効と考えられる。次節にて国交省のProject PLATEAUを紹介する。

02 国土交通省による Project PLATEAU

56都市の3D都市モデルを公開

日本では国交省主導で2020年度から「まちづくりのDX推進」を目的としてProject PLATEAU（プロジェクト・プラトー）が展開されている。3D都市モデルを用いて、まちづくりの領域で課題解決や新しい価値の創出を目指している。

3D都市モデルの整備・オープンデータ化や、国交省による3D都市モデルのユースケース開発、各自治体・企業による自律的な3D都市モデルの整備・活用ムーブメントの創出を通じて次のような変化を起こすのだ。

［図表5-2］Project PLATEAUの3D都市モデル

出典：国土交通省

① 全体最適・持続可能なまちづくり

データを活用して都市経営・都市開発を科学化する。3D都市モデルを用いて防災・環境・交通等の10年・20年先の姿をシミュレーションして、最適な都市計画を行う。

② 人間中心・市民参加型のまちづくり

都市・政策を3Dで可視化することで、専門家だけでなく誰もがわかりやすく、アイデアを出しやすい環境づくりを行う。それにより、住民参加型で合意形成を図りながら都市や政策作りを行う。

③ 機動的で機敏なまちづくり

従来まちづくりは20年単位で計画が行われていたが、変化の激しい環境に対応して社会課題の変化や、市民のニーズにそってアジャイルな都市開発を行う。

［図表5-3］Project PLATEAUのWebページとビジョンの「Map the New World」

出典：国土交通省

Project PLATEAUは2020年度に全国約56都市・約1万平方キロメートルの範囲において都市の3Dモデルを整備した。その背景としては、新型コロナウイルス（COVID-19）の影響も大きい。従来型のライフスタイルや価値観が大きく変わっていく中、都市マネジメント自体もデジタル技術を活用してこれまでの仕組みを変革する必要性が問われるようになった。

歴史をたどると、都市計画GIS（電子地図）の活用としては、阪神淡路大震災や、東日本大震災などの防災の観点で有用性が着目され整備が進んできた。今回はCOVID-19が広がる中で、3D都市モデルとしての整備が加速されたのだ。

建物や道路などの形状データに、構造・用途など属性情報(意味データ)を付加する。それらとともに災害リスク、人流・交通データ、ゾーニング規制データ・行政情報などの都市レベルでのデータを重ね合わせてシミュレーション・分析するのだ。

グーグルマップなどと比較して、建物の用途や、壁・天井といった要素などの意味情報が付加されており、人間が認識する都市空間の情報を限りなくデジタルツイン化していることが特徴だ。

標準フォーマットCity GMLと、PLATEAUの位置づけ

PLATEAUでは、現実空間に存在するデータのうち、都市空間データ(建物・道路・都市設備・土木構造物など)と、行政情報(都市計画・許認可・災害リスクなど)を対象に、City GMLと呼ばれるフォーマットで標準化を行う。標準化により様々なデータ連携を可能として、外部プラットフォームで利用してもらい、高度なサービス創出を促進するのだ。

連携する外部プラットフォームの例としては、シンメトリーディメンションズなどが挙げられる。現在では、設計データはBIM、空間情報であればGIS、人流データであればCSVなどのデータが存在している。しかし、データとプラットフォームが個別に存在しており、横連携がしづらい状況であった。City GMLで様々なデータのフォーマットを統一し、利用しやすくするのだ。国交省としてこれらの変換ツールなども開発・公開している。

同取り組みではPLATEAU VIEWと呼ばれる可視化のシステムも展開しているが、データを標準化し、多くの外部プ

［図表5-4］都市におけるデータの階層構造と、PLATEAUの位置づけ

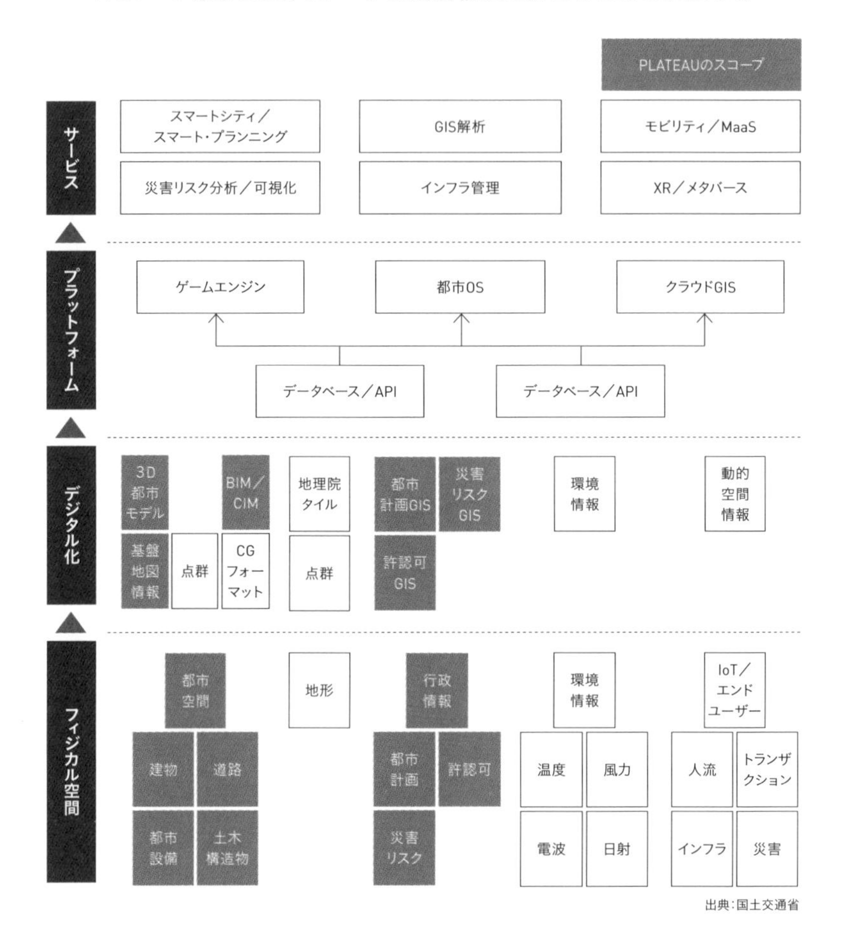

出典：国土交通省

ラットフォームやサービスを創出していくことが目的である。PLATEAU VIEWは簡素な機能にとどめており、あくまでショーケースの位置づけであるため、City GMLによる「データの標準化」が本質となる。

PLATEAUによりデータを標準化することで、プラットフォームやサービスレイヤーは民間企業による市場の創出を促す。

[図表5-5] ショーケースとしてのPLATEAU VIEW

出典:国土交通省

既存データをフル活用し効率的に3D都市モデルを生成

PLATEAUの特徴としては、従来市役所などの行政機関が活用してきた既存の地図データをベースに、3D都市モデルとして新たな付加価値を生んでいることがある。

市町村は「都市計画基本図」と呼ばれる2Dの地図データを保有している。この地図データ作成にあたっては、航空測量で撮られた写真データを3次元的に処理した上で、2D化している。3Dデータは作成における1プロセスでしかなく、従来活用されていなかった。

この3Dデータとともに、土地・建物の用途・建築年・階数などを定期的に収集している「都市計画基礎調査」を意味情報として活用し、Project PLATEAUの3D都市モデルが生まれているのだ。既存データ・資源を有効活用・発掘することで、安価で拡張性の高いデータ整備の手法を確立している。これにより全国で同じ手法で拡張させることが可能となっているのだ。

03 国交省主導でユースケース開発

オープンデータの取り組みにおいては、データ整備が進まないと活用事例も広がらず、活用事例が拡がらないとデータ整備も進まないといった「鶏卵問題（卵が先か、鶏が先か）」に直面することが多い。Project PLATEAUとしては鶏卵問題となることを回避するために、3D都市モデルの整備にとどまらず国交省が主導して各プレイヤーに働きかけてユースケース（活用事例）を開発していることも大きな特徴だ。

データを標準化・オープン化したとしても、様々なプレイヤーによって活用されて初めて価値が生まれる。その点で、主導プロジェクトを国交省が自ら立ち上げて、ロールモデルを作っているのだ。それにより他自治体や企業の取り組みの背中を押す循環を創る。

国交省は3D都市モデルは行政が整備すべき「インフラ」だと捉えている。今後は道路や土木構造物の整備と同じように、自治体の3D都市モデルの整備を支援し、自治体における活用事例の拡大を促す。現状のユースケースとしては大きく次のようなカテゴリが存在する。いくつか事例を紹介したい。

– 人流・交通データ等にもとづく都市活動モニタリング
– 災害リスク情報の可視化を通じた防災政策の高度化
– データを活用したまちづくり・都市開発の高度化

ユースケース例❶ 大丸有エリアでの人流データ分析を通じた都市マネジメント

GPSログに加え、大手町・丸の内・有楽町（大丸有）エリアの各ビルに設置されたビーコンとの接触ログを活用することで、地下流入と地上流入の識別や、階層別の混雑度の評価を実現した。それにより最適な都市づくりに活かす計画だ。

［図表5-6］PLATEAUデータを活用したユースケース例
（人流データを用いた都市マネジメント／東京 大丸有エリア）

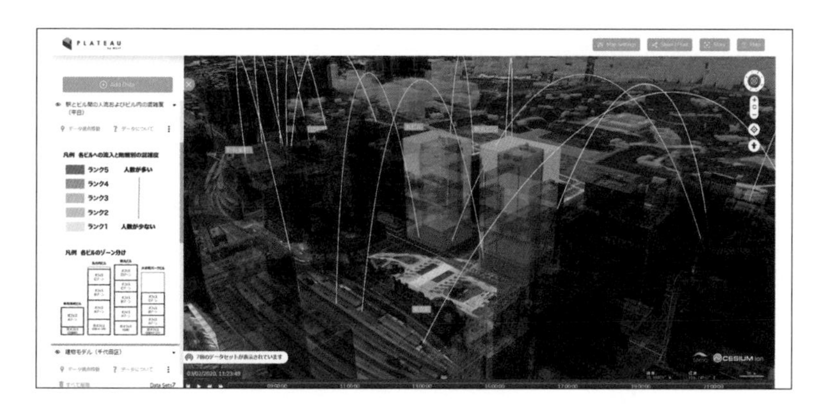

ユースケース例❷ 自動運転導入検討（静岡県沼津市）

自動運転検討において3D都市モデルの活用は重要な要素となる。自動運転車両の車両位置を自己推定システムのVPS（ビジュアル・ポジショニング・システム）マップとして3D都市モデルを活用する検討を行っている。そのことにより地域交通にお

［図表5-7］
PLATEAUデータを活用したユースケース例
（自動運転車両の自己位置推定におけるVPS：Visual Positioning System）

ける自動運転車両の導入を効率化・円滑化する試みだ。

ユースケース例❸ 再エネ活用シミュレーション（石川県加賀市）

再生エネルギー導入の検討においても3D都市モデルが活用されている。3D都市モデルを活用して、都市スケールの太陽光発電ポテンシャルや反射光公害のシミュレーションを行うことで、太陽光パネル設置の適地データを地方自治体に提供し、カーボンニュートラルを推進。3D都市モデルとしては建物の屋根面積、傾き、隣接建物による日陰発生等の形状情報や、建物の用途や構造などの属性情報などが活用されている。

［図表5-8］PLATEAUデータを活用したユースケース例
（太陽光発電のポテンシャル推計・シミュレーション／石川県加賀市）

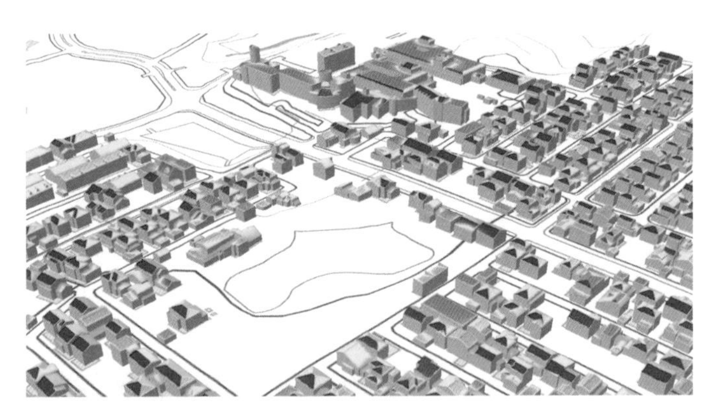

ユースケース例❹ 災害発生時の避難シミュレーション

コロナ禍で多くの人が集まる大規模な避難訓練の実施が難しい中で、3D都市モデルを活用した避難シミュレーションを実施した。東京都港区虎ノ門ヒルズのBIMデータを用いて作成した細密な屋内モデルと3D都市モデルをシームレスにつなぐバーチャル空間を構築。建物内から建物外への避難の動きを再現・検証できる避難シミュレーションツールと徒歩出退社訓練を支援するツールを構築している。

[図表5-9] PLATEAUデータを活用したユースケース例
(屋内外をシームレスに繋ぐ避難訓練シミュレーション／東京虎ノ門)

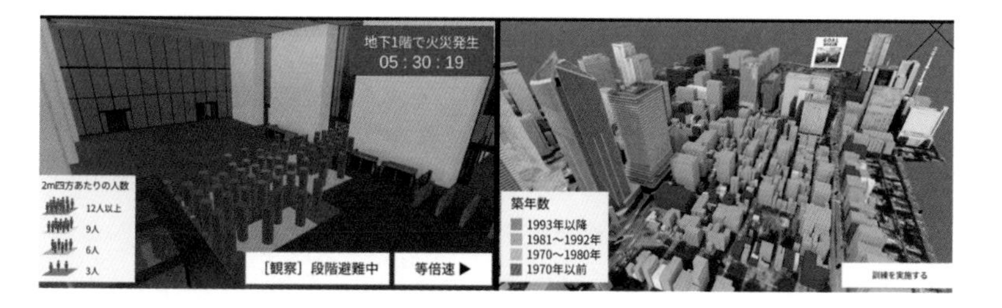

自治体の役割が増大

スマートシティや都市の3Dデータ活用において、より自治体の位置づけが重要になってきている。静岡県や東京都のように先行する自治体においては、大企業やスタートアップ、アカデミアを巻き込み、つないでいくことで新たなイノベーションを主導するプラットフォームとなりつつある。

メタ産業革命時代には、3D都市モデルは新たな社会インフラとなりうる。これら社会インフラを自治体から積極的に整備し、地域の競争力を活性化していくことが求められるのだ。後述の渋谷区のように区単位・市単位での取り組みも積極化している。

市区町村では実際に住民台帳を持っており、行政サービスを提供する単位となる。その観点で3Dをはじめとしたデジタルでのサービスを実行して、反応をもとに素早く「アジャイル」にアップデートしていけることが市区町村の強みとなる。

「防災」は3D化のアーリーアダプタとなり得る

3D化となると、すぐには効果が出ないためメリットが訴求しづらい。その中でも防災については、人の命に関わる課題であり、すぐにでも投資をしなければならない領域であるため、防災を最初のきっかけとして進むケースが多い。

そこで土台ができてくると、自動運転や、観光なども含めて拡大をしていける。都市のオープンデータ化も、阪神淡路大震災や、東日本大震災を契機に取り組みが進んできた経緯がある。防災は広域で取り組む必要があるため、局所最適ではなく、全体最適の視点で取り組める要素もある。

静岡県・熱海の土石流で3D点群データが効果を発揮した事例は、各自治体でも3D活用の検討を行うきっかけとなっている。次節では、防災をきっかけに3D化を積極的に進め、自動運転や空飛ぶクルマ、建設・インフラ管理、観光など幅広い領域に横展開している静岡県のVirtual Shizuokaの事例を紹介する。

04 静岡県「VIRTUAL SHIZUOKA」

静岡県のほぼ全域を点群としてデジタルツインを生成

ここでは、静岡県によるVIRTUAL SHIZUOKAの取り組みを紹介したい。静岡県はほぼ全域をセンシングして、点群データ(3次元空間上での位置や色の情報を持つ点群が集合した3次元データを指す。点が集まることによって物体の形状や質感を表現する)として3D化している。2019年から取得を開始し、一部南アルプスの山岳地帯をのぞき、ほぼ県内を網羅し、3D化している。

最も大きな背景が、今後発生が想定されている災害への備えだ。静岡県は、南海トラフ地震とそれによる津波や、富士山の噴火など、多くの災害リスクに囲まれている。これらへの備えから、県のデジタルツイン化をVIRTUAL SHIZUOKAとして、日本でも先んじて推進してきたのだ。

［図表5-10］静岡県における点群データ例

出典：静岡県

作成した3D点群をオープンデータ化

静岡県は点群取得にあたって、航空レーザーや、自動車に搭載したセンサーを通じたセンシングを行っている。上空約2000mからレーザーを照射するレーザー計測を中心に、グリーンレーザーを海・河川などに照射して水面・水中の地形を取るレーザー測深、さらには、MMSと呼ばれる自動車搭載センサーでとったデータを統合する。

これにより、一般的な空中写真のみでは取得できない海や河川の内部や、木々でおおわれている地表面などもセンシングできる。これらの3D点群データを、誰でも2次利用できる形でオープンデータ化しているのだ。

［図表5-11］静岡県における点群取得のためのセンシング手法

出典：静岡県

熱海・3Dデータを用いて盛り土の存在を迅速に特定

VIRTUAL SHIZUOKAの取り組みが広くメディアなどでも注目されたのが、2021年の土石流災害の際だ。通常人手での測量で1カ月以上かかるものを、翌日にはドローンを飛ばしてセンシングし、1週間以内に点群の時点による差分解析を通じて「盛り土」の存在や崩壊土砂量を推定した。

デジタルツイン企業のシンメトリーディメンションズなどと連携して、産学官の16組織・企業と「静岡県点群サポートチーム」を組織して活動してきた成果だ。過去の点群データとの比較により、盛り土の特定とともに、土量の蓄積場所や、流出経路を分析し2次災害を防ぐための分析を継続的に行っている。

［図表5-12］**地形差分図**（2009年と2019年の地形差分計測）

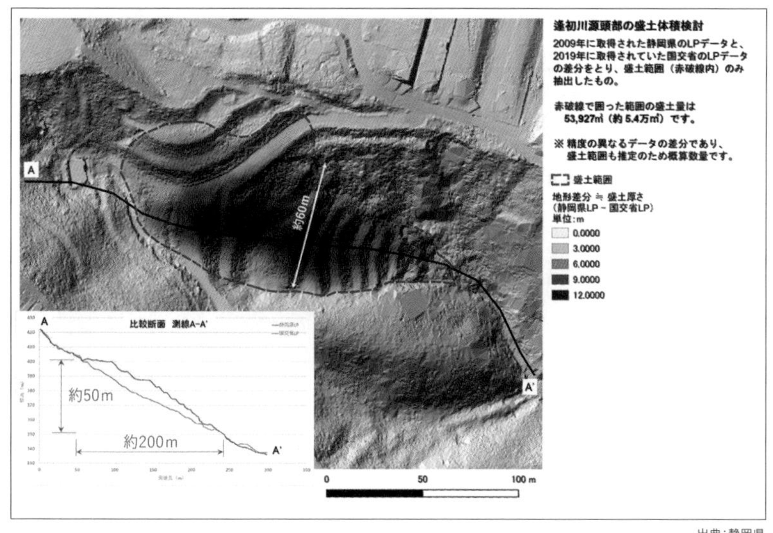

出典：静岡県

南海トラフ地震における津波浸水シミュレーションにも活用

先述の通り、静岡県には南海トラフ地震における津波のリスク対応の必要性があるが、ここでもデジタルツインが活用されている。点群データを活用したVRで自分の家の前に立ってもらい、バーチャル上で想定されている津波をシミュレーション・経験するというものである。

これにより住民の避難意識の向上や、第2波や第3波の影響も踏まえた避難経路の検討に活かしてもらうのだ。災害リスクや避難意識を向上する上でも自らの家や街のリアルな3D空間での啓発が効果を持つ。それぞれの家でどのように浸水するかの詳細なシミュレーションが可能となるのも、ほぼ全域で点群データを整備している静岡県だからこそ実施できる取り組みだ。

［図表5-13］**南海トラフ地震時の浸水3Dシミュレーション**

出典：静岡県

自動運転、空飛ぶ車にも活用する

さらには点群データを自動運転の実証にも活用している。自動運転に必要となる高精度地図を提供するダイナミックマップ基盤と連携し、自動運転検討の高度化を図る。

ダイナミックマップ基盤が整備している高速道路や自動車専用道路とともに、山間地域の道路の点群データを活用して、より広い地域で自動運転が実現できるための連携を行っている。これらの自動運転の実証を通じて、街づくりの検討をデジタルツインで行い、よりよい街づくりを検討していく計画である。

また、空飛ぶクルマの検討においてもこれら点群データが活きてくる。VIRTUAL SHIZUOKAとしては、電線や高圧線も含めて厳密にデジタルツイン化しているため、空飛ぶクルマやドローン宅配などの厳密な飛行ルートシミュレーションにも活用が可能となるのだ。

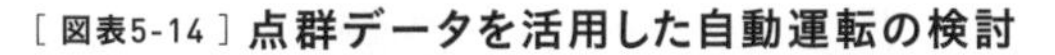

［図表5-14］点群データを活用した自動運転の検討

出典：静岡県

点群3Dデータを幅広い領域のイノベーションの土台に

このように、静岡県では点群3Dデータは多くのイノベーションの土台として活用されている。先述の防災や自動運転・空飛ぶクルマとともに、建設産業における生産性向上、バーチャルツアーでの観光展開、森林管理など、教育、行政サービスの検討など幅広い用途での点群活用を見込んでいる。

静岡県では多くの企業・スタートアップ、行政機関、研究機関との連携を通じた取り組みが進む。今後日本、ひいては世界の3Dデータ活用のフロントランナーとして、より幅広い領域でのサービス創出や、他自治体・企業・アカデミアなどとの連携を加速する考えだ。

［図表5-15］VIRTUAL SHIZUOKAにおけるデジタルツイン活用

出典：静岡県

05 東京都の取り組み

民間のカルチャーが入りスピードが増す

従来自治体は、民間と比較して過度な縦割り組織や、保守的、意思決定が遅いといった印象があるが、最近では大きく変わりつつある。東京都の宮坂副知事をはじめ、これから紹介する事例などを推進するデジタル施策の担当者などには民間出身者も多く、スピード感が増している。

渋谷区では、民間出身の長谷部区長のリーダーシップのもと、民間企業など多様なメンバーで構成される一般社団法人渋谷未来デザインとタッグを組んでバーチャル渋谷をはじめとした積極的な取り組みが推進されている。

これら民間のカルチャーと、自治体のカルチャーが融合して、自治体側も失敗したとしてもまず挑戦し、そこから学びを得てさらに挑戦していく姿勢が生まれてきている。宮坂副知事のリーダーシップのもと、スピード感をもってデジタルツイン活用を進める東京都の取り組みを紹介する。

東京都デジタルツイン実現プロジェクト

東京都は先述の国交省のProject PLATEAUと初期段階から連携して、都全体のデジタルツイン化を進める「デジタルツイン実現プロジェクト」に取り組んでいる。宮坂副知事のリーダーシップのもと、デジタルサービス局が各部署と連携してスピード感をもって取り組んでいる。東京都はデジタルツインを下記の構造と捉える。

① IoTセンサーや5G技術を活用し、現実と連動したリアルタイ

ムデータ取得
② 3D空間を活かした分析・シミュレーション
③ AR／VRデバイスやロボット等の現実へのフィードバック

これらデジタルツインを最大限に活用し、都政のQoS（Quality of Service）や、都民の生活の質の向上を目指すのが「東京都デジタルツイン実現プロジェクト」だ。同プロジェクトの3Dビューアにおいては、東京都の3D都市モデルとともに、地下インフラや、リアルタイム河川カメラ画像データ、都営バス運行状況などを統合したデジタルツインとして見ることができる。

これらのリアルタイム情報に加え、都庁内に偏在するデータの整備を推進するとともに、各種サービスの創出を図っているのだ。

［図表5-16］（左）**東京都の捉えるデジタルツインの構造、**
（右）**東京都デジタルツイン実現プロジェクト画面**

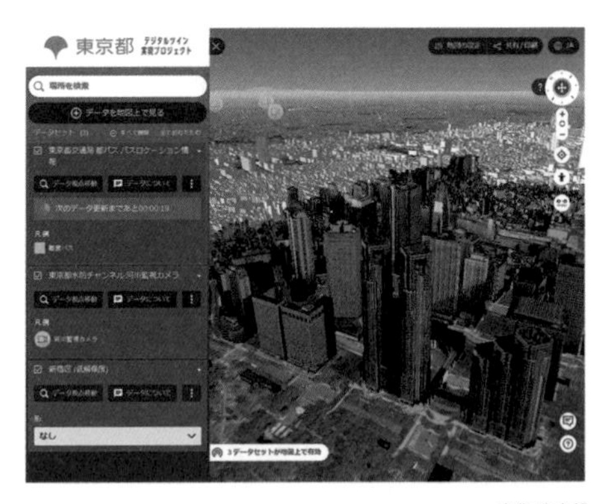

出典：東京都

ロードマップやユースケースなどを具体的に設定

東京都は、各自治体・企業によるデジタルツイン活用を促進するための具体的なロードマップを作成し公開した。ユースケースにも踏み込んで記載されている。

防災から産業までのすべての分野において、「リアルタイムデータを活用して、政策立案や意思決定にデジタルツインが活用されている状態」を2030年までに実現することを目指してい

［図表5-17］東京都のデジタルツイン活用ユースケース例

Path	ユースケース
防 災	3D災害シミュレーション
	構造物のリアルタイムモニタリング・異常検知
	災害影響範囲の予測・シミュレーション
まちづくり	都内の屋内外の空間データを活用した都市の混雑予測
	都市開発シミュレーション
	スマートプランニング
モビリティ	都市交通の混雑予測
	交通ネットワーク関連シミュレーション
	自動運転シミュレーション
エネルギー	都市のCO_2排出量シミュレーション
	太陽光発電量のポテンシャル推計
	ZEVの充電設備の最適配置シミュレーション
自 然	生物・自然環境の状態表示による行動変容
	XRを活用した自然環境体験サービス
	気候変動等の予測
ウェルネス	都民の健康行動のリアルタイム把握・行動誘導
	バリアフリー上の懸念の取得・地図への反映
	感染症予防・対策シミュレーション
教 育	XRによる体験型教育
	都市のバーチャルアーカイブを用いた社会科学習
	都市のデジタルツインデータ取得学習
働き方	3Dデータを用いた遠隔による施工会議の実施
	チャットボットのテキスト解析による顧客サービス改善
	VRによる研修・セミナー等
産 業	製造業におけるデジタルツインの活用
	農業のデジタル化の推進
	サイバー空間のバーチャルイベントの展開

る。

特に都民や各部門の中でも優先順位の高い防災からはじめて、まちづくり、モビリティ、エネルギー、自然、ウェルネス、教育、働き方、産業まで幅広い領域での適用を具体的な用途の定義も含めて示している。

実証テーマ❶ 地下空間も含めたリアルタイム人流可視化

東京都はデジタルツインを社会実装するにあたり、大きく3つのテーマを選定して21年度に実証を展開した。それぞれの取り組みについて紹介したい。

1つ目が地下空間も含めて人々の動きや混み具合をセンシングしてデジタルツイン化するものだ。コロナ禍・コロナ後においては街の混雑回避、密回避が重要となる。地上だけでなく地下を含んだリアルタイム人流予測データなどを活用し、日常時の混雑を避けた経路のレコメンデーションと、発災時に安全な経路のシミュレーション・提示を実施し技術面の検証を行った。

［図表5-18］東京都デジタルツイン実証プロジェクト
（地下空間も含めたリアルタイム人流可視化）

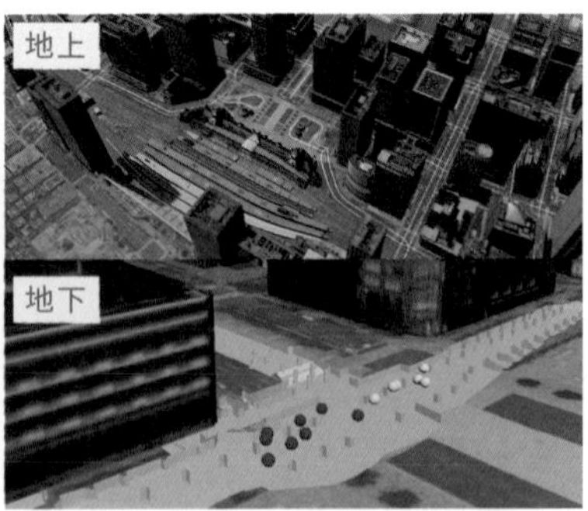

出典：東京都

実証テーマ❷ 地下埋設物の3D化による業務改善効果検証

2つ目が地上の3D都市モデルとともに、地下埋設物の3Dデジタルツインの整備だ。上下水道、電力、ガス、通信など生活を支えるライフラインとなっている地下埋設物をデジタルツイン化して管理の高度化が可能か検証を行った。

この取り組みは、地下工事の実施時の設備事故発生を減らし、安全安心な暮らしを提供するために22年度も継続している。

［図表5-19］**東京都デジタルツイン実証プロジェクト**
（地下埋設物の3D化による業務改善効果検証）

出典：東京都

実証テーマ❸ スマートフォンを活用した3Dマップ更新検証

3つ目はスマートフォンを活用し、人々が参加しアップデートするデジタルツインのあり方の検討だ。変化の早い都市においては、状況に応じたアップデートが重要となる。これを都民参加によって実施できるように、スマートフォンのLiDAR機能を用いて点群データを取得し、都市3Dモデルを更新することができるかどうかを試し、問題なく対応できることを確認した。

東京都は都市課題や住民が求めるニーズが複雑化する中で、デジタルツインの取り組みが都市の魅力を向上する上で重要と捉える。他自治体のロールモデルとして主導すること、そして東京の都市競争力を向上することを目的に、デジタルツインの取り組みを今後も強化する。

［図表5-20］東京都デジタルツイン実証プロジェクト
（スマートフォンを活用した3Dマップ更新検証）

出典：東京都

06 バーチャル渋谷の取り組み

　続いて都市におけるメタバースの展開の事例に触れたい。双子を再現して可視化・シミュレーション・最適化することに重きが置かれるデジタルツインに対して、都市のメタバース活用は「カルチャー」に重きが置かれている。いかにその住民や、その地域に集う人々の文化・活動・生活をデジタル上でより拡張できるか、といった観点で取り組みが進んでいる。

　以下、KDDIや一般社団法人渋谷未来デザイン（渋谷の様々な社会的課題の解決策と都市の可能性をデザインする産官学民連携組織）が主導して取り組んでいるバーチャル渋谷の取り組みについて触れたい。

渋谷区公認のメタバース配信プラットフォーム

　「バーチャル渋谷」は渋谷区が公認しているメタバース配信プラットフォームだ。後述するクラスターを通じて、スマートフォンやPC・VRヘッドセットなど幅広いデバイスから参加することが可能である。

　この取り組みは、2019年頃からKDDI・渋谷未来デザイン・渋谷区観光協会などの70以上の企業・団体が「渋谷5Gエンターテイメントプロジェクト」を進めてきたことが土台になっている。渋谷のストリートカルチャーや、ファッショ

［図表5-21］バーチャル渋谷

出典：KDDI・渋谷未来デザイン

ン・アートなどのアジア・世界にも誇る文化をデジタル技術で発信していくことが取り組みの背景だ。

当初はAR技術などを拡張して、リアルな場としての「渋谷」を拡張する施策を進めてきた。しかし、コロナ禍でリアルの場を活用することが困難となる中で、水面下で検討してきたデジタル上での渋谷をフィールドとする計画が前倒しされたのがバーチャル渋谷だ。そのためミラーワールドとしてのデジタル世界ではなく、カルチャーやコンテンツIP(知的財産)主導の新しい渋谷のあり方や、新しい渋谷の文化・価値を提示していくことが力点となっている。

デジタルでの新しいカルチャーと、渋谷の実際の都市カルチャーを連動し拡張させていくことが、都市連動型メタバースの目指すコアだ。

コロナ下の新たなハロウィーンの楽しみ方を提示

バーチャル渋谷では、メタバース空間上の渋谷を「攻殻機動隊」などのコンテンツの世界観でジャックする取り組みや、スポーツ観戦、カウントダウンイベント、音楽ライブなど多様なイベントが開催されている。

中でも注目されたのが、ハロウィーンフェスだ。コロナ禍以前は、ハロウィーンの期間には多くの人が仮装をして渋谷に集まる「文化」が生まれていた。これらがコロナ禍によって困難になる中で、メタバース空間のバーチャル渋谷でハロウィーンを楽しめる仕掛けを提供したのだ。

仮装したアバターで各自交流をするとども

[図表5-22] **バーチャル渋谷でのハロウィーンの取り組み**

に、きゃりーぱみゅぱみゅさんなどのアーティストのライブや、アニメなどIPと連携した多くのイベントがメタバース上で開催された。世界中からのべ55万人が集い、コロナ下で新しいハロウィーンの文化を創った。

ユーザーが創り上げるUGCの姿を目指す

バーチャル渋谷では、もともと現実空間の渋谷に関心のなかった人たちも集うきっかけとなった。メタバースにおいてはコンテンツやIPの魅力は武器となる。現実世界の場合、アニメキャラクターがイベントに来るとなると着ぐるみになるが、メタバース空間ではそのままのキャラクターが登場し触れ合うことができる。

また、今後はIP・コンテンツとともに、参加者から発信していく新しい渋谷のデジタル・カルチャーを生み出すことも考えられている。現在は企業側がコンテンツを提供しているが、ユーザー側が自ら趣味やカルチャーを発信していくUGC(User Generated Contents)でコンテンツが生まれる姿を創っていくのだ。

それぞれのアイデアで「渋谷の街」が生まれ、渋谷の1人ひとりのカルチャーや想像力を通じて渋谷の魅力を何倍にも拡張していく姿を目指す。そうして生まれたアイデアをメタバース空間上で試して、実際の渋谷の街も変えていく循環を生んでいく狙いだ。

バーチャル大阪も始動、渋谷とバーチャルで連携

バーチャル渋谷と、同じく渋谷区のバーチャル原宿での経験を踏まえて、KDDIは2022年2月に都市連動型メタバースの「バーチャル大阪」を展開している。道頓堀をモチーフに、大阪城や梅田スカイビルなどのランドマークを配置した仮想都市が

オープンしている。

［図表5-23］**バーチャル大阪画面イメージ**

出典：KDDI

大阪府・大阪市の公認のもと、KDDI・吉本興業・博報堂からなる「KDDI共同事業体」が構築・運営を行う。2025年の大阪・関西万博に向けて大阪の魅力を国内外に発信する。「City of Emergence（創発する都市）」をテーマに大阪の新たな文化の創出とコミュニティ形成を行う。

バーチャル大阪のオープンセレモニーには、吉村大阪府知事や、松井大阪市長がアバターで駆け付けた。先述のバーチャル渋谷とも「ワープゾーン」でつながり、それぞれのワールドを通じて往来が可能となっている。今後KDDIとしては、これらの経験をもとに都市連動型のメタバースの構築を支えていくべく展開を強化する。

［図表5-24］**バーチャル大阪オープンセレモニーと、吉村知事・松井市長のアバター**

出典：KDDI

07

企業による
スマートシティの取り組み

トヨタ自動車のウーブンシティをはじめ、民間企業が都市づくりに取り組むケースが増えてきている。都市は様々な産業やサービスの集合体であり、自社の商材・ビジネスモデル開発につながることが大きい。

例えばグーグルはサイドウォークラボを通じて都市開発を進め、すでに10カ所以上での取り組みを始めている。そこから都市開発のデジタルツインや、データ分析のソリューションなどを創出し、新規サービス開発につなげているのだ。

例えば都市のデジタルツインを活用したジェネレーティブデザインのDelveや、スマート駐車向けセンサーのPebbleなどのソリューションが生まれ、スピンオフしたスタートアップも存在する。日本においてはトロントでの撤退の事例が目立っているが、その裏では自社のポートフォリオの拡大に向けて、グーグルが着々と取り組みを進めていることがわかる。

このように、今後民間企業による都市への参入が活発化するだろう。その中でも都市の前段階の設計や建設に関わっている建設会社がスマートシティの運営などにおいても主導的な役割を果たすようになってきている。

本書では、豊洲でスマートシティを展開する清水建設と、網島でパナソニックグループと共同でスマートシティ開発をしている大林組の事例を取り上げる。その他では鹿島建設が、羽田においてデジタルツインを活用したスマートシティ開発を行っている。

なお、IT企業のNTT(4Dデジタル基盤)や富士通(ソーシャル・デジタルツイン)による取り組みについては、第16章で触れる。

08

清水建設による豊洲での取り組み

デジタルゼネコンを目指す清水建設

清水建設は1804年創業の大手ゼネコン企業である。同社は従来の土木・建築のものづくりのみを行う企業から「デジタルゼネコン」へ変化することを目指している。同社はデジタルゼネコンを、「リアルなものづくりの知恵と先端デジタル技術により、ものづくりをデジタルで行い、リアル空間とデジタル空間の両面でサービスを提供する建設会社」と定義する。

図表5-25は、建築・土木領域でのデジタルゼネコンの取り組みの一例だ。これらの取り組みにおいてもデジタルツインがキー技術となっている。

［図表5-25］清水建設の建築領域（下）・土木領域（右上）でのデジタルゼネコンの取り組み

出典：清水建設

豊洲のスマートシティを推進

従来の建設ものづくりプロセスとともに、経営陣のコミットメントのもとデジタルツインを活用した取り組みを進めるのがスマートシティ領域だ。東京都の豊洲を先行モデルとしてスマートシティ開発を行っている。清水建設や三井不動産を事務局に、豊洲に関連する企業や、IT企業など技術系企業、行政（東京都・江東区）、アカデミア（東京大学・芝浦工大）の産学官が連携しながら豊洲のスマート化を進めている。

開発エリアの豊洲六丁目街区においてBIMを中心とした建物・地盤・地質・インフラなどの3次元データと、人流・物流・エネルギー・環境・防災・風や温度などのセンシングデータをもとにデジタルツインを構築。最適な街づくりに向けてシミュレーションや、サービス実装を行っている。

デジタルツイン「バーチャル豊洲」を構築

豊洲のデジタルツイン化においては、デジタルツイン企業のオートデスクと連携している。地上のみならず、地下インフラも含めてデジタルツイン化を図っており、人流・交通などのリアルタイムでのモニタリング・シミュレーションも行う。

デジタルツインを活用したサービス開発としては、2020年に食と防災、2021年は観光とヘルスケアと、対象となる実証サービスを拡充してきた。2022年はモビリティや新規サービス創出を追加する方針だ。

過疎地域の交通や高齢化など社会課題に対応する山間部のスマートシティに対して、豊洲は都市型のスマートシティと位置付ける。都市型の自動運転をはじめ、より快適で便利な都市づくりをモデルケースとする。

今後は他スマートシティの都市OSとのAPIを介したサービスの連携も行う。東京都の大丸有（大手町・丸の内・有楽町）や、竹芝などのスマートシティとの相互利用を想定している。

［図表5-26］**豊洲におけるデジタルツイン**（左）・**人流シミュレーション**（右）

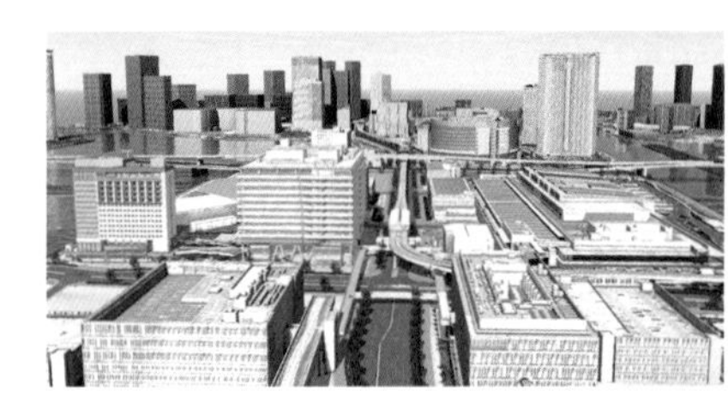

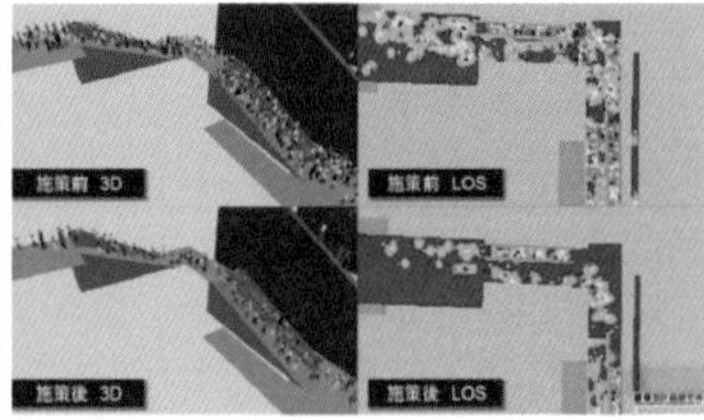

出典：清水建設

［図表5-27］**豊洲六丁目街区におけるデジタルツイン**
（交通・人流のリアルタイムシミュレーション（左）、地下インフラの可視化・分析（右））

出典：清水建設

エッジ分野の建物OS「DX-Core」が強み

同社のスマートシティやデジタルツインの展開にあたっての強みは、建物OSの「DX-Core」だ。以前から業界企業の中でも特にIT・制御技術に力を入れてリソース・技術強化を行い、建物の制御技術・ノウハウの強みを持ってきた。ビルの中央監視システムの内製化や、強化してきたAIを含めたシステムインテグレーション技術、BIMとロボットの連動などだ。

これら蓄積してきた建物制御の技術・ノウハウを結集したのが、建物OSのDX-Coreである。DX-Coreは、建物内の建築設備やロボット、IoTデバイス、各種アプリケーションの相互連携をベンダーフリーで実施する建物運用プラットフォームだ。

同社は、スマートシティを建物の集合体と捉える。強みの建物OSを軸に、都市全体のマネジメントは不動産会社や交通機関などと連携し、スマートシティ開発や都市デジタルツインのサービス開発を強化する。

［図表5-28］清水建設の建物OS「DX-Core」

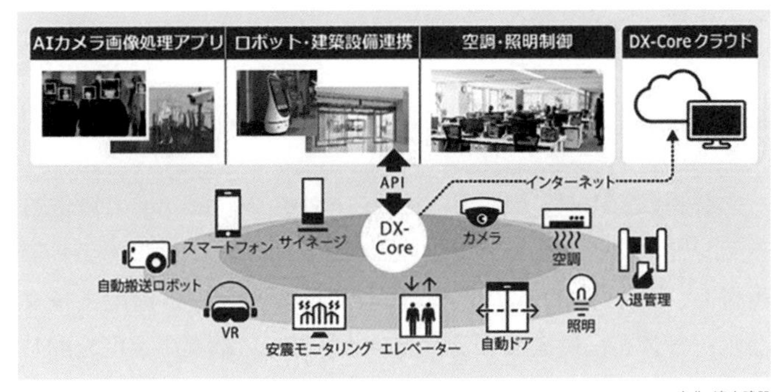

出典：清水建設

09 大林組：綱島地域における取り組み

パナソニックなどと横浜市綱島地域のスマートシティに参画

建設領域の取り組みでも紹介した大林組は、パナソニックなどとともに横浜市綱島地域におけるスマートシティ作りに参画している。大林組は2050年のあるべき姿の一つとして、「価値ある空間・サービスの提供」を掲げており、従来の建設プロセスの先のサービスとして、カーボンニュートラルやウェルビーイングを実現するまちづくりに注力している。

そうした中で、パナソニックの工場跡地を利用して、研究施設や商業施設、マンション、慶應義塾大学国際学生寮などで構成される街区を異業種企業で連携して、次世代都市型スマートシティ作りに取り組んでいるのだ。

デジタルツインのSCIMを通じた街づくり

大林組はSCIM（Smart City Information Modeling）と呼ばれるデジタルツイン基盤を提供している。街を丸ごと3Dモデルで再現し、静的・動的データと紐づけて街づくりの各段階で様々なサービスを提供するプラットフォームだ。綱島の街区を通じて綱島・日吉エリア全体の活性化を図るためのデジタルツインを活用した各種実証を行う。

大林組は、ユーザー目線でのデータ活用サービス創出に向けて試行錯誤を重ねている。街の中のセンサーから得られる情報をもとに、シミュレーション・予測を行うとともに、最適なまちづくりのための街区施策への反映を行う。センシングデータとしては、エネルギー・水の使用量・太陽光発電量や、街区の人流・交通量、11種類の屋外環境データなどである。

また、事業者との連携によるモビリティシェアリング情報、ショッピング情報なども提供している。例えば、屋外環境データにもとづく健康情報の発信や、カメラ画像にもとづく綱島街道の交通状況、街区内通路の利用状況などをデジタルツイン化することで、生活に直結するリアルな情報をわかりやすく提供している。

防災の観点では、国交省のオープンデータをトリガーとして、

［図表5-29］綱島におけるSCIMの取り組み

出所：大林組

近隣の鶴見川の水位危険度をプッシュ通知により迅速に発信するなど、住民の防災リテラシー向上にも貢献している。今後、同社は建設領域で培ったノウハウや知見を活かして、住民や街の課題やニーズに合わせたカーボンニュートラルやウェルビーイングの実現に資する最適なデジタルツインの提供を推進する。

第6章

モビリティ（自動車）領域でのメタ産業革命

Meta-Industrial Revolution

01
CASEとメタ産業革命

自動車業界の地殻変動CASE

続いて自動車・モビリティ領域でのメタ産業革命について触れたい。

自動車業界ではCASEと呼ばれる大きな変化が起こっている。Cがコネクテッドでインターネット接続された自動車、Aが自動運転車、Sがシェアリングによるクルマの所有から利用への変化、Eが今までのガソリンエンジンなどの内燃機関からEVを始めとした電動化を表している。

これらの中で、従来製造業として自動車のハードウェアを提供し競争力を担保してきた自動車会社の戦略が大きく変わってきている。例えばトヨタ自動車はモビリティカンパニーへの変革を掲げ、自社車両を活用したモビリティサービスプラットフォームのeパレットの展開とともに、静岡県裾野市に実証都市であるウーブン・シティの建設を図っている。所有から利用へと自動車のあり方が変化している中で、モビリティ関連のCPSの位置づけや、取り組みが大きく変化してきているのだ。

自動運転を支える3Dドライブシミュレーター

CASEのうちの自動運転では、街で実際に走行する前に、事前にバーチャル上で走行シミュレーションを行うことが重要となる。自動運転の走行にあたって事故は許されず、また、想定しなければならないパターンも膨大であるため、事前に3Dでのシミュレーションを綿密に行った上で公道実証を行う必要があるからだ。

その際に3D上に都市・道路・人流・交通などをデジタルツインとして再現し、シミュレーションを行う。ユニティやアンリアル・エンジンなどのゲームエンジンや、エヌビディアのドライブ・シム（図表6-1左）などの専用のソフトウェアが活用されている。

図表6-1右はエヌビディアの自動運転シミュレーターで、カリフォルニアの都市と、人流・交通を再現した様子だ。ドライブ・シムにはすぐに利用できる環境、シナリオ、車両、センサー、および交通に対応する、構成可能なモデルの豊富なライブラリが含まれており、実証用の3D環境を容易に構築できる。

［図表6-1］**自動運転ドライブシミュレーター**

出所：NVIDIA

02 ダイナミックマップ基盤による取り組み

自動運転やMaaSにおいて鍵となる地図情報

こうした中で、自動車を移動するハードウェアではなく、移動するためのサービスと捉えたMaaS(モビリティアズアサービス)が進展している。自動運転やMaaSにおいて鍵となるのは地図情報だ。特に自動運転においては動的マップ(ダイナミックマップ)が重要となる。

動的マップとは、「交通規制や工事情報/事故や渋滞/歩行者や信号情報」など刻々と変わる膨大な動的情報と、高精度3次元位置情報(路面情報、車線情報、3次元構造物)等の静的情報を組み合わせたデジタル地図を表している。

自動運転においてはこれら動的マップとともに、自動運転車両のセンサーのLiDARからのセンシング情報やGNSS(全球測位衛星システム)等をもとに制御が行われる。

[図表6-2] ダイナミックマップとHDマップの位置づけ

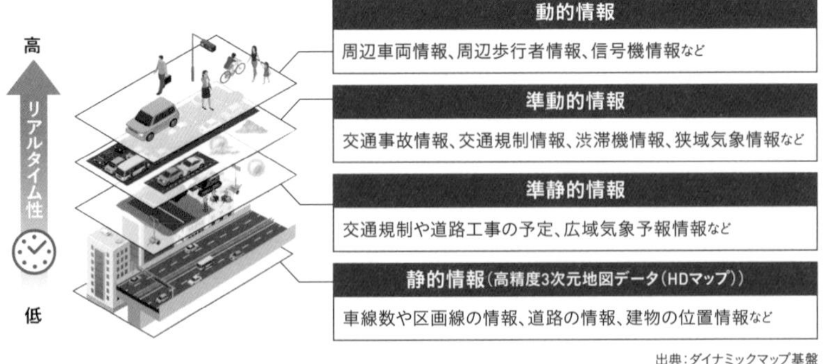

出典:ダイナミックマップ基盤

動的マップの土台となるHDマップ

このうちダイナミックマップの土台となるのが、静的情報である高精度3次元地図データのHDマップだ。HDマップとは自動車位置を車線単位で識別できるcm級の精度を有する。車線数や区画線の情報、信号・標識の位置などのあらゆる道路空間情報が含まれる自動運転に必須のデジタルツイン基盤だ。

HDマップを作るプロセスとしては、MMS(モービルマッピングシステム)と呼ばれるGNSS、カメラ、レーザスキャナー、IMUなどを搭載した自動車で計測する手法が取られる。MMSにて計測した3D情報から点群データを生成。その点群の中から白線や標識などをHDマップとして意味付けしていくのだ。

点群データは非常に容量が重く、そのままは車両に搭載できないため、ベクトル化してHDマップ化する。HDマップは、自動運転車の認知・判断・操作において重要な役割を持つ走行環境の「デジタルツイン」の土台となる。

前述のとおりHDマップはcm級の位置精度を有しており、一般的なGPSによる測位と比べてはるかに高精度な位置情報の取得が可能で、より高度な自動運転の実現が可能になる。

以下、HDマップの提供とともに、HDマップを通じて自動運

[図表6-3] **HDマップの作成プロセス**

MMSにて高精度3次元点群データを生成

高精度3次元点群データから地物を抽出してHDマップを生成

出典:ダイナミックマップ基盤

転など自動車向け以外も含めた3D情報プラットフォーマーとしての展開を図るダイナミックマップ基盤の取り組みを紹介する。

自動運転に必須のHDマップを展開

ダイナミックマップ基盤は道路の構造物を3次元データ化したHDマップを提供する企業だ。2016年に自動車・測量・計測機器・地図企業などオールジャパンで設立された。国内のHDマップのカバレッジは、高速道路と自動車専用道路の全国分を網羅しており約3万3000キロ(上下線計)のデータを保有している。

日本では日産・ホンダ・トヨタの量産車において導入されている。今後一般道にもカバレッジを拡大予定だ。

グローバルでも2017年に世界で初めてGMの量産車にHDマップを提供したUshrを2019年に買収。北米についてはアメリカ・カナダなど40万マイル以上の高速道路に相当する道路のデータを保有し、日米の地図フォーマット統一・標準化等を通じて他地域の海外展開も見据える。

［図表6-4］ダイナミックマップ基盤におけるHDマップ

出典：ダイナミックマップ基盤

他分野を含む 高精度デジタルツインプラットフォーマーへ

同社はcm精度のデジタルツイン空間を武器に他領域での展開を図る。今後、スマートシティやMaaSをはじめとするモビリティ・サービス向けなどさまざまな領域のデジタル化が重要となる中で、同社のHDマップが産業デジタルツインやメタバースにおいて競争力を持つと見る。

既存の各産業のデジタルツインにおいては、位置情報に誤差が生じているケースが多い。自動運転で培った高精度地図を、正確性を持った仮想空間・メタバースとして位置づけ、他産業のデジタルツインと重ね合わせることにより正確性や精度を向上させる。そのことによりシナジーを発揮し、新たなビジネスを創出できると捉えている。

同社がHDマップを活かしたデジタルツイン・メタバース展開を検討している領域としては、例えばインフラ管理がある。道路維持管理の高度化や、ホワイトアウトなどで周囲の環境が見えない中でも作業を可能とする除雪車支援などのソリューションが、同社のHDマップを土台としたデジタルツインとしてすでに提供されている。

また、道路以外のインフラにおいてもインフラ建設物のBIMや電柱・電線、地中埋設物などと、HDマップの高精度位置情報を重ねることにより高度な管理が可能となる。防災・自然災害時には高度3D地図と、被害直後のセンシング結果の比較により早期の診断につながるとともに、防災シミュレーション基盤としても活用する。

加えて、あらゆる移動機器において同社のHDマップはデジタルツイン基盤を支えることとなる。空飛ぶ車やドローンとともに、工場や物流拠点における移動ロボット、パーソナルモビリティの都市移動の最適運転、空港・港湾内での自動運転バス・トラック、都市間の自動運転物流トラック、農機・建機など幅広い領域の土台を支えていく構えだ。

今後同社は自動運転向けの高精度デジタルツインを軸に、コーポレートスローガンの「Modeling The Earth」にもとづきグローバルのあらゆる産業におけるデジタルツイン・メタバース展開を図る。

［図表6-5］高精度デジタルツインのプラットフォーマーへ

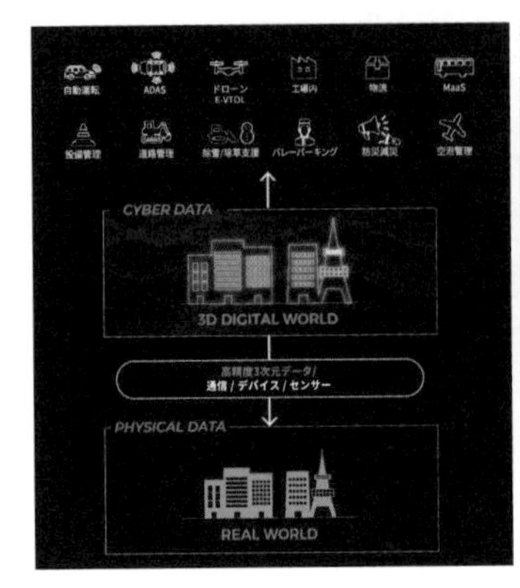

出典：ダイナミックマップ基盤

03
富士通による
モビリティデジタルツイン

自動運転車両がデジタルツインでシミュレーションされ、ダイナミックマップ情報を通じて制御されるとともに、車は都市などのデジタルツインを生成するセンサーデバイスともなり得る。自動車センシングデータからデジタルツインを生成し、インフラ管理や自動運転シミュレーションに活かす富士通の取り組みを紹介する。

車をセンサーと捉え実世界をデジタルツイン化

富士通は、1935年設立のIT企業である。同社では車を動くセンサーと捉え、コネクテッド車から取得されるデータにもとづくデジタルツイン展開を行っている。リアルタイムに交通状況

［図表6-6］富士通のモビリティデジタルツイン

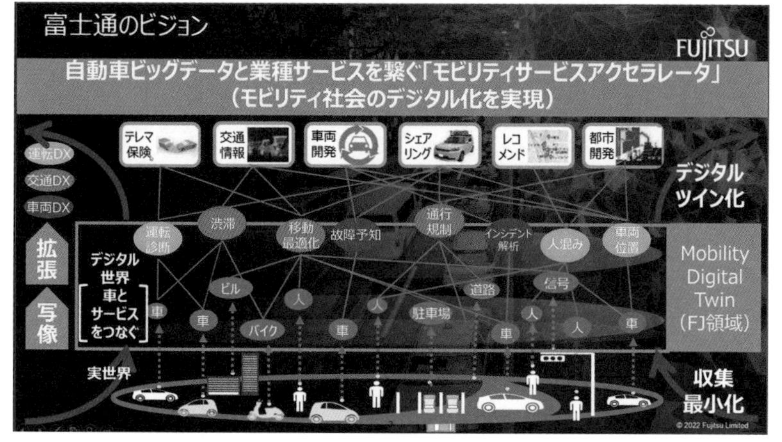

出典：富士通

をシミュレーションすることで、より快適で安全なモビリティを提供することがミッションだ。
モビリティデジタルツインを構成する具体的な技術群としては下記の通りだ。

– Digital Twin Collector（必要なモビリティデータを効率的に収集する基盤）
– Digital Twin Analyzer（車載映像を解析し3Dデータとして活用する基盤）
– Digital Twin Utilizer（速度・位置情報などをリアルタイムで再現・シミュレーションする基盤）

1000万台の自動車のセンシングデータを処理できるデジタルツイン技術Dracenaを活用することで、車を通じて実世界で起こっている交通の変化や事故状況などをデジタルツイン化、見える化。さらにシミュレーションによって最適化し、各種サービスに活用する。
これらの技術をもとに、ドライブレコーダーのデータから事故状況をデジタルツイン化する保険会社向けソリューションや、自動車のセンシング情報から道路インフラのデジタルツインを生成し異常検知を行うソリューションなどが展開されている。

自動運転の3Dシミュレーターに活かす

自動運転領域においても、実際の車のセンシング情報をもとに、より現実世界に即した3D自動運転シミュレーターを構築している。図表6-7左上のドライブレコーダーによる実走行データを、3D自動運転シミュレーターに反映する。信号や標識なども含めた周囲道路環境も含めてセンシング・3D化し、現実世界にもとづく自動運転のシミュレーションが可能となる。

［図表6-7］富士通における車載センサーを通じた
自動運転シミュレーション

出典：富士通

04 トヨタ自動車における ウーブン・シティの取り組み

EV化・コモディティ化の中での自動車会社の戦略転換

これまでの自動車産業では、製造そのものが価値・競争力の源泉となっていた。しかし、CASEによる変化、特にEV化により新規参入者が増え、自動車ハードウェアが長期的にコモディティ化の流れとなっている。このため、自動車会社の戦略も大きく転換してきている。

例えばトヨタ自動車は、自動車を起点としつつもその「利用」に焦点を置いたMaaSサービスや、都市づくりに取り組んでいる。日産自動車はデジタルツイン・メタバースを活用してエンターテインメントを含め移動時間の価値を最大化する方向へ動く。以下、それぞれの取り組みについて触れたい。

静岡県裾野市に未来都市のウーブン・シティを建設

トヨタ自動車はモビリティカンパニーへの転換を掲げ、自動車としてEV・ハイブリッド・水素自動車などへの全方位戦略をとる。それとともに、先述の通り自社車両を活用したモビリティサービスプラットフォームのeパレットの展開とあわせ、静岡県裾野市に実証都市であるウーブン・シティの建設を図る。

ウーブン・シティは2020年のCESで発表されたコンセプトであり、同社の東富士工場跡地に自動運転、MaaS、パーソナルモビリティ、ロボット、スマートホーム技術、人工知能(AI)技術などを導入・検証できる実証都市を建設するというものだ。

［図表6-8］トヨタ自動車の豊田章夫社長によるCES2020での
ウーブン・シティの発表（左）、ラストワンマイル配送ロボットS-palette（右）

出典：トヨタ自動車

デジタルツインが鍵

同都市においてもデジタルツインが鍵であることが発表されている。都市建設自体をデジタルツインで事前にバーチャルに構築し、シミュレーションし、デジタル上で都市やモビリティ・ロボット導入の在り方を検証・検討するのはもちろんのこと、自動運転車両やロボティクスのソフトウェア・ハードウェア開発においても価値を発揮する。

同都市ではSパレットと呼ばれる自動運転配送ロボットが、物流センターから物流専用の地下空間を移動して各住居のラストワンマイルまで運ぶことが発表されているが、これら物流センターのオペレーションやロボットの稼働においてもデジタルツインが鍵となっている。

同都市ではロボットや自動運転技術を活用した新たなコンセプトの実証を行っていることからも、試作機を物理的に構築して実証するアプローチでは、多大のコストと時間がかかってしまう。事前にフィールドを再現しシミュレーションを通じて早期に課題を発見し、ブラッシュアップをし続けることが重要となる。

ソフトウェアや先端都市の領域においてもデジタルツインを活用し、仮想環境で同社の強みである「カイゼン」を高速に回していくことの重要性や効果が強調されている。同社はデジタルツイン活用を通じて先端都市のウーブン・シティを「ヒト中心の街」、同社フィロソフィーにもある「幸せを量産」できる街へと都市づくりを加速させる。

［ 図表6-9 ］**ウーブン・シティにおけるデジタルツイン活用イメージ**

出典：ウーブン・シティ youtube

05 日産自動車による取り組み

リアルとバーチャルを融合したi2Vコンセプト

続いて日産自動車の取り組みを紹介したい。日産自動車は1933年設立の大手自動車会社である。同社は、CASE時代におけるメタバース・デジタルツイン活用のコンセプトとしてInvisible-to-Visible(i2V)を掲げている。

同コンセプトはリアル(現実)とバーチャル(仮想)の世界を融合した3Dインターフェースを通じてドライバーに見えないものを可視化し、究極のコネクテッドカー体験の創出を図る。サービスやコミュニケーションの可能性を広げ、ドライビング体験の価値を向上するのだ。物理的・時間的・身体的制約を取り除いて、「いつ、どこでも、誰とでも」ドライビングができる世界を目指す。

[図表6-10] 日産自動車におけるi2v(invisible to visible)コンセプト

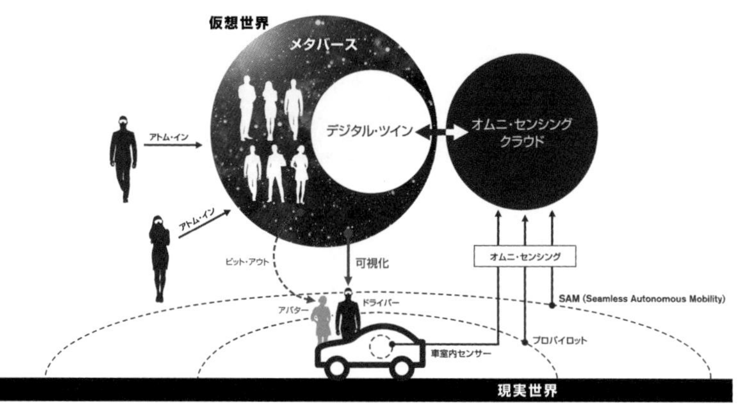

出典:日産自動車

背景としては、自動運転時代が来ると、自動車メーカーとして競争力を持っていた車そのものの性能での差別化が難しくなるとの問題意識からだ。移動時間での車内での時間をいかに付加価値化するかといった観点で、車に乗っている環境や、車の外の景色・ストーリーを拡張するAR活用に取り組んでいる。

例えば、自動車での移動時間の拡張としては、実際には乗車していない家族や友人をデジタル上で招待してドライブ時間を共有することや、英会話の先生をデジタル上で招待して移動時間でレクチャーを受ける、観光ガイドにデジタル上で同乗してもらい、移動しながら外の景色に合わせて案内を受ける、といったことが考えられる。従来実施できることが限られる車での移動体験を拡張することは提供価値が大きいと考える。

また、車内環境のAR拡張だけではなく、街の環境自体の拡張も行う。例えばEV充電ステーションや観光地などの街の特定の場所にアバターが存在しており、ARグラスやスマホをかざすことでその箇所に宿っているアバターとコミュニケーションができるというものだ。ポケモンGO！の自動車版といえる。

このアバターは充電ステーション企業や、自治体、クリエイターがARを作るなどクリエイター経済圏の創出も想定され

[図表6-11] i2vコンセプトにおけるイメージ

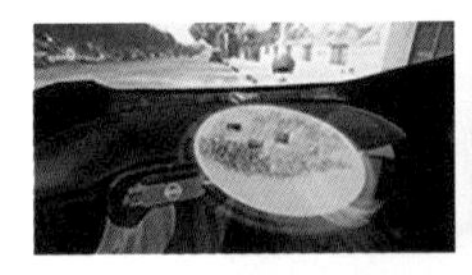

ARマップ

メタバース

ARアバター

プロレーシングドライバー
のアバターとの運転

最適な天候の景色を
重ねて投影

出典:日産自動車

る。ポケモンGO！はスマホが現実空間のスキャナーであったが、この取り組みは車自体を街のスキャナーと位置付ける形だ。ロケーションに埋め込まれているコンテンツ（道×アバターのMichibatar：道端）と、車のインタラクションを生む。同社はこの取り組みを車での移動を行うインセンティブや動機付けにつなげる。

デジタルツインを活用して自動運転の安全性を向上

同社はエンターテインメントとともに、自動運転技術についてもi2vコンセプトの活用を進めている。自動運転を実施するにあたり、現実空間の車載センサーからのリアルタイムのセンシング情報（道路・車・通行者など）をデジタルツイン（ダイナミックマップ）にマッピングしてリアルタイムでシミュレーションすることで安全性を担保する。

その結果を物理空間にフィードバックさせていく形だ。同社はこれらi2Vのコンセプトの実装に向けてはARグラスなどのハードウェアの普及・技術進化や、通信技術の進展が必要と考えている。今後2030年代の実用化に向けて技術開発を進める。

メタバース試乗会で顧客との新たなコミュニケーションのあり方を模索

さらに日産は、メタバースで、クリエイターと連携したバーチャル試乗会やファン作りの仕掛けも行っている。VRチャットのメタバース上にバーチャルギャラリー「NISSAN CROSSING（ニッサン クロッシング）」を公開し、電気自動車「日産アリア」の展示を行った。特徴はクリエイターと共同制作を行っていることだ。VR分野のクリエイターに制作スタッフとして参画してもらい、施設の構築や、アバターの制作、BGMなど世界観を演出において連携している。

［図表6-12］メタバースでの日産試乗会

出典：日産自動車

第7章

モビリティ（航空・鉄道・空飛ぶクルマ）領域でのメタ産業革命

Meta-Industrial Revolution

01
ANA NEO
（バーチャル旅行プラットフォーム）

続いて自動車外のモビリティ分野として航空・鉄道・空飛ぶクルマ領域のメタ産業革命について触れたい。最初は航空である。

コロナ禍は航空業界に大きな打撃をもたらした。飛行機を活用した移動は制限され既存の事業からの収益が大幅に減少することとなった。その中で、ANAはバーチャル旅行プラットフォームの合弁会社ANA NEOや、アバターロボットを活用した新たな移動のあり方を提示するANA発のスタートアップであるアバターインなど、積極的な展開を行っている。以下にくわしく見ていこう。

メタバース旅行プラットフォームの合弁会社を展開

ANAはメタバースを活用したバーチャル空間での新たな旅体験を提供する新会社としてANA NEOを2020年8月に設立し、バーチャルトラベルプラットフォームのANA GranWhaleを展開している。同社はファイナルファンタジーのプロデューサーとしても著名である田畑端（はじめ）氏が設立したJP GAMESとの合弁会社である。

「ANA GranWhale」は、3DCGによって作られた世界の様々な都市を舞台に旅行体験ができるほか、旅を入り口にバーチャルショッピングやバーチャル空間で医療や教育などのサービスを受けられるなど、ライフスタイルをデザイン・提案するプラットフォームだ。スマートフォンやタブレット端末、VRヘッドセットからアクセスできる。ターゲットは世界中の旅好き／ショッピング好きのスマートフォンユーザーである。

［図表7-1］ANAによるバーチャル旅行プラットフォーム
ANA NEOの取り組み

出典：ANA

旅行は移動だけでなく、現地でのショッピングや、歴史の勉強、グルメなど多くの経済活動と紐づいており、これらを統合したプラットフォームになるポテンシャルをもっている。リアルとは別の新しい消費体験につながり、「地産外商」による地方創生にも効果があると見ている。

メタバース旅行と、リアル旅行のシナジー

バーチャル旅行で完結するものだけではなく、リアル旅行の予習や、ユーザーによる旅の素晴らしさの再認識など、実際の旅行需要の底上げに寄与することで相乗効果を図る。ANAの既存事業との関連性として、バーチャルでの旅行体験に合わせた現実の旅行を提案し、航空関係の既存事業との相乗効果を生み出す。

同社は、ユーザーにとっては下記の3点がバーチャルトラベルの価値となると見る。特にコロナ禍においては物理的な移動・旅行が制限された。これらニューノーマルで新しい旅の体験価値の創造を行い、新たな需要を喚起することが目的だ。

① 旅の楽しさを知っている人にはバーチャルトラベルという新たな旅の楽しみ方を提供できる
② 旅を経験したことがない人には旅の面白さを提供することができる
③ 移動や時間の制約を取り除くことで、ユーザーに新しい体験価値を提供することができる

ANAのホスピタリティと、JP GAMESの技術力の掛け合わせ

総合プロデューサーには、すでに述べたとおりJP GAMESの田畑端氏が就任しており、JP GAMESの高度なグラフィックス・ゲーミング技術によるコンテンツ提供と、ANAが培ってきた航空事業でのホスピタリティや、旅・移動に関する知見、マイレージクラブ・会員カードなどの顧客基盤、流通チャネルほかを掛け合わせた展開を図っている。これらを世界に先駆けて展開し、旅を起点としたプラットフォーマーへと展開していく方針である。

今後は旅行業界・航空業界・各国政府観光局などのリアルとバーチャルの融合で新たな旅行体験の創出を図るプレイヤーとともに、バーチャルにおけるスマートシティプラットフォームの確立を目指して異業種との連携も加速する。

［図表7-2］ANAによるメタバース旅行プラットフォーム ANA NEOの取り組み

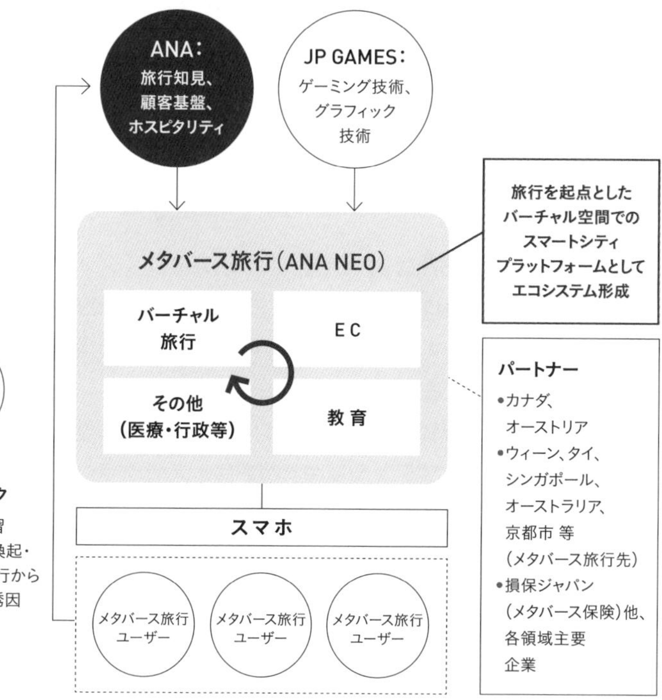

02 アバターイン（ANA発スタートアップ）の取り組み

アバターロボットにより人間を瞬間移動

アバターイン社は2020年設立のANA発のスタートアップである。アバターロボットを通じて、人間の身体・距離・コストなどの制約を超えて、様々な場所に瞬間移動するプラットフォームを提供している。

同社の創業の背景は、イーロン・マスク氏も運営に携わる世界的な起業コンペティションのXプライズでグランプリを獲得したことだ。航空機で移動できる人口層は全世界のわずか6%にすぎない。同コンペのテーマである「10億人の生活を変える」にもとづき移動を民主化するべく、同社の事業コンセプトを具体化した。

同社のアプローチは、人間の肉体を移動させるのではなく、アバターロボットを通じて意識を移動させる、というものだ。遠く離れたアバター（遠隔操作ロボット）のnewme（ニュー

［図表7-3］アバターイン社のアバターロボットの瞬間移動先例

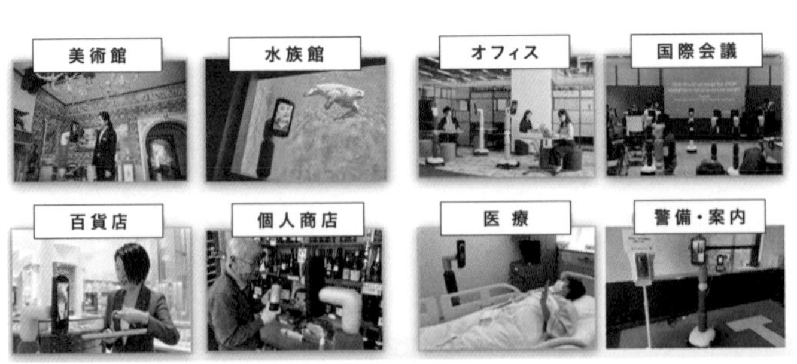

出典：アバターイン

ミー）を操作することでその場にいるかのように、見て、話して、歩いて回れる次世代の移動体験を提供しているのだ。

コロナ禍やCO_2排出削減要望などで、従来の飛行機を活用した移動が高価なものとなる中で、実際に移動せずとも世界中、ひいては宇宙まで行けるライトな移動体験を提供することを目指している。

現実空間とともにメタバース空間の移動もつなぐ

同社は「遠隔存在伝送」のプロ集団と自社を位置づけている。ロボティクスや遠隔操作の技術はすべて内製化しており、世界中から先端エンジニアを集めている。コロナは追い風となっており不特定多数の人に遠隔存在伝送での移動体験を行ってもらう機会となった。

newmeで移動する世界は、物理空間のみならずメタバース空間への移動も含まれる。現在ではメタバース世界と現実世界が分断されているが、今後はnewmeを通じてメタバース空間の姿でそのまま現実空間で移動やショッピングができることを目指しているのだ。

例えばメタバース世界の靴の店舗でデジタルコンテンツを購入した後に、リアル世界のナイキショップに移動してアバターロボットを通じて物理的な商品を買い物をする、といったことである。

同社の遠隔存在伝送においては、アバターロボットは一つのユースケースにすぎず、今後ドローンや、自動運転車などどんなハードウェアであっても対象となると見る。今後同社はグローバルで人々の移動を支えるべく海外展開も強化する。

［図表7-4］アバターイン社の現実世界と仮想世界の移動コンセプト

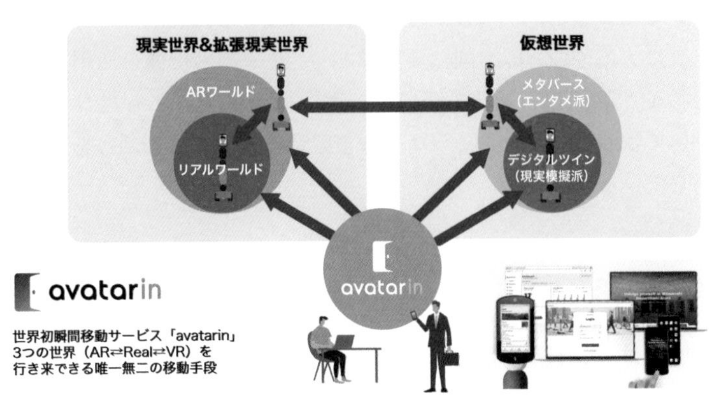

出典：アバターイン

03

JR東日本による取り組み

鉄道会社における取り組み

鉄道会社はリモートワークの普及により通学・通勤などの安定収益が減少し、旅行など人々の移動が減る中で、構造変化が求められている。

JR東日本は強い危機感のもと、同社の強みである物理的な駅という「場所」を起点に、リアル空間からメタバース空間へ入れる仕掛けに取り組んでいる。多くの顧客接点を持つ鉄道会社の取り組みにより、メタバース利用者の裾野の拡がり、一般化が見込まれる。

世界初のメタバース・ステーション・秋葉原駅

JR東日本は1987年に発足した鉄道会社である。メタバース企業で世界最大のバーチャルマーケットを展開するHIKKYと、JR東日本企画との共同で、Virtual AKIBA World（VAW）を展開している。

同社の強みである顧客接点としての「駅」を、人々が集う空間から、お客様同士・地域など人と人をつなげる存在へと拡張する「Beyond Stations構想」がきっかけとなっている。

秋葉原・上野・八王子が構想のモデル駅だが、特に秋葉原はデジタル技術を活用した取り組みを推進する駅として位置付けられていた。人々に身近な駅のアセット・顧客接点と、新たなテクノロジーやムーブメントであるメタバースを掛け合わせることで、今までにない人々に身近な「新しいメタバース」が作れるのではないかという思いがJR東日本とHIKKYで一致し、取り組みに至った。

HIKKYとの連携の中で、世界最大のメタバースマーケットの「バーチャルマーケット」にバーチャル秋葉原駅を出店した。この経験を踏まえて、今回の常設での本格展開に至っている。JR東日本の「コロナ禍で厳しい環境だからこそ新しい価値に挑戦しよう」といった積極的な姿勢も追い風となった。

リアル空間の「駅」が武器に

同社の大きな特徴・武器としては、「より身近なメタバース」の方針のもと、リアルな駅からメタバースに入る接点を設けていることだ。秋葉原駅改札内の1F改札内イベントスペースに、「VAWゲートウェイ」を設置。VAWゲートウェイの横に設置されたQRコードからVAWへアクセスができる。またHIKKYのVket Cloudの技術を活用してQRコードからスマホでメタバース空間に入る形にしたことも功を奏した。

この取り組みを知らない人も、リアル空間である駅でメタバースの入り口としての「ゲートウェイ」を見て、メタバースに流入するといった流れが生まれた。今後駅のみならず、同社が展開する店舗をはじめとしたリアル空間を接点としていくことも期待される。

同社の取り組みは「リアルな場」を持つ日本企業にとって自社

［図表7-5］（左）Virtual AKIBA World、（右）秋葉原の実空間に設置された メタバースへの入り口

出所：JR東日本

アセットをメタバース時代の武器へ変える上で示唆となる事例だ。

日本の強みのIP・コンテンツとコラボレーション

日本の強みであるIP・コンテンツとの連携も力を入れている。日本を代表する「ヒーロー」4作品（ウルトラマン、ゴジラ、仮面ライダー、エヴァンゲリオン）によって構成された企画「シン・ジャパン・ヒーローズ・ユニバース」（SJHU）とコラボレーションし、コラボ期間中はバーチャル秋葉原を「シン・秋葉原駅」と呼称した。

バーチャル空間上にVAWオリジナルデザインのグラフィックと各キャラクターが登場し、来場者を出迎えた。マスの幅広いユーザーにいかに楽しんでもらえるのかを意識した作りとなっている。

パートナーとの連携のもと、今後顧客価値の最大化を図る

今後は、アトレなどのショッピングセンターやエキナカビジネスなどの知見や武器を活かして、ビジネスと結び付けていき、バーチャル秋葉原駅で購買体験ができる「バーチャルショッピング」の展開も目指す。

同社はBEAMSと連携し、メタバース空間上でショッピングを行い、リアル空間で受け取る形も検討する。NTTドコモとも連携しており、メタバース空間上での広告の検討や、VRのコンテンツ開発を共同で行う方針だ。

バーチャル秋葉原駅での体験価値を深めていくとともに、購買体験をはじめリアルとバーチャルの融合をさらに図り、今後はメタバース空間上での駅の移動などの方向性についても検討を行う。メタバース空間上の「駅」という武器をもとに、今後小

売企業や、エンターテインメント・IP企業、旅行・移動の楽しさを訴求できる企業などと幅広いパートナーとの連携を進めていく計画だ。

［図表7-6］NTTドコモとの連携によるメタバース広告の検討

出所：JR東日本

04
Dream Onによる取り組み

先端技術の「鶏卵」をメタバースPoCで打開

本章の最後に空飛ぶクルマについても触れたい。

現在官民一体となって空の移動手段としての空飛ぶクルマの検討が進みつつあり、2025年の大阪万博では空飛ぶクルマの定期運航が発表された。コロナ禍で人々の移動の価値観が大きく変化し、ウェブ会議なども普及する中で、物理的な移動の必要性をめぐる選択が起きた。

今後先述のメタバース旅行やアバターロボットなどの取り組みも進む中で、デジタルを活用し物理的には移動しない「ライトな移動」と、物理的な移動を伴う「プレミアムな移動」に分かれると考えられる。その中で、厳選された物理的な移動にかけるコストは一部高単価化すると想定され、空飛ぶクルマの活用も進むと想定される。

しかし、空飛ぶクルマをはじめとした先端技術は、開発が進むとユーザー拡大やサービス普及が見込めるが、逆にユーザー拡大やサービス普及が遅れると仕様が定まらず開発が進めづらい「卵が先か、鶏が先か」の状態となる。

この打開にはメタバースを活用したデジタル上での具体的なPoCが有効だ。空飛ぶクルマのメタバース上でのPoC展開を図るDream Onの取り組みを紹介したい。

有志団体CARTIVATORから改称し再始動

Dream Onは、SkyDriveの前身となった有志団体CARTIVATORから2021年に改称し、空飛ぶクルマの社会実装に向けてメタバースを活用する有志団体である。2012年に中村翼氏によりCARTIVATORが設立され、2018年に機体開発の加速に向けてSkyDriveをスピンオフ。その後はSkyDriveとCARTIVATORの共同開発で空飛ぶクルマの開発を行い、2020年に空飛ぶクルマの日本初有人デモフライトを成功させた。

その後、2021年より「思い描いた未来へのタイムトラベル」をコンセプトに、空飛ぶクルマをはじめとした未来の生活を、メタバースを活用して体験する仕組みを作る団体へと活動内容をシフトしたのだ。SkyDriveなどの機体メーカーが機体開発や技術の実現可能性を高め、Dream Onはメタバース活用を通じて、社会の受容性やイメージ・理解の具体化を図っていく形で、空飛ぶクルマの社会実装を支えていく。

［図表7-7］SkyDriveとCARTIVATORによる有人デモフライト

出典：SkyDrive / CARTIVATOR

メタバースを通じた先端技術の体験による社会受容性拡大

仮想空間での体験を通じた先端技術の受容性拡大へと活動の内容をシフトした背景としては、空飛ぶクルマ開発を行う中で、関係者によって技術の理解やイメージが異なっていることに問題意識をもったことが挙げられる。

空飛ぶクルマをはじめとした先端技術では、機体などの目に見える技術が具現化されるにつれて、人々の理解や周辺ビジネスの具体化など社会受容性が向上する。しかしながら同時に、社会受容性が向上しなければ、ニーズや量産規模が見えない、もしくは技術的な要件が定まらないことなどにより開発がドライブされにくいという、前述の「卵が先か、鶏が先か」の関係にある。

これがメタバース空間であれば、コスト課題をはじめとした技術の具現化を待たずして、先端技術が実装された社会を示すことができる。先んじて実装された社会を構築して、具体的にシミュレーションや、デジタル上でのPoCを実施するのだ。

そのことにより、人々のイメージの具体化・社会受容性の向上とともに、周辺ビジネス・サービスの検討につなげる。そのデジタル上でのPoCの結果が機器・技術開発企業にもフィードバックされ、社会実装に向けた好循環が生まれるのだ。

都市モデルや気象データを再現して未来都市をシミュレーション

同団体の空飛ぶクルマ体験のメタバースコンテンツとしては、都市空間3Dデータや気象データを活用して実環境を再現して、シミュレーション・体験ができる形を目指している。現在、ルートとしては、東京駅を中心とした都市型のルートと、島嶼部をモデルとした地方型ルートを整備。先端技術で街づくりを推進したい行政・自治体や機体部品開発メーカー、空飛ぶクルマのサービス展開を検討したいサービス事業者などとの連携が進む。

今後、自治体などと連携した、空飛ぶクルマの実現に向けた街づくりや、省庁との規制・標準化などのルールメイキングにも活かしていきたい考えだ。

例えば、図表7-8は三菱電機との空飛ぶクルマのメタバースコンテンツの制作例だ。三菱電機は空飛ぶクルマに関する技術実装をメタバース空間上で試すことにより、自社としての空飛ぶクルマ向け部品の要件の具体化を図る。設置個所や求められる機能・サイズなど、技術要件を定義するためにも、まずは仮想空間で主観に近いユーザー体験を作り上げ、そこから技術要件をより具体化していくのだ。

空飛ぶクルマとしては応用先が幅広く、無限の可能性がある分、現状では要件が定まらない部分もあった。この課題に対して、メタバースを活用することにより、解像度を上げたデジタル上でのプロトタイピングを実施することで、具体的な要件を明らかにしている。

［図表7-8］（上）三菱電機との空飛ぶクルマ体験コンテンツの開発、（下）三越伊勢丹 REV WORLDSとの連携

出典：Dream On

三越伊勢丹の
メタバース都市REV WORLDSとも連携

同団体はメタバース事業を展開する他企業とも連携し、社会受容性拡大のスピードを速める。三越伊勢丹のメタバース都市REV WORLDSと連携し、メタバース都市上で空飛ぶクルマを展示・体験できるようにしている。仮想空間上での先端技術のPoCを行うことで、未来ビジョンを具体化していくという両者のコンセプトが一致し、連携に至っている。

REV WORLDSの仮想新宿の中で、空飛ぶクルマで飛び回ることの体験ができ、新宿で使用するとした場合にどこを離発着場にするのかといった課題もメタバース上で具体化していく方針だ。

今後は空飛ぶクルマに限らず、宇宙船や未来都市など、様々な未来生活・技術の実装をメタバースでのデジタルPoCを通じて支える、プラットフォームとしての展開を拡げる。

第8章

小売・サービス領域での
メタ産業革命

Meta-Industrial Revolution

01

三越伊勢丹による REV WORLDSの取り組み

コロナで打撃を受けた小売業

物理的な店舗を持つ小売業や飲食店は、コロナ禍でダメージを受けた。人の流入が大幅に減少し、百貨店などでは来店可能数を絞った営業を余儀なくされた。百貨店は海外観光客のインバウンド需要が大きかった中で、こうした観光客が途絶えたことによる影響も大きい。

こうした中で、小売業としてメタバースを活用した積極的な取り組みが生まれている。

三越伊勢丹・大丸松坂屋・ビームスのような小売・流通企業はメタバースを積極的に取り入れて実践し、サイバーエージェントや博報堂、凸版印刷なども小売業のメタバース展開を支える各種の取り組みを展開している。

まず、ECにはない「買い物プロセス自体をだれかと楽しむ体験」をメタバースで提供するべく取り組む三越伊勢丹のケースを紹介する。

メタバース上に新宿の街と伊勢丹新宿本店を構築したREV WORLDSを展開

伊勢丹は1886年に伊勢丹治呉服店として創業。現在は三越と統合し、株式会社三越伊勢丹として経営されている。同社は仮想都市プラットフォーム「REV WORLDS」において、新宿東口の街の一部エリアをモデルとした仮想都市空間や、実在の伊勢丹新宿本店をメタバース上に構築している。

［図表8-1］REV WORLDSにおける新宿エリア

出典：三越伊勢丹

REV WORLDS展開は、2019年シームレス推進部と呼ばれるデジタル化を推進する部署で、仲田朝彦氏・池田英生氏・丸山透氏が出会ったことがきっかけとなっている。仲田氏の構想に賛同して3名でチームがスタートした。

本来業務の傍ら、CG技術の勉強を行い、構想を固めていった。2020年4月にHIKKYが展開する世界最大のブース出展数を誇るメタバースでのマーケットイベントの「バーチャルマーケット4」に出店している。

その出店と同時に社内の起業制度を活用して、2020年4月から正式なプロジェクトとして立ち上げ、同年10月には正式に4名のチームとなり、現在では12名体制で展開している。この12名は、ディレクション担当、CG担当、システム担当の3つのチームに分かれている。

ECでは体験できない「思い出」をデジタル上で提供する

REV WORLDSの展開の土台となっているのが、ECでは体験できない「思い出に残る」購買体験をデジタルで提供したいという思いだ。REV WORLDSは「仮想都市プラットフォーム」と自らの位置づけを表しているが、この「都市」がポイントとなる。

REV WORLDSはECのように独りで購買体験をするというよりも、「誰かと一緒に買い物をする」「誰かと一緒に街を散策する」といった大切な人との共通体験の提供を重視している。REV WORLDSの展開にあたっては、百貨店としてリアルの世界で培ってきたブランドイメージや、歴史が活きている。

従来、百貨店は「ものを買う」ということだけでなく、その環境自体に価値を感じたり、百貨店に行くという一連のプロセス自体に楽しさを感じ、思い出になる。これら百貨店として従来提供してきた「体験」をメタバース上でも受け継ぐとともに、デジタルならではの体験を付加しているのだ。

REV WORLDSはデバイスの制約を受けずにより広い層に体験してもらうためにヘッドマウントディスプレイを活用する形式ではなく、スマホアプリとしての展開をしている。

［図表8-2］**三越伊勢丹によるREV WORLDSの取り組み**

出典：三越伊勢丹

百貨店はリアル店舗では50〜60代がメイン顧客層であるが、REV WORLDSでは30〜40代がメインとなっている。REV WORLDSは女性が約半数を占めており、ゲームやVRのアプリケーションでは男性の利用が多い中で際立った特徴となっている。

それにあたってはデジタル技術や、ゲームなどに普段触れていなくても気軽にアクセスして体験できるUI／UXが武器となっている。年配の方による利用も増えており、例えばコロナ禍で出かけられないタイミングで70代〜80代の夫婦のデートに利用されたり、子育て世代の親が10歳以下の子供と同時に利用するケースもある。

リアルの店舗の場合は、実際にアクセスできる近隣在住の顧客が多い。同アプリの場合は、その特徴である「どこでも、いつでも」に沿う形で、全体の3割以上は近隣以外の顧客が、バーチャルでの伊勢丹新宿本店にREV WORLDSを通じてアクセスしている。

コンテンツとしては、メタバース上でECにつないでリアル商品を購入できるものとともに、REV WORLDS限定のコンテンツも多く用意している。仮想伊勢丹新宿店では現在約430ブランドが出店しており、約1300点の商品をメタバース上で購買することができる（2022年7月31日時点）。洋菓子をはじめVR化されたデパ地下の利用が特に多い。

CG製作についてはREV WORLDS側でサポートをしているため、出店する店舗や、企業としてはハードルを感じずに同アプ

［図表8-3］（左）REV WORLDS内の仮想伊勢丹新宿店の一部ショップ、（右）吉本興業所属のお笑いコンビEXITプロデュースのショップ「EXIEEE」とコラボレーションしたメタバース限定ショップ

出典：三越伊勢丹

リにも参画できることが特徴だ。

またグループ会社で不動産関係のデザインなどを担うIMPD(株式会社三越伊勢丹プロパティ・デザイン)とも連携している。REV WORLDSの屋上階のクリスタルパレスをはじめ、IMPDによる都市計画や空間・施設などのデザインをCG化して、REV WORLDSへ展開するなどグループのリソースや技術も最大限活用している。

また、ディズニーや、吉本興業所属のお笑いコンビEXITプロデュースのショップ「EXIEEE」、伊勢丹新宿本店にて開催したポップアップショップ「ファイナルファンタジーXIV×伊勢丹スペシャルコレクション」などと連携したメタバース空間上でしか利用できない期間限定のショップも人気が高い。

メタバースでの体験を通じてECの商品詳細へクリックし遷移する「遷移率」も、通常の広告・メルマガなどと比較して約3倍の結果となっており、メタバースを通じて実商品の認知や売上につながる手ごたえを感じている。

都市としての新宿の新たなあり方を メタバースで模索

同社はREV WORLDSを今後「新宿」をはじめとした都市メタバースへと拡張していく計画である。公共イベントに連動したものや、ライブなどのイベントに連動したコンテンツの提供なども構想しており、将来的にはREV WORLDS上でもうひとりの自分としての生活が楽しめるようなプラットフォームとなることを目指している。

このアプリケーションで生まれた出会いや気づきが、さらなる出会いや好循環を生み、リアルの自分と、バーチャルな自分をより活性化していってもらいたいという思いだ。「思い出に残るオンライン体験」や、長期滞在したくなる、ちょっと時間があれば入りたくなるコンテンツの拡充を図る。

REV WORLDSとして、百貨店でお客さまに寄り添ってきた経験・強みを活かして人々のメタバース上での購買体験やエンターテインメントを拡充し、新宿をはじめとした仮想都市を広げていこうとしている。

［図表8-4］三越伊勢丹の展開するREV WORLDS

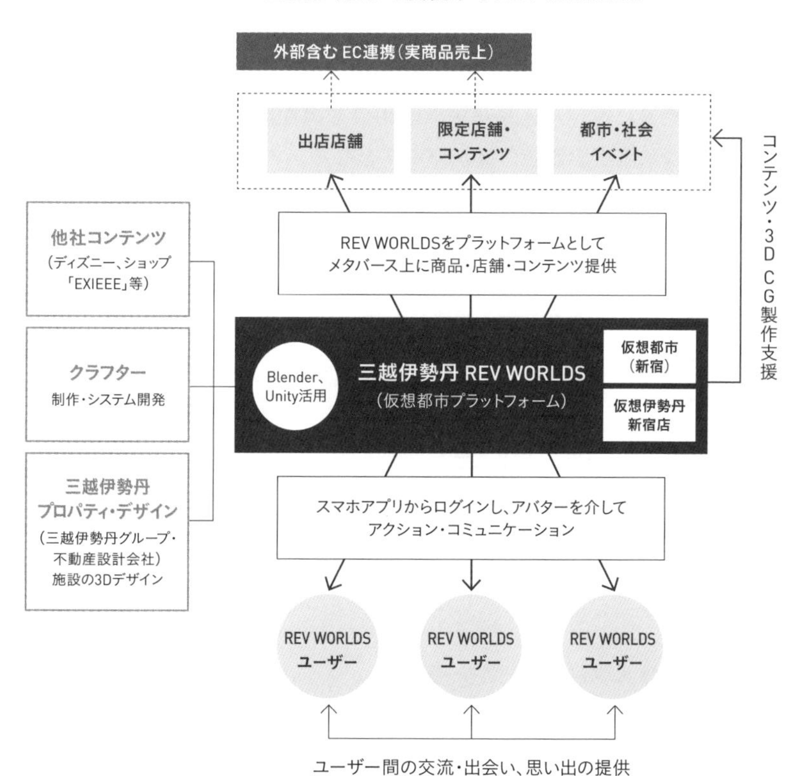

02 サイバーエージェントによる取り組み

EC・店舗に次ぐ第三の選択肢の模索

小売業におけるメタバース活用の方向性は、物理店舗・ECとは異なる第三の価値の提示が重要となる。すでに何を買うかが決まっているものを効率的に購買するのであれば、ECがより適しており、あえてメタバース空間上で展開する必要はない。重要なのは、リアル店舗でもECでも提供できなかった価値をいかに実現するかである。

先述の三越伊勢丹はアバターを介して買い物プロセスを誰かと楽しむエモーショナルな体験を価値としている。また、事前に想定していなかった商品とのメタバース店舗でのウィンドウショッピングを通じた出会いなど独自の価値を追求しようとしているのがサイバーエージェントだ。同社の取り組みを以下に紹介する。

店舗のメタバース化を支援し、リアル店舗とECのメリット融合を図る

サイバーエージェントは1998年設立の大手IT企業である。同社は既存の広告代理事業におけるインターネット広告の知見や、AR／VRや、人間のデジタルツイン（デジタルヒューマン）化などの技術を活用して、新会社Cyber Metaverse Productions（サイバーメタバースプロダクション）を設立し、企業のメタバース展開の支援を行っている。

同社は企業とユーザーの接点としてバーチャル店舗に特化し

ている。売上向上につながるよう、メタバース店舗を通じて支援をする考えだ。

同社はメタバース店舗を通じてリアル店舗・ECのメリットの融合を図り「未来のショッピングの形」を提示する。リアル店舗では移動の手間や物理的な店舗在庫などの制約が存在する。一方で、ECはファッションでいえば自分の身体と合わせるフィッティングのほか、商品を立体的に見ることや、商品との出会いの幅に限りがある。

［図表8-5］Cyber Metaverse Productionsによる店舗メタバースのイメージ

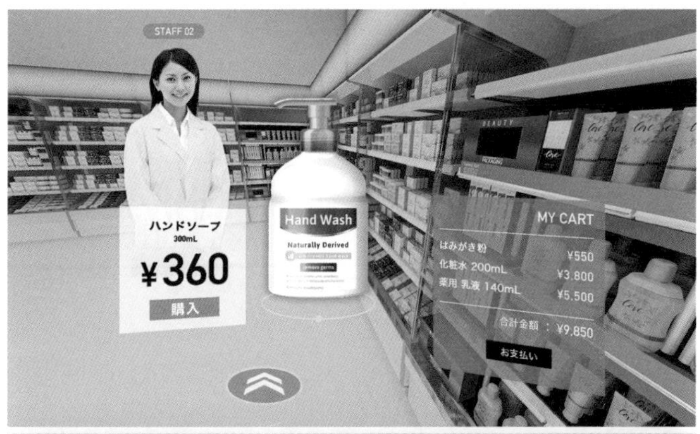

単なるメタバース化ではなく
現実世界を「超える」購買体験を

メタバース空間上の店舗は、単にリアル店舗・ECをメタバースに転写するのではなく、これらの制約を取り払い、最適な新しい世界・価値を提供していくことが重要と同社は捉える。

一例としては、自分の身体のデジタルツインとしてのアバターや、部屋・環境などの3D空間を通じてフィット感を事前に確認することや、空間的にも必要な売り場だけワープしてメタバース上でウィンドウショッピングを行うことなどが挙げられる。

また、現実世界の商品とともに、NFTとも絡めたアバターファッションをはじめとしたデジタルコンテンツの市場の拡大も見込む。今後人々の生活圏・経済圏としてメタバース空間の重要性が増すにつれて、デジタルコンテンツの位置づけが物理空間の商品以上の価値を持つようになると捉えている。創業当初からアメーバブログなどでアバター文化を創出してきた経験も、デジタルコンテンツ展開において強みとなる。

デジタルヒューマンの強みを活かす

同社のメタバース展開において強力な武器となるのが、「人のデジタル化」だ。子会社のCyberHuman Productions（サイバーヒューマンプロダクション）を通じて、人間のデジタルツインをつくるデジタルヒューマン技術を蓄積してきた。人間の姿を3Dに再現するとともに、会話や内面もディープラーニングの技術を通じて再現可能とするべく、技術の高度化を図っている。

メタバース空間をより魅力的なものにする上で、著名人など魅力的ある人物のデジタルヒューマンを配置することや、人間のよりリアルな接客・コミュニケーションをメタバース購買体験に取り込むことで価値を発揮する考えだ。

デジタルヒューマンの取り組みの第一弾としては、モデル・女優の冨永愛さんをデジタルツイン化している。事前に全身の3DCGデータ・身体的特徴を捉えるモーションデータ・音声データなどを取得し、本人の「分身」となる高精細なデジタルツインを制作。広告プロモーションなどへのCGキャスティングや、デジタルツインを起用した企画立案などを実施する取り組みだ。

デジタルヒューマン技術への注力の背景の一つは広告の運用だ。インターネット広告をそれぞれのユーザーに合わせた個別のカスタマイズを行うことが重要となる中で、広告上のタレントを3D化して個別の広告に合わせた動作・発言をすることでより効果的な広告に高度化することが目的であった。

これがメタバース空間の店舗での接客などにおいて応用が利くとみる。こうした技術やクリエイター・エンジニアを内製化し、蓄積してきた強みを活かして、企業のメタバースでの小売体験を支えていくべく展開を強化する。

［図表8-6］**サイバーエージェントによるデジタルヒューマンの取り組み**（冨永愛さん）

出典：サイバーエージェント

03 ビームスによる取り組み

体験価値が重要

小売や観光業におけるメタ産業革命においては、他産業と比較して可視化やシミュレーション・最適化といった側面よりも、デジタルだからこその新たな価値を提供できるかが鍵となる。ナイキやフォーエバー21などのファッション・アパレル企業や、サムスンなど家電企業は積極的にメタバース上でのアバター向けのデジタルアイテムの提供を行っている。

今後人々がメタバースで過ごす時間が増える中で、デジタルアイテム自体が物理的な商品同様の価値を持つことになる。それとともに、デジタルコンテンツを通じて自社商品や企業を知るきっかけを作り、実商品・店舗、ECなどに誘因することにもつながってくる。

ただし、単に物理世界の小売ビジネスをメタバースに転写しただけでは、物理店舗と変わらず顧客は離れていってしまう。いかにメタバースの本来のカルチャーである「交流」「エンターテインメント」「創造性」などを意識したメタバースならではの顧客体験を創造し、企業の世界観やストーリーとの接点やファンを作っていけるかが鍵となる。

メタバースならではの体験価値提供という観点で、HIKKYによる世界最大のメタバースマーケットで展開するビームスと、大丸松坂屋百貨店の取り組みを紹介したい。

トップダウンで世界最大の
メタバースマーケットのVirtual Marketに挑戦

ビームスは、1976年創業の大手セレクトショップである。ゲーム空間でビームスの店舗を設置してアバター用の服を販売するという取り組みを2008年から展開。その後も、アニメや漫画などとのコラボレーションで作品の中でビームスの服を登場させるという取り組みを進めてきていた。2020年のeスポーツのイベントにおいても、メタバース空間上で観戦者のアバターが着るTシャツを配布し、リアルの製品の販売も実施している。

同年には代表の設楽氏と、HIKKY CEOの舟越氏のつながりから両社が業務提携を結び、トップの戦略として世界最大のメタバースマーケットのVirtual Marketに参画した。メタバースという新しい世界が生まれる中で、ファッション企業としてビームスが担える役割を考えたいとの思いだ。

アバターを選んだりおしゃれをする行為が「ファッション」であり、現実空間同様に、メタバース空間でもファッション企業としての価値が提供できると考えている。ビームスとしてはアニメやゲームのみならず多くの異業種コラボレーションを実施しており、その経験がメタバースでの展開に活きているのだ。

1回目 メタバース環境ならではの価値提供

多くの日本企業では、新しい技術や変化に直面したとき、自社で理解できるまで取り組みを躊躇してしまい、その間に先行企業に大きな差をつけられてしまうといったケースは枚挙にいとまがない。しかし、ビームスはVirtual Market 5(20年冬)、6(21年夏)、2021(21年冬)と継続して3回の出店(2022年3月時点)を積極的に行い、試行錯誤の中でメタバースでの取り組みの知見を積み上げている。走りながら考えていく同社の姿勢はまさに日本企業のロールモデルだろう。

同社のメタバース展開におけるキーコンセプトは「メタバースだからこその体験」だ。1回目の挑戦であるバーチャルマーケット5(20年冬)においては、アイドルグループの「ももいろクローバーZ」のメンバーがひとりずつそれぞれ専用のアバターでメタバースのビームス店舗に出現してファンと交流し、コラボ商品も販売した。

また、現実世界でJAXAと協業して野口宇宙飛行士が宇宙ステーションで着る服をコラボレーションしていることを記念して、バーチャル店舗ではユーザーがロケットを飛ばせる仕掛けを作っている。

［図表8-7］**バーチャルマーケット5でのビームスの展開**
（ロケット発射体験・ももクロアバター）

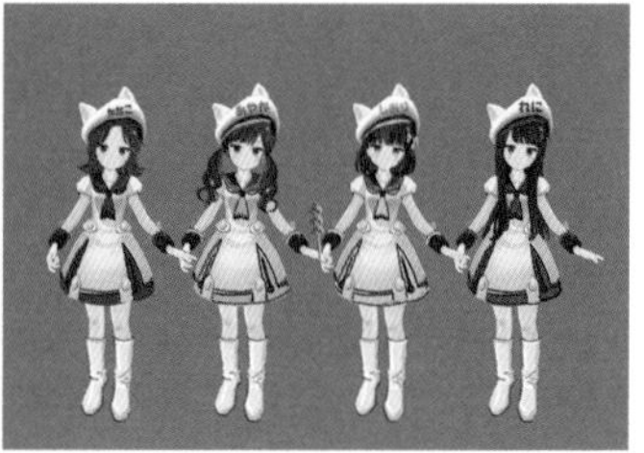

出典：ビームス

2回目 メタバースで完結する3D CG製品の販売に手ごたえをもつ

バーチャルマーケット6(21年夏)においては、人々が集まり、出会って、遊べる場所、発信したくなる場所を作った。バーチャルマーケットには海外の来場者も多い中で、日本のカルチャーをアピールしつつ、外国人も集いたくなる工夫がなされている。

バーチャル銭湯を設置するとともに、銭湯に入る装いのアバターを無料配布。また、3DCGコンテンツの販売で手ごたえをもったのもこの回であった。当初、リアル製品をメタバース環境で売ることが重視されていたが、ユーザーに刺さるコンテン

［図表8-8］バーチャルマーケット6でのビームスの展開
（銭湯の設置などメタバース空間で集まれる場の創出）

出典：ビームス

ツであれば、メタバース環境で完結する3D CG商品も売上につながる、という手応えが得られた。

3回目 リアル店舗の強みを活かせる手ごたえをつかんだ

3回目の挑戦となるバーチャルマーケット2021においては、動画配信サービスのネットフリックスとのコラボレーションで、北野武氏の人生をモデルとした映画『浅草キッド』の世界観を再現したバーチャル浅草を展開し、大きな反響を呼んだ。

また、バーチャルマーケット2021でのチャレンジは、本業のファッションとの連携を強く押し出して展開し、アバターのファッションにビームスらしいアイデンティティを持たせて販売しており、メタバースを活用して本業につなげていくことの手ごたえが得られた。

［図表8-9］バーチャルマーケット2021でのビームスの展開
（アバターのファッションとリアル商品との連動、『浅草キッド』とのコラボ）

出典：ビームス

実世界と同シーズンのファッションの商品をアバターに着せて販売し、実際の服も全国の店舗やECで買える動線を作り、メタバースでの取り組みが実世界での来店動機につながることが明らかになった。

ポイントは売ろうとしないこと。世界観を共有して関係性を作る

バーチャル領域のビームスの強みは、リアルの店舗での販売員である。バーチャルマーケットの会期中は同社では約40名の社員がシフトを組んで、ほぼ毎日メタバース店舗で、実際の店舗の販売員が接客を行う。メタバース、特にVRチャットなどソーシャルVRの本質は、ユーザーがコンテンツや世界を作り上げていくUGCだ。企業としては、EC同様に「モノを売る」というスタンスではなく、いかにユーザー主体の世界の中で企業とユーザーの関係性を築くのかが問われる。

同社はメタバース空間において、リアル店舗のスタッフの強みがメタバース空間でも活きると見る。メタバースでも接客している実店舗スタッフとの交流の中で、その販売員に会いに実店舗にもお客さんが足を運ぶなどの関係性が生まれた。

メタバースの世界観の中で、ユーザーはビームスに何をしてほしいのかを意識して展開することで、ユーザーといかにつな

がるかがカギになると同社は捉える。

そこで重要なのが企業の世界観の表現だ。メタバース空間でビームスのアイデンティティを表現するための世界観のアイデアは同社が検討し、実装するための3D技術の提供はパートナーのHIKKYがサポートする形で補完関係を築いて展開をしている。今後はバーチャルマーケットを軸にするとともに、先述のJR東日本の「バーチャル秋葉原駅」や他のプラットフォームなどとも幅広いメタバースでの連携の可能性を試行していく考えだ。

［図表8-10］**ビームスのリアル店舗販売員によるメタバース接客**

出典：ビームス

04

大丸松坂屋百貨店による取り組み

新しい購買体験を模索すべくバーチャルマーケットに出店

続いて大丸松坂屋百貨店の取り組みに触れたい。同社は大丸と松坂屋が経営統合して2010年に誕生した大手百貨店である。先述のHIKKYによる世界最大のメタバースマーケットのバーチャルマーケットで「バーチャル大丸・松坂屋」としてメタバース出店を行っている。

コロナ禍で店舗を開けられない際に、ECだけではできない「新しい買い物体験」を提供できないかと模索していたことがきっかけだ。ECは利便性高く購買ができるものの、「楽しさ」「創造性」に欠けているとの問題意識があり、メタバースの可能性を強く感じた。

百貨店の持つ世界観や歴史を強みにして、江戸時代の屋台をモチーフにした世界でフードギフトの販売を行っている。食品の3Dモデルをもとに形状を確認したり、デジタルカタログを通じて詳細を確認することが可能となっている。

今までのギフトは、お中元・お歳暮の紙のカタログを何十万部と印刷して冊子を作る必要があったが、メタバース上でのカタログにすることで紙が不要となり、サステナビリティの観点でも価値が出せると見る。食品ギフトはメタバース上で購入した商品を郵送することもでき、一部の商材はデジタルコンテンツ（3Dモデル）としても購入ができる形としている。

［図表8-11］**バーチャルマーケットでの出店**
「バーチャル大丸・松坂屋」

出典：大丸松坂屋百貨店

売りにいかず、滞在して楽しんでもらい関係性を作る場

「バーチャル大丸・松坂屋」を通じた気づきは、商品やデジタル商品の売上だけでなくお客さんにいかに滞在してもらい、楽しんでもらうかが重要であるということだ。

顧客と接点を持ち、新たな関係性を作るために「バーチャル大丸・松坂屋」に露天風呂を作ったり、お座敷で大宴会をするなど、人々がたまって遊べる環境づくりを行ってきた。来場者と実店舗の販売員も含めた企業との深いコミュニケーションができる絶好の環境であり、一方的にモノを売る場ではないと位置付ける。

今後はメタバースでの購買体験提供の知見を蓄えてギフトのみならず、会社全体で幅広い分野でのメタバース活用を検討する。

コロナ禍で百貨店業界の収益の柱であったインバウンドが途絶えてしまった。しかし、バーチャルマーケットは世界中から人々が参加しており、同社の持つ文化・アセット・歴史を武器にアピールするチャンスが増えるとみる。今後「デジタルインバウンド」需要の開拓に向けて、メタバース展開をより強化する計画だ。

［図表8-12］**「バーチャル大丸・松坂屋」のメタバース大宴会**

出典：大丸松坂屋百貨店

05 ロイヤルホスト・がんこフードサービスでの取り組み

日本の強みのサービス・おもてなしを標準化してソリューションへ

最後にサービス業全体の可能性について触れたい。日本の飲食店や小売・介護など、サービス業は現場従業員の気づきや、おもてなしが強みといわれている。しかし、これらは属人的なものであり、現場で実践するうちに「背中で覚える」必要があった。標準化・形式化、さらには外部提供する商材化が難しい領域なのだ。

これらサービス業のおもてなしや、人の判断を3D空間でデジタル化することで標準化・形式知化する動きが進みつつある。製造業や建設業等、設備やモノの動きも重要な産業と比較して、サービス業においては「人」が最重要となる。

サービス業として自前でのIT投資や研究開発に限界がある中で、政府の研究機関として重要な役割を果たしているのが産業技術総合研究所（産総研）だ。ここでは産総研がロイヤルホスト・がんこフードサービスにおいて取り組んでいるサービス業の人の気づき・判断・おもてなしのデジタルツイン・3D化について紹介したい。

これらを3D化してトレーニングを行うことで、従来とれなかった人の動きや気づきに関するデータを蓄積できるようになり、シミュレーションや改善のサイクルを回すことを目指している。

ロイヤルホストの事例では、いままで暗黙知として標準化が難しかった「おもてなし」をデジタル化し、移管を可能とする研究を進めている。現状の研究段階では熟練の従業員から、非熟練の従業員へノウハウを継承することを目的としているが、今後サービス業におけるCPSとしては、新たな収入源の確保の可能性にもつながる。

例えば、今後日本のサービス業として、強みのオペレーション・現場従業員の気づきなどをCPSを通じてデジタル化して、外販ソリューションとして展開していくことも想定されるのだ。

ロイヤルホスト:熟練の従業員の動きを再現

研究に協力したロイヤルホストは1971年に1号店がオープンした大手ファミリーレストランである。経産省所管の研究機関である産総研と共同で、実店舗や顧客の挙動を3D空間上でデジタルツインとして再現し、トレーニングを行う研究を銀座インズ店で進めている。実在の店舗を3D化し、複数の顧客への対応をシミュレーション・トレーニングすることができる仕組みだ。

飲食店においては、複数の顧客に対して同時並行で気を配る必要があり、下げるべき皿がないか、水を注ぐことを求めていないか、注文待ちで待たせていないかなどを注意する必要がある。これらを同時並行で見て、優先順位をつけて、接客行動の判断をしなければならない。

［図表8-13］産総研とロイヤルホストによる3Dトレーニング

出典:産総研

これらは、従来は標準化することが難しく、実際にサービスに立ち、顧客とのやりとりや失敗経験、もしくは熟練の従業員の姿を見て「背中で覚える」ことが必要であった。それらが3D環境では、複数顧客の食事や水の量の変化や、顧客の待ち時間によるイライラなどの感情の変化がわかるように再現されている。

[図表8-14] **3Dで顧客の変化をシミュレーションし対応をトレーニング**

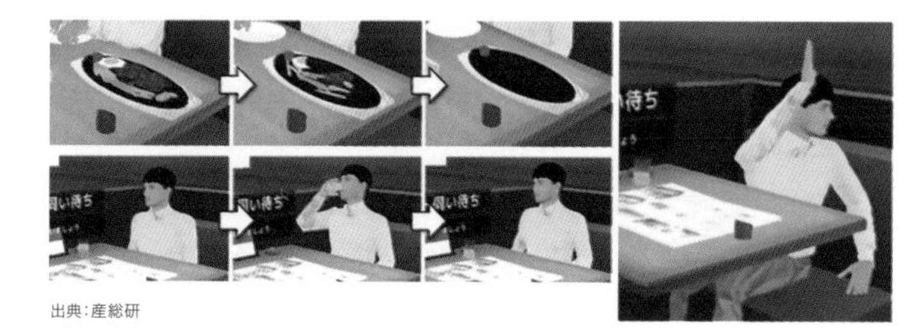
出典:産総研

実現場に近い環境でシミュレーション・トレーニングをすることにより、熟練従業員の気づき・判断を標準化し、それを新規入店の従業員へ移管することを目指している。

また、同社は同様に、熟練従業員の動きをモーションセンサーで計測し、それを3Dでのアバターに再現することで、よりリアルに熟練者の動きをトレーニング・習得することができる仕組みづくりを進めている。

[図表8-15] **ロイヤルホストによる熟練従業員動作の3D化**

出典:産総研

これらを構成しているのは、技術的には既存のVR技術、モーションセンサーなどである。サービス業においてはデジタル技術の活用が進んでいなかったが、これらの既存技術の活用や創意工夫により、計測・データ化することで競争力としてのサービス現場力を標準化することができるのではと考えられている。

がんこフードサービス

加えて産総研は、1963年創業の和食レストランチェーンのがんこフードサービスと、店舗のCPS化による生産性向上を図っている。

これまで従業員の動線解析は、計測人員がストップウォッチなどで計測し、観察・分析していた。これを従業員の業務スマートフォンに搭載したセンサーを通じて、位置や作業時間等を計測し、リアルタイムにデジタル上に再現した店舗にプロットして分析できる仕組みを構築している。

これにより、お客様の前にどの程度立ち、おもてなしができていたのか、バックヤードでの業務にどの程度時間がかかっているのか、搬送ロボットと人の連携が効率的に行われているのかを迅速に分析し、改善を行うことができている。

サービス業では、従来こうしたデジタル技術による科学的な分析は他業界に比べると遅れていた。これらデジタル技術によりデータを蓄積し、見える化・標準化することで、生産性向上に向けた改善プロセスを生むことにつなげている。

産総研は、これらサービス業におけるデジタルツインやメタバースの取り組みを通じて、労働生産性を向上し競争力を強化していきたいと考えている。サービス業では競争力を維持・向上するために人件費を下げることが常態化している。

3Dを活用することで今のプロセスを見える化し、高付加価値に変化させることで、給与やモチベーション・生産性があがっていく仕組みを生んでいく計画だ。サービス業の「人」に力点を置いたデジタルツイン・メタバースの活用に今後も注力する。

［図表8-16］がんこフードサービスにおける店舗CPSにおける人・機器の動線分析

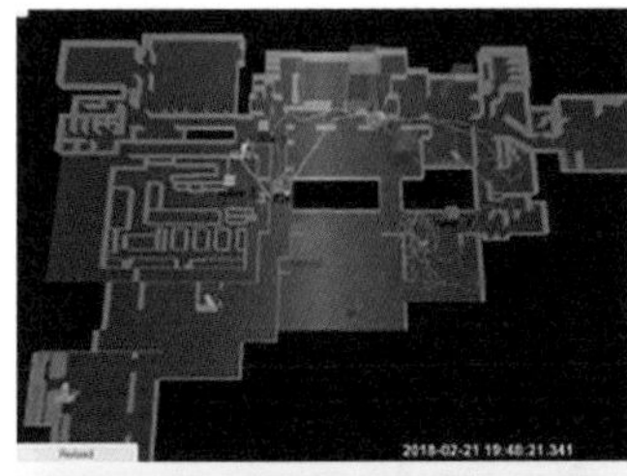

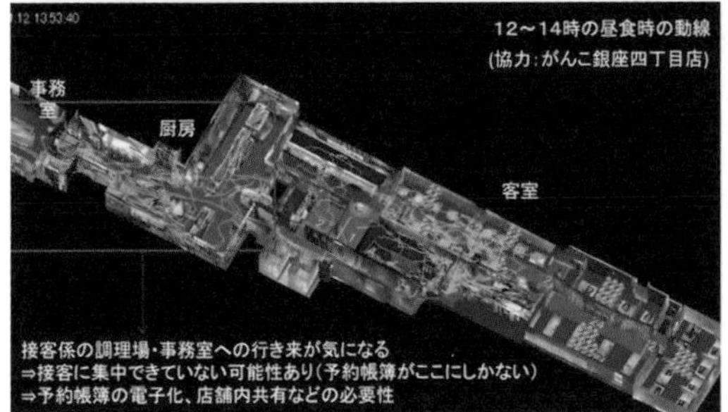

出典:産総研

第9章

物流領域でのメタ産業革命

Meta-Industrial Revolution

01 複雑化する倉庫オペレーション

倉庫・3PL業務に大きな投資

続いて物流領域のメタ産業革命について触れたい。物流業務としては、国際輸送・幹線輸送・倉庫業務・ラストワンマイルを含む配送など幅広い領域が存在するが、そのうちデジタルツイン活用がより進んでいる倉庫業務を中心に述べたい。

物流会社では、配送とともに、倉庫業務への付加価値・投資がより大きくなってきている。トラック運転手など配送の人手不足解消のためのギグワーカーの活用、配送ルート最適化、マッチングプラットフォーム活用、ラストワンマイルロボット・ドローンの検討などの配送領域の取り組みに加えて、倉庫領域への取り組みを活発化している。

日立物流はEC物流向けのスマート倉庫を整備し、従量・利用課金制で利用企業に提供する「スマートウェアハウス」を展開する。倉庫のサブスクリプション・倉庫as a serviceの形態だ。EC化が進む中で初期投資・固定費をかけずに先端・標準の倉庫オペレーションが活用できる。

また、佐川グローバルロジスティクスはEC向け先端倉庫のXフロンティアを強化し、大和ハウス工業・三井不動産などはスタートアップをはじめとした技術企業との連携のもと、先端倉庫サービスの提供を加速している。

巣ごもり需要のEC加速でオペレーションが複雑化

物流業界は従来からの荷物の増加傾向に加え、コロナ禍での

「巣ごもり需要」によってさらにEC化が進展した。そのことによりオペレーションが複雑化し、対応に向けた転換が求められている。

例えば倉庫業務においては、自動倉庫やコンベア・ソーターなどの大規模・固定的な設備とともに、自律的に人や障害物を回避して走行する自律搬送ロボット（AMR）などのフレキシブルに変化できるオペレーションとの組み合わせが求められている。レイアウト変更や仕向け地などの柔軟な変更に対応するためだ。

先述の通り、AMRはセンサーから現場状況の簡易デジタルツ

［図表9-1］**物流倉庫において活用される移動ロボット**

	AGV（Automatic Guided Vehicle）	AMR（Autonomous Mobile Robot）	GTP（Good-to-person）
位置・ルートの認識方法	**床に貼り付けられた磁気テープや特定のガイド**に従って動く（固定ルート）	**カメラやLiDAR等の**SLAMにより工場・倉庫・店舗等の走行するエリア内の環境地図生成（簡易デジタルツイン）と自己位置推定を行い**自動でルートを算出**して動く（自律ルート）	QRコード等のセンシングをもとに物流センターの床面を移動して可搬式の棚の下に潜り込み、倉庫作業者の付近まで棚ごと商品を搬送する
障害物対応	障害物を検知はできるが**回避はできない** ※人や障害物を検知すると停止、など	人をはじめとした障害物を察知して**回避可能で、人との協働が可能**	**専用エリアでの活用**を前提としており障害物回避は想定されない ※人や障害物を検知すると停止、など
イメージ	**有軌道AGV** **（シャープ）**	**AMR** **（Rapyuta）**	**棚搬送GTP** **（Geek+）**

インの3D環境地図を生成し、自己位置の推定や、ルートの設計、障害物回避などを行う。倉庫や物流センターのありかたも、従来は大都市圏に大型センターを整備し、そこから各地域の小規模拠点に展開していく流れであった。これが、中規模拠点を各地に配置して、仕向け地に応じた柔軟な対応が求められるようになってきているのだ。

業界特有のノウハウが求められる

倉庫のオペレーションの難しさは、「波動」と呼ばれる季節や月・週・日、さらには時間単位などでの物量・荷姿の変化への対応だ。このため業務の標準化が難しく、イレギュラー対応の中でヒューマンエラーが頻発していた。

現在FA(ファクトリーオートメーション)企業などが製造業分野から倉庫業務支援へ領域拡大しており、デジタルツインをはじめとしたデジタルソリューション展開も増えているが、これら波動対応など物流領域固有のオペレーション課題に対応することが必須だ。

動きを可視化しシミュレーションできる デジタルツインに期待

このような状況の中で、モノ・機械・人作業の動きを可視化しシミュレーションするとともに、複雑化する機器へ制御・フィードバックを行うデジタルツインに対しての期待が大きい。

従来、モノの情報の管理はWMSが、自動倉庫・コンベアをはじめとしたマテリアルハンドリング機器の制御はWCSと呼ばれるソフトウェアが行っている。先述のAMRやアーム型ピッキングロボットなど、機器が多様化・複雑化する中で、モノの流れと連携した全体制御が課題となっている。

さらに、倉庫オペレーションにおいては機器の動きを最適化するだけではなく、人作業の動きのバランスの中で、スループットをはじめとした倉庫業務全体の生産性を高めていく必要があるのだ。

これら倉庫のデジタルツインは、シーメンスやダッソーなど製造業でのラインシミュレーションを展開している企業や、自動倉庫・コンベアなどのマテリアルハンドリング機器を提供するダイフク・村田機械・豊田自動織機などの企業、物流デジタルツイン専業で展開するIT企業などが提供している。次節では倉庫におけるマテハン機器（自動倉庫・コンベア・移動ロボット）や、人、モノの流れのシミュレーションを行う物流倉庫特化のデジタルツインの取り組みとしてDatumix（データミックス）を紹介したい。

［図表9-2］倉庫・マテハン業務におけるデジタルツイン

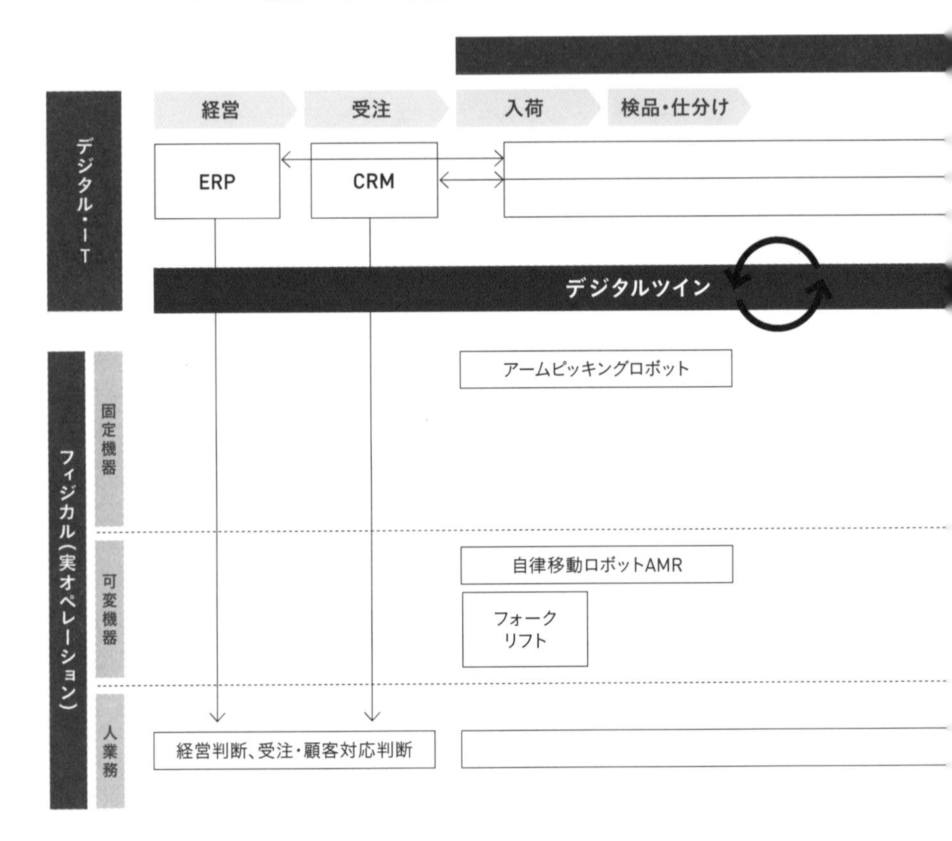

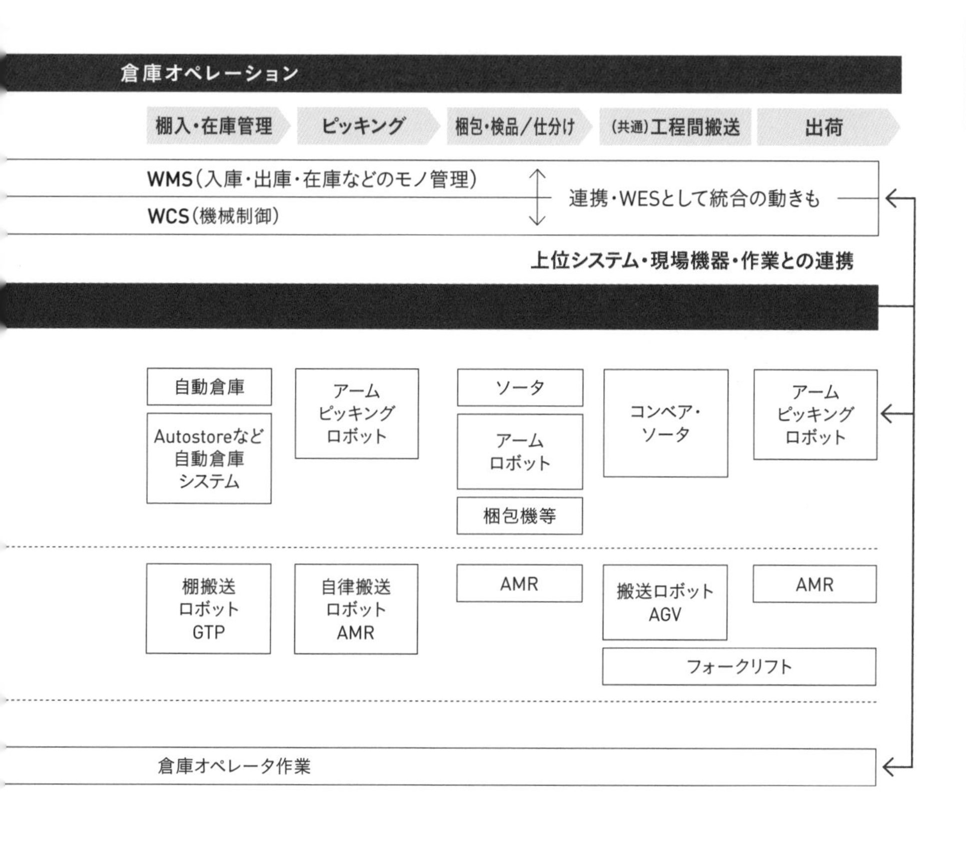
倉庫オペレーション
棚入・在庫管理
ピッキング
梱包・検品／仕分け
(共通)工程間搬送
出荷
WMS（入庫・出庫・在庫などのモノ管理）
WCS（機械制御）
連携・WESとして統合の動きも
上位システム・現場機器・作業との連携
自動倉庫
Autostoreなど
自動倉庫
システム
アーム
ピッキング
ロボット
ソータ
アーム
ロボット
梱包機等
コンベア・
ソータ
アーム
ピッキング
ロボット
棚搬送
ロボット
GTP
自律搬送
ロボット
AMR
AMR
搬送ロボット
AGV
AMR
フォークリフト
倉庫オペレータ作業

02 Datumixによる取り組み

倉庫業務のオペレーションをデジタルツイン化

Datumixは、2018年に鈴木智之氏がシリコンバレーで設立した物流領域のデジタルツイン関連のスタートアップであり、本社米国シリコンバレー、東京支社の2拠点体制で展開している。同社は「デジタルツインで未来を拓く」をミッションに、デジタルツインとAIを活用して物流業界のDXを推進している。

デジタルツインをDXを実現する中でキー技術であると考え、ソリューション開発・展開を行っている。現場のオペレーションノウハウを持つ顧客や機器企業とタッグを組んで、Datumixはデジタル技術を提供する。日米の物流企業の比較の中で、日本の自動化・デジタル化の遅れに課題意識を持ったことが創業の背景にあるという。

特に倉庫のオペレーションはデジタル化が遅れており、多くが人手によって運用されている状況にある。その中でEC需要増加によるオペレーションの複雑化や、人員不足が課題となるとともに、コロナ禍で作業中の密の回避が求められており、いかに生産性・効率性をあげていくのかが喫緊の課題となっている。

同社のデジタルツインとしては、ゲームエンジンなどを活用して現実の倉庫のオペレーションを3D空間に再現しシミュレーションを行う。デジタルツインであるべきオペレーションのシミュレーションを行うことで、現実世界で見えてこなかった課題の事前分析を行うとともに、解決策の検討ができる。

［図表9-3］Datumixの展開する倉庫デジタルツイン

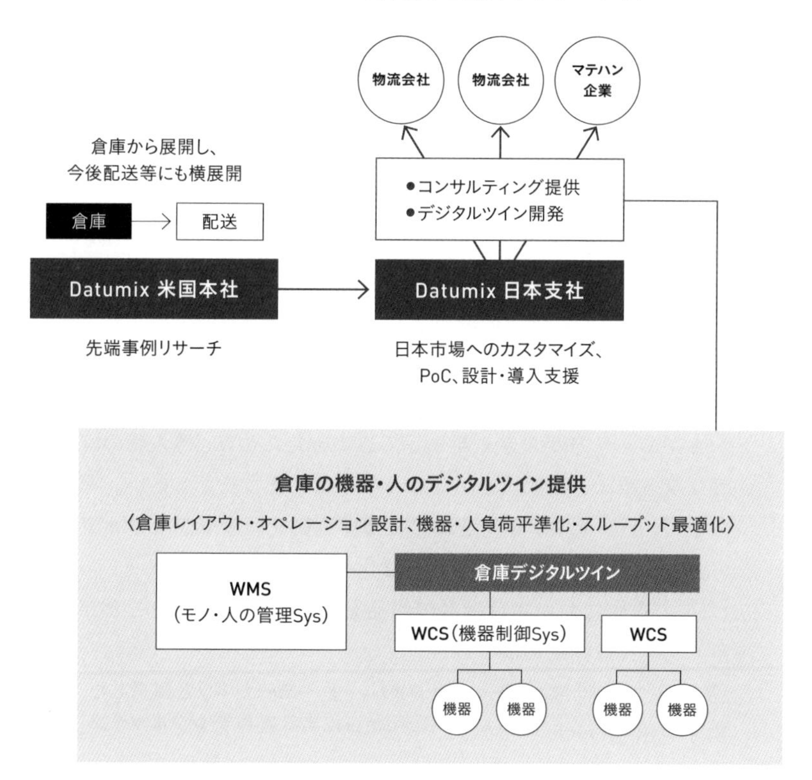

物流特化だからこその強みを活かす

倉庫オペレーションにおいては、機器と作業者の負荷ピークのバラつきにより生産性が頭打ちになってしまうことも多い。これらの倉庫オペレーションのシミュレーションを行い、機器と人が最大限生産性を発揮できるレイアウト・業務フローを設計するとととともに、機器制御にフィードバックを行う。

同社のデジタルツインでシミュレーションされた結果は、機器制御を行うソフトウェア（WCS）に対してAPIとして連携され、他の自動倉庫やコンベアなどのマテハン機器の制御に活用される。それにより、シミュレーションと、実機制御の連携を生む仕組みだ。

既存倉庫のオペレーション改善とともに、新規倉庫のレイアウト検討においても同社のデジタルツインが活用されている。機器の配置・スペック・台数など荷物の物量をインプットしてシミュレーションを実施する。現在は倉庫の機器やオペレーションが複雑化しており、今までのExcelをはじめとした机上計算や2Dシミュレーションでは追い付かなくなっており、事前のデジタルツインでのシミュレーションによる効果は大きい。

図表9-4がマテハン企業のトーヨーカネツと連携して、倉庫のデジタルツインを構築してシミュレーションを行った事例だ。物流倉庫は荷物の変動が大きく、機器の導入時からオペレーションのあり方が大きく変化してしまったために、導入時の制御ソフトウェアが価値を出せなくなってしまうことも多い。その中で、デジタルツインを通じて機器制御を行うソフトウェアのWCSを変化に追従する形へ高度化を行っているのだ。

ECの倉庫においては複数の商品をまとめて購買することが多く、それら個別の商品を一つの梱包に集約する作業がボトルネックとなる。これらを、デジタルツインを通じて自動倉庫からの出庫の場所やルートなどをシミュレーションし、最適化することで、最短での出庫を実現している。

[図表9-4] **トーヨーカネツと連携したDatumixによる倉庫デジタルツイン**

出所：Datumix

Datumixのビジネスモデルは、企業に対するコンサルティングと、デジタルツインをはじめとしたソフトウェア提供である。現状は物流業界としてもデジタル活用の試行時期であることからコンサルティングの比重も大きいが、今後はデジタルツインのソリューションを標準化し、SaaS型での提供も見込んでいる。
物流領域、とくに倉庫に特化しているからこそ、マテハン機器の制御ロジックの深い理解をベースとしたソリューションやUIなどが強みとなる。今後は倉庫での取り組みを、配送などの物流での別領域へと拡大する予定だ。物流領域での知見を活かし、日本のみならずグローバルな物流デジタルツイン企業としての展開が期待される。

03

日立物流による取り組み

高品質オペレーションを活かした外販ソリューション展開の動きも

日本の物流業界の強みは現場の高品質なオペレーションだ。これらは標準化されていなかったり、属人化している部分が大きかった。しかし、デジタル技術を活用して自社のオペレーションを標準化するとともに、同業他社に対してソリューション展供する動きも出てきている。例えば佐川急便・佐川グローバルロジスティクスなどを傘下に持つSGホールディングスは、佐川システムズを通じて物流企業に対してWMSなどのシステムインテグレーションや倉庫自動化支援などの技術・ノウハウ外販を行っている。

以下、LOGISTEED(ロジスティード)をビジネスコンセプトに、物流ソリューション企業へと転換を図る日立物流のケースを紹介する。

顧客の抱える物流課題を解決するソリューション企業へ

1950年設立の大手物流会社である日立物流は「LOGISTEED」(Logisticsと、Exceed、Proceed、Succeed、Speedを融合した造語)をビジネスコンセプトとして、従来の物流企業から提供価値を拡大して顧客課題の解決を行うソリューション企業への転換を図っている。

複雑化する顧客の物流・サプライチェーンを可視化・最適化し、課題解決を行う上で、CPS(Cyber Physical System)の活用が不可欠となる。CPS活用などを通じて提供しているソリューションは図表9-5の通りである。サプライチェーン全体の最適化や、シェアリング倉庫サービス、輸送業務支援ソリューションなど、広範囲にわたっている。

［図表9-5］日立物流によるCPSを活用したソリューション

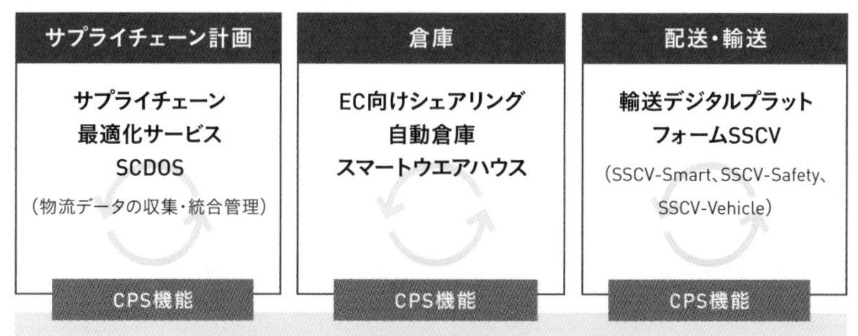

今まで物流業界はデジタル化が遅れており、例えば物流倉庫の生産性は、物流センター長の手腕に依存するなど属人的な部分が大きかった。

これらをデジタルツイン化することで、あるべきオペレーション・生産性（スループット）を定量的にシミュレーションし、誰もが同じ目線で業務を改善し、オペレーションを最適化することが可能になる。同社はCPS活用によって、モノ、人、機器の情報を統合管理・シミュレーションし、複雑化する物流・サプライチェーンの最適化を図る。

具体的には顧客の物流拠点配置の最適化や、倉庫オペレーションの生産性向上を通じた在庫回転率などの財務指標の向上、さらにはCO_2排出の削減といった課題においてCPSを効果的に活用している。

現在、物流領域では人手不足が深刻な課題となっており、今後も労働人口が減っていくことが想定されている。その中で

［図表9-6］日立物流におけるCPS活用

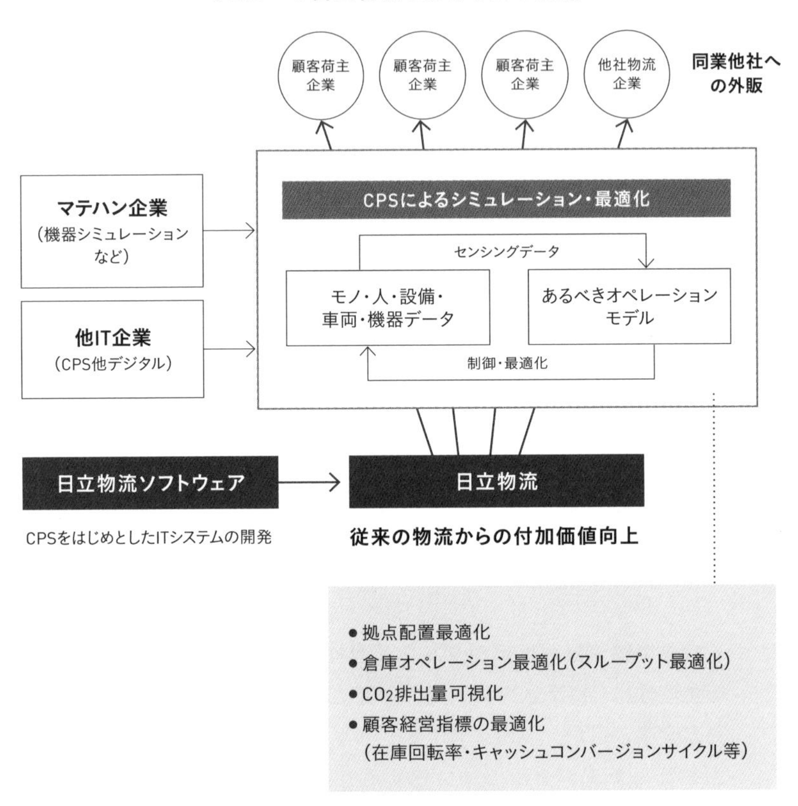

外国人労働者や非熟練労働者など、誰であっても標準的なオペレーションを実現し、スループットを改善していけるオペレーションを維持することの重要性が増す。

また、変化の激しい事業環境の中で、製造業などの顧客のサプライチェーンは、在庫を最小化し必要なものだけを提供するデマンドチェーン型に大きく変化している。これらの環境下でCPS活用によりデータにもとづいた標準的な物流オペレーションの重要性が増しているのだ。

CPSを活用したソリューション提供により、顧客と目線の合った定量的な議論ができるとともに、自社内でも部門やグループを超えてオペレーション高度化に向けた検討が可能となる。

さらに、半導体や、コロナ禍、ウクライナ危機、自然災害などサプライチェーンが不安定な状態が続いているが、これら有事の際にも、いかに迅速・柔軟に経営・計画を見直すのかがカギである。これらにおいても、同社のCPSを活用したリアルタイムでの物流・サプライチェーンの可視化や、対応策の迅速なシミュレーション・検討の重要性が増している。

業界全体へCPSソリューションを外販展開

ソリューション企業としての同社の強みは、物流業務・オペレーションの現場課題・ニーズを土台としているとともに、それに合わせて迅速に開発ができる700名規模の日立物流ソフトウェアを子会社として持つことだ。

日立物流はこれらCPSを活用したソリューションを顧客の荷主企業へ提供し、サービスの付加価値を向上させるとともに、他物流企業も含む業界全体へ外販を図る計画だ。まさにデジタル化の水平分業の中で、ノウハウ・技術力を有するユーザー企業が強みを活かして他社へ外販を行っている好例である。

日本の物流企業は、一人ひとりの現場作業者が持つノウハウや品質が強みである。日立物流として、これらの物流現場が持つ技術・ノウハウをCPS活用で標準化・高度化することで、複雑化する企業の物流・サプライチェーンを支えるプラットフォームとして展開することが期待される。

04

期待される フィジカルインターネット

最後に配送領域で検討が進められるフィジカルインターネットについて触れたい。フィジカルインターネットとは、トラックなどの輸送手段と倉庫のシェアリングによる稼働率向上、燃料消費量抑制によって、持続可能な社会を実現するための新たな物流システムを指す。インターネットの発展を模した概念である。

現在の物流の仕組みでは、荷物の出し手1社がトラック1台を占有することがある。この時、トラック1台の積載率が低くなることがしばしば発生する。フィジカルインターネットのコンセプトでは、荷物が複数のモジュラー容器に分割して格納されて運ばれ、最終仕向け地以外の区間でそのモジュラー容器が混載されて運ばれることで、トラックの積載率が向上するというものだ。

これらが実現されると現在細分化してしまっている配送を大幅に効率化することができる。一部大手物流会社で試行されているモノの流れ、トラックの配送状況などをリアルタイムで可視化・シミュレーションし、意思決定ができる配送領域のデジタルツインが効果を発揮することとなる。

ルートの最適化においては第6章のモビリティ領域で紹介したダイナミックマップ(動的マップ)との連携による最適ルートシミュレーションも重要だ。

求められる業界をあげた標準化・連携

フィジカルインターネットや、今後の物流業界のデジタル化

［図表9-7］フィジカルインターネットのコンセプト

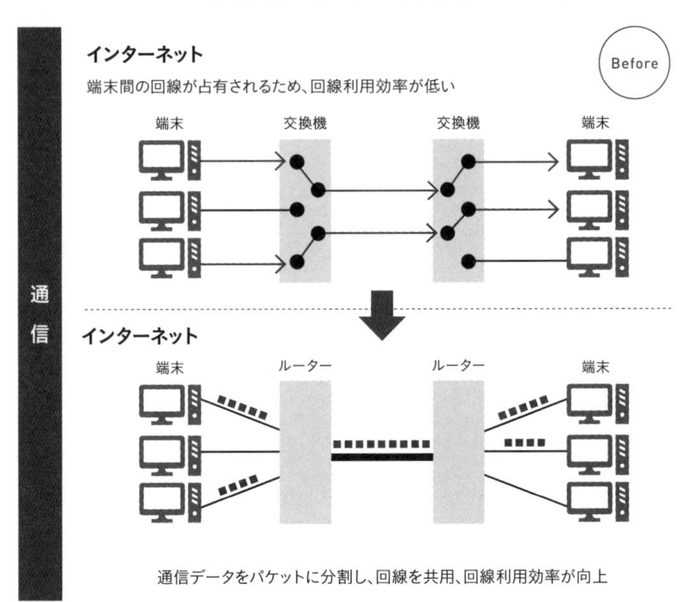

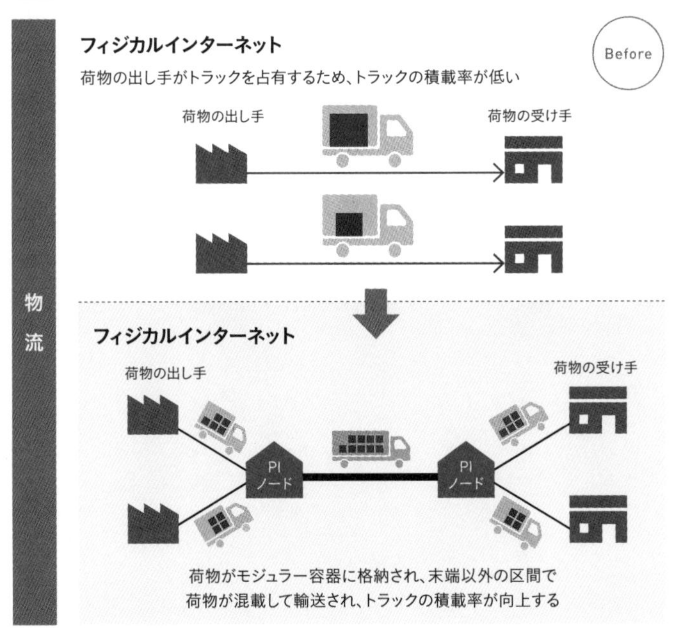

注：PIノードとは、フィジカルインターネット（PI）サービスが得られる結節点（ノード）のこと　出所：NRI

のためには、業界をあげた標準化や連携が欠かせない。物流会社としては一部大手を除き、中小・零細が多くデジタル投資が進んでいないことが課題だ。ファックスなどのやり取りや、手書きの帳票・Excelでの管理も多い。同業他社間のソフト・ハードともに標準化が必要になっている。

例えば、伝票や受け渡しデータ、荷姿・パレットがバラバラであり、これらの標準化や、共同配送などの横連携などが求められている。同じ企業内においても倉庫ごとにオペレーションのあり方が異なっているなど、業界全体として標準化を通じたバリューチェーンの連携が必須となっている。

プレイヤーが多い物流業界において、これらの取り組みに向けて、行政や大手物流企業、小売など荷主企業による連携加速が求められている。

第10章

医療・ヘルスケア領域での
メタ産業革命

Meta-Industrial Revolution

01
理化学研究所
飛沫感染リスクシミュレーション
の取り組み

話題となった感染症の飛沫シミュレーション

続いて医療・ヘルスケア分野のメタ産業革命について触れていきたい。

本書の序章でも触れた通り、コロナ禍の中で、メディアなどで連日報道され注目されたのは飛沫シミュレーションであろう。飛沫は目に見えず、かつ実際に飛ばして反応を試すわけにもいかないため、事前シミュレーションを行うデジタルツインの強みが活きた取り組みであった。

例えば中国武漢市の感染拡大時にはわずか10日ほどという工期で1000名規模の仮設病棟として雷神山医院が設置されたが、ここでもデジタルツインが重要な役割を果たした。院内の交差感染の防止と、換気による病院外への影響の最小化を目的にデジタルツインを活用した気流のシミュレーションが実施された。

［図表10-1］武漢の病棟における感染症シミュレーション

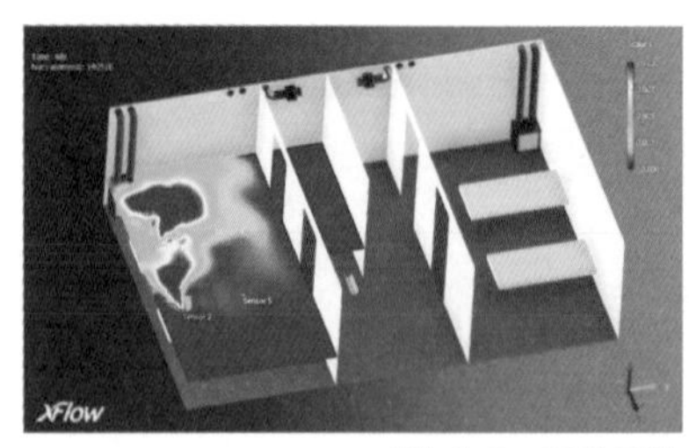

出典：ダッソー・システムズ提供

富岳による感染リスクシミュレーション

コロナ禍で連日メディアでも話題になったのが理化学研究所の飛沫シミュレーションだ。

理化学研究所は1917年設立の国立研究開発法人である。同研究所はスーパーコンピュータの「富岳」を活用した複雑なデジタルツインのシミュレーションを行っている。

室内の飛沫シミュレーションとともに、人間の3Dモデルを用いた身体の中からの飛沫の発生から飛散・体内での増殖などを統合したシミュレーションも手がけている。50-60種類の感染リスクが存在するケースに対して、2000パターンのシミュレーションを行い社会に必要な情報を発信し、リスク喚起などを行ってきた。

［図表10-2］**コロナ禍でのデジタルツインを活用した飛沫シミュレーション（左上）航空機、（左下）歩行時、（右）飲食店**

出典：理研・豊橋技科大・神戸大

マスクの効果のシミュレーションや、公共交通機関での飛沫シミュレーションなどが一例である。デジタルツインによる飛沫シミュレーションにあたっては、感染症の専門家や、室内環境については建築の専門家等との連携のもとで進めている。

今回の取り組みは多くの人に感染症リスクや、マスク着用についての正しい対応を伝え、行動変容を生み出した。目に見えない感染症についてデジタルツインで視覚化したことや、社会の要望に応じて迅速にシミュレーションを行ったことが大きい。

社会に変化を与えるためには、必要とされる情報を、必要とされるタイミングで提供することが重要である。コロナ禍の段階や社会の情勢に応じたシミュレーションを迅速に提供しており、例えばコロナ禍での初めての緊急事態宣言が解除になった際には、オフィスにおけるマスク着用の効果のシミュレーションを実施。また、夏休みが明けて学校が再開した際には、教室における窓開けの換気の効果や、音楽のコーラスなどの授業での対策をシミュレーションした。

若者の感染が増えた際には居酒屋やカラオケでのシミュレーションを実施し、Go to Travelで旅行が増えたタイミングではバスや飛行機などの公共交通機関での感染リスクを分析している。

最も反響が大きかったのは、二重マスクの効果がないことを示したシミュレーションであった。今後、これらのシミュレーションをさらに発展させ感染症対策を人の健康のみならず、室内の設計、さらには最適な都市のシミュレーションに応用する計画だ。

02

名古屋大学 メディカルxRセンターの 取り組み

3D化が進む手術機器のトレーニング

医療分野の手術機器のトレーニングでは3Dの活用が試みられている。

2000年ごろから、航空機パイロット訓練用のフライトシミュレータの技術を活かしてVR手術シミュレータが導入されてきた。これにより従来のボックスや臓器モデルなどを活用する訓練と異なり、定量評価が可能になった。術者の動きをセンシングして、動いた軌跡や時間、加速度などをもとに、無駄な動きがないかなどを判定することができる。

ここでVRシミュレーター黎明期から手術のトレーニングやデジタルツインに取り組む名古屋大学メディカルxRセンターのケースを紹介したい。

黎明期からの取り組み

名古屋大学のメディカルxRセンターは、日本有数のVR手術シミュレーションのラボを有しており、他研究機関や企業などと3Dを活用した診療方法・トレーニング方法や医療機器の開発を行っている。

実際の手術では当然ながら失敗は許されないため、手術の安全性向上のため、事前のシミュレーションが重要となる。そのためフライトシミュレータ技術が応用されたVR手術シミュレータでトレーニングを積んだ上で実践に臨む。より没入感を得るために手術室の実写360度映像のプロジェクションマッピングを背景にトレーニングを行う仕組みも導入された。

現在の手術機器のIT化は著しく、機器に関連する教育と術中支援の重要度が飛躍的に増しているため、手術機器(実機)ミュージアムの中にVRシミュレータを配置する試みを行っている。

最近は、手術機器データを3D化してミュージアムをサイバー空間上にも構築している。いわば手術機器ミュージアムのデジタルツインにより、手術教育のデジタル化、ハンズオンと遠隔の両面対応を進めている。

診療支援としては、手術機器のセッティング、操作法、トラブルシューティングをARスマートグラスを通じてガイダンス(デジタルアシスト)する手法の開発などを行っている。

[図表10-3] 名古屋大学メディカルxRセンターでの内視鏡手術シミュレータ活用とサイバー手術機器ミュージアム

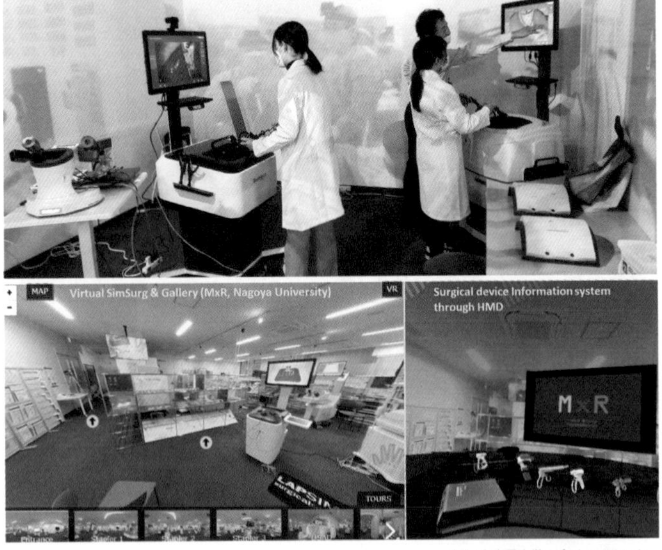

出典:名古屋大学メディカルxRセンター

03

遠隔医療、医療関係者間の遠隔コミュニケーションのインフラに

遠隔医療においても3Dデータが重要となる。例えば、関節リウマチは関節の変形(形状や腫れ)を専門医が診察する必要がある。

長崎県は日本で最も離島が多く、本島の大学病院の専門医の診察を受けるために船で移動しなければならず、また天候にも影響されるなど負担が大きい。そこで離島の病院側では、マイクロソフトの3DセンシングデバイスであるAzure Kinect DKを用いて患部を3D化し、100km離れた長崎大学病院では遠隔でホロレンズ2(MRヘッドセット)を装着して3Dデータをリアルタイムで確認しながら診察を行っている。

都市部に医療などのインフラが集中してしまう中で、すべての人が適切な医療を受けることができる社会を形成する上でも、遠隔医療に向けて3D技術の活用拡大が求められている。

［図表10-4］長崎大学と、五島中央病院における3Dデータを用いた遠隔医療

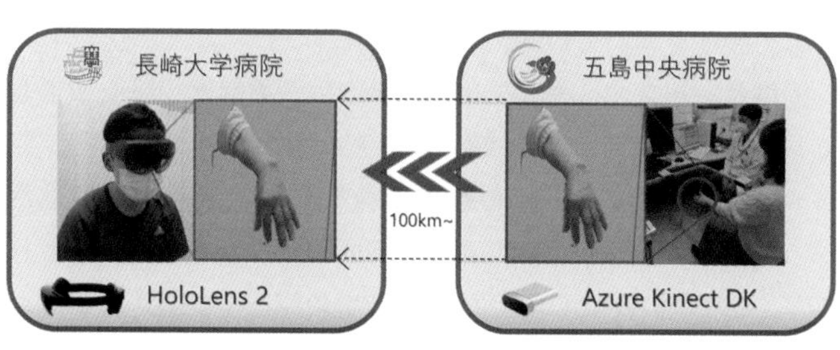

出典:日本マイクロソフト

04 Holoeyesの取り組み

患者の3Dデジタルツインが国際競争力に

患者の臓器や身体の3D情報はMRI／CTによりセンシングを行う。これらの3Dセンシングデータ（DICOMデータ）の活用は、手術前のアプローチの検討や、医師間のカンファレンス（術前前会議）、3Dプリンターへの臓器モデル出力による事前検討、医療教育において重要な位置づけとなる。

日本のMRI／CTの活用数は世界最大であり、この患者3Dデータの蓄積はグローバルで強みとなりうる。これらMRI／CTのDICOMデータを効果的に活用して医療メタバース展開を行うHoloeyes（ホロアイズ）の取り組みを紹介する。

医師CEOによる医療用メタバース・XR・画像解析プラットフォーム

Holoeyesは2016年設立の医療領域でのメタバース事業を牽引する医療機器製造・販売企業である。2022年からは共同創業者で外科医である帝京大学冲永総合研究所Innovation lab教授の杉本真樹氏が「医療を解放する」というコンセプトのもとCEOとして会社を率いている。

提供サービスのうち、Holoeyes MDは医療機器認証を取得しており、患者のCTやMRI、超音波検査などのデータを3D化。診療や、手術のアプローチの検討を含む判断に活用する用途だ。CT・MRIなどのデータでは、通常、平面の画像が複数枚撮影されるが、これらのVR化により現実の患者の臓器や病気等の状態が立体空間的に提示され詳細な診断に活かされる。

手術前の診断・手術アプローチの検討とともに、手術中にも随時患者の臓器をホログラムでヘッドセットやスマホを用いて確認しながらナビゲーションやシミュレーションに活用されている。

これら患者の3Dデータや、手術中の医師の動き・声、他手術チームとのやりとり、3D空間上での解説・メモなどが3D情報としてアーカイブ化できる。それにより手術後の振り返りや追体験を行い技術を向上できる。

過去データの蓄積により、現在の患者のみならず将来の患者の診断に活かすことができ、さらには医療関係者間で知見・経験を伝承することができる。手術の最も効果的なトレーニングは、自分や他者の手術を振り返り、体で覚えることである。メタバースにて体験ごと共有することで医療界全体の技術向上につながるインフラとなっているのだ。

［図表10-5］Holoeyes XR／MD

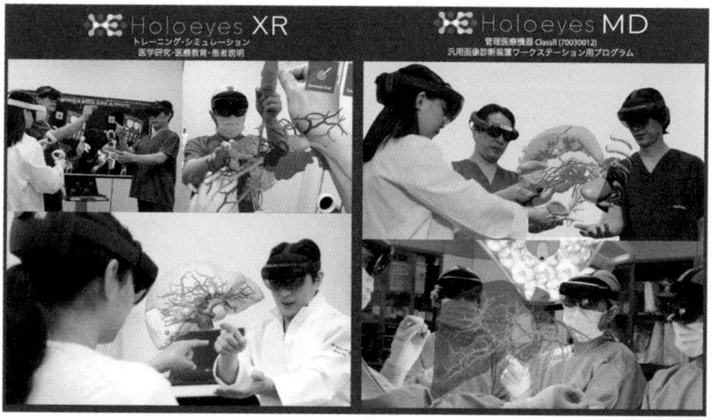

出典：Holoeyes

医科の領域を超えて活用が進む

Holoeyesの仕組みは領域の壁を超えて活用され、また、歯科のメタバースプラットフォームのデンタル・プレディクションなど、他医療プラットフォーム企業の基盤を支えている。

Holoeyes XRはこれらのアーカイブを活用するサービスであり、医師のみならず、研究者や、医学生、看護学生、歯学生にも活用されている。汎用医療教育コンテンツをVR教材として自分で作成できるHoloeyes Eduは下写真に示した安価なスマホ装着VRゴーグルで閲覧できる。

［図表10-6］Holoeyes VS（バーチャルセッション・上）とHoloeyes Edu（下）

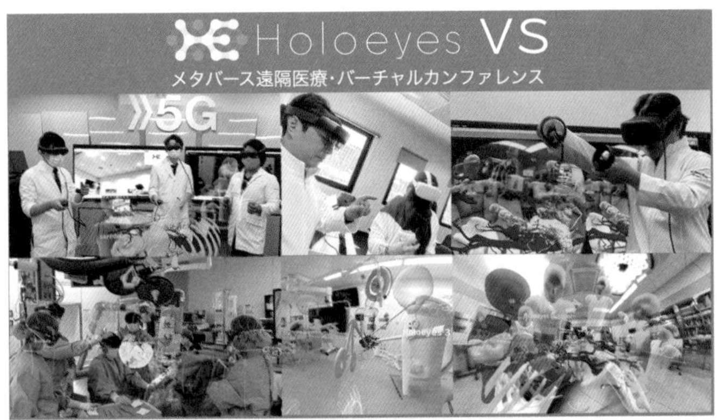

出典：Holoeyes

また、Holoeyes VS(バーチャルセッション)は治療の方針などを話し合うバーチャル空間カンファレンス(会議)をメタバース空間上で、患者の3Dデータをもとに行うものだ。遠隔地からカンファレンスに参加できることから、コロナ禍での対応や、医師の働き方改革にもつながっている。

医師や患者が3D医療コンテンツを生み、循環する社会を作る

従来、患者のMRI／CTデータ(データフォーマット:DICOM)は、名前・ID・病院名など個人情報が含まれるものであり、病院外で活用することが容易でなかった。それを、個人情報保護の方針の下、関係当局との調整やガイドラインへの準拠の上で、

[図表10-7] Holoeyesの事業

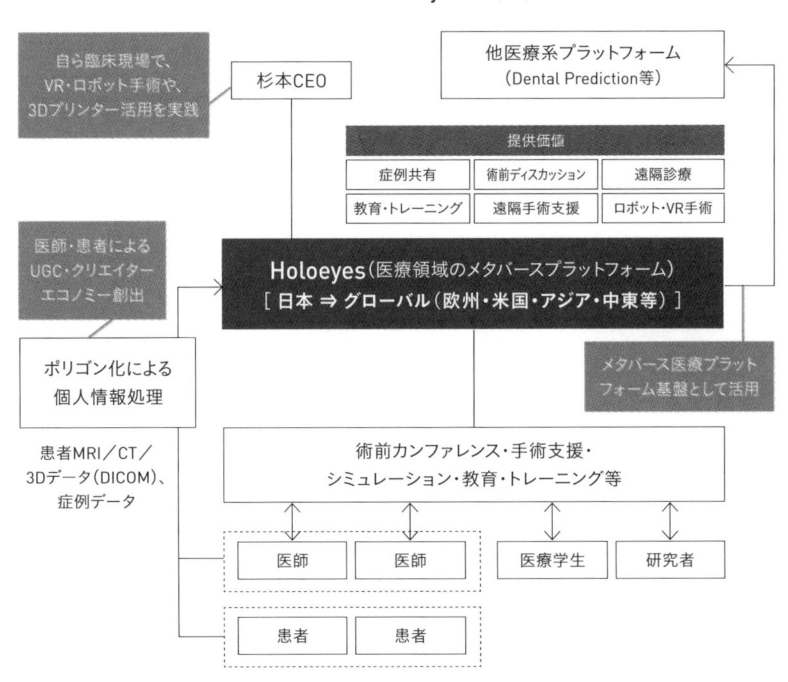

ポリゴン化して個人情報を除外。それにより、病院外でも流通・活用できるスケーラブルな仕組みを作っている。

同社の取り組みは熟練医師が自身が関わった症例やアプローチをもとに教育用VRを生み、患者も自身のデータをポリゴン化したものを提供する側に回ることを意味する。

今までの医療教材コンテンツは、一部の作成主体が正常な人体やイラストなどから限られたコンテンツを作る形態であった。これが同社のプラットフォームを通じて多くの医師が作成した患者個別のコンテンツを通じて、医療関係者内で共有・技術伝承を急速化するとともに、コンテンツを作成する医師・患者側が収益を得られる新たな経済圏が創出される。これら患者も含む3DのUGC（ユーザー・ジェネレーテッド・コンテンツ）により、医療が自律的に高度化する流れを支えているのだ。

高難度のロボット手術や遠隔診療など先端医療の実現へ

Holoeyesの提供するメタバースシステムは医療技術の高度化や先端医療の実現に向けても重要なインフラとなっている。例えば帝京大学付属病院においては、今まで高難度であり、近年、手術支援ロボットが適用されていなかった膵臓手術において、Holoeyesを併用した。臓器・腫瘍の3D画像を重ね合わせて確認することで、安全なロボット手術を支えたのだ。

また、緊急性や、多角的な診断・正確な手技が求められる救命救急や、外科手術のトレーニング・シミュレーションでも活用される。

従来は動物やご遺体を活用したトレーニングが行われていたが、高コストかつトレーニングできる数に限りがあった。帝京大学ではHoloeyesを外科シミュレーションに活用することで、高難度な対応を支える医療技術の高度化を行っている。

加えて、遠隔診療においてもHoloeyesのメタバースが活用できると見られる。現在のオンライン診療はほとんどが電話対応であり、音声だけのコミュニケーションにはミスや誤解も起きやすく、相手の確認や十分な記録も取れないといった課題が存在する。また、テレビ会議システムも高齢者がモニター越しに医師を見ると、テレビ鑑賞に似た感覚に陥り、会話が成立しづらいことも指摘されている。

そこで同社は医師をアバター(分身)で投影して立体空間的なコミュニケーションを通じて診察することや、メタバース空間上に患者と医師のみならず、家族や、セカンドオピニオンの観点で複数の医師が同席する遠隔診療の仕組みづくりも進めている。

［図表10-8］HoloeyesのXR活用の取り組み

出典：Holoeyes

日本発のグローバル医療プラットフォームへ

日本がMRI／CTの3D医用データ活用先進国であることや、高齢化社会など課題先進国であることは強みとなる。今後同社は、医療メタバースのグローバルプラットフォーマーとして海外展開を加速する方針だ。

Holoeyesのプロダクトはすでに、米国や欧州、サウジアラビア・シンガポールなどの他国でも活用が進んでいる。多言語対応するとともに、保守・メンテナンスも遠隔・クラウドでできる仕組みとする。

シンガポールではデンタル・プレディクションやNTTドコモ、シンガポール通信大手シングテルなどと共同で5G技術を活用した遠隔手術カンファレンスが実施された。

UAEのドバイでは、現地病院手術室と、東京のNTT東日本関東病院手術室をリアルタイムにオンラインでつなぐ取り組みもなされている。

今後Holoeyesは医療3Dデータをもとにグローバルで一人でも多くの患者が救われ、医師―患者の隔たりのない世界を目指す。

参考文献
・「メスを超える～異端外科医のイノベーション～」（杉本真樹氏著（Holoeyes CEO））
・「VR／AR医療の衝撃～ヘルスケアから医療現場、教育、コンテンツビジネスへ～」（杉本真樹氏著（Holoeyes CEO））

05 NTT バイオデジタルツインの取り組み

人の臓器動作のデジタルツイン化による治療活用・予防推進

人の臓器の動作モデルや、複合的な臓器間の動作のモデル化による治療や予防への活用の取り組みも進んでいる。バイオデジタルツインのコンセプトのもと取り組みを進めるNTTについて紹介したい。

NTTはIOWN構想の中で、「バイオデジタルツイン」を打ち出し、人の身体と心理の状態のデジタルツイン化を図っている。バイオデジタルツインは「サイバー空間における人それぞれの身体および心理の写像」を意味する。

現在、突然死などのクリティカルな要因につながりやすく、

[図表10-9] NTTの「バイオデジタルツイン」における臓器デジタルツイン化のコンセプト

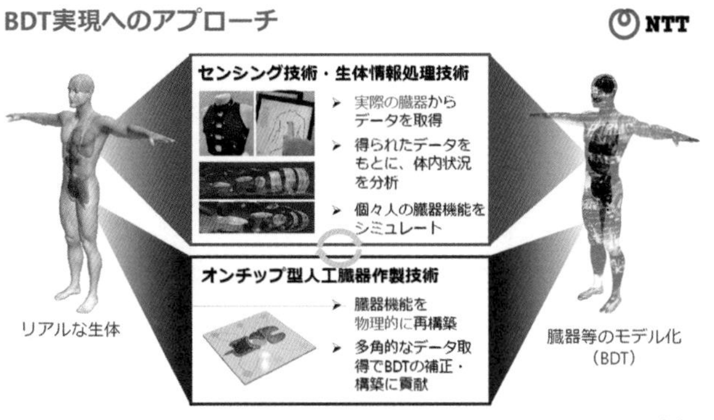

出典:NTT

かつ、これまでにも動作モデルの研究が進んでいる心臓のデジタルツイン化にフォーカスをあて医療機関と共同研究を行っている。

個人ごとの個性・生理情報、心電図の音といったセンシング・ゲノム情報、MRIやCTで取得された3Dデータなどを付加して、心臓や複数臓器のモデルを構築する。これらを心身の未来予測・治療シミュレーションやそれによる健康などの行動変容、さらには創薬や新規治療法の検討に活かすのだ。また、実際の臓器に近い人工臓器の生成も行い、バイオデジタルツインの構築に活用する。

心臓の音をデジタルツインの精度向上に活かす

NTTは音や画像といったメディア情報の分析について強みをもっており、心臓の音と、画像検査の結果を活用して、今の心臓の状態を推定し、デジタルツインの精度の向上をめざしている。心臓の音を通じて異常の検知や、異常個所・要因の特定を測る。

今後は2025年に心不全の治療シミュレーションできるデジタルツインとして展開するとともに、複数臓器の連携モデルや血糖値変化のモデル、行動・思考のモデルを通じた糖尿病治療・予防に適用していく計画で、都市単位での人々の健康モデルの分析と街づくりへの応用にも拡大したい考えだ。

06 ジョリーグッドの取り組み

病院全体をメタバース化する動きも

直近では病院全体をメタバース化する動きも出てきている。IBMは順天堂大学と連携し、病院のメタバース展開を行う。医療従事者や患者、家族が交流できる場にし、バーチャル空間で患者が治療を疑似体験することで不安や心配を軽減できるかを検証する計画だ。患者や家族が来院する前に病院の様子を体験できる仕組み作りのほか、外出が困難な患者向けには病院以外の場を再現したバーチャル空間で家族や友人と交流できる「コミュニティ広場」の構築も検討する。

［図表10-10］順天堂大学とIBMによるバーチャルホスピタル

出典：順天堂大学・IBM

医療教育や、発達障害・精神疾患を支えるメタバース

医療関係者教育では、従来は実践で、背中で学ぶことが重要であった。医療行為は失敗が許されず、かつ一つひとつの症例に携わる機会は限られる。そこで仮想空間での疑似体験やスキル習得が重要となる。

また、発達障害や精神疾患の対応においても仮想空間活用が有効だ。これらの対応では状況・シーンを想像することが重要となるが、VRにより人による差や、言葉では表現できない直感的な状況・シーンを表現することができる。

医療用教育や、発達障害・精神疾患対応に向けたVR展開を行うジョリーグッドの取り組みを紹介する。

医療教育領域で本人視点のメタバースを展開

ジョリーグッド（JOLLYGOOD）は、2014年に代表取締役CEOの上路健介氏が設立し医療・福祉領域に注力しているVRスタートアップである。ジョリーグッドのメタバース展開の特徴は、上路氏がテレビ局や広告会社などクリエイティブの現場で培った精度・知見から「人間・本人目線」を貫き、そのリアリティ・精度を向上し続けていることだ。

この精度・品質に注目した米医療企業のジョンソン・アンド・ジョンソンが、カテーテル手術においてユーザーである医師への説明や、医師教育、営業担当者への教育に活用できないかと同社に打診。医療における初のVRの活用事例となった。

これをきっかけに、コロナ禍で現場での臨床実習やトレーニングができない医療業界の課題に即していることからも、救急・外傷の領域をはじめ主に外科領域で幅広く導入が進んでいる。感染症診療教育、超緊急帝王切開手術教育、救急救命士教育、ドクターカー向け教育など適用先は多様だ。

同社のオペクラウドVRは熟練医師の手技や助手、医療エンジニアなど、専門スタッフの視野を360度カメラで撮影しデジタルコンテンツ化することで、追体験できるようにして教育に活用する。前述のとおり、医療行為は現場経験を通じて背中を見て覚えることが必要となっていた。しかし、VRを活用することにより効率的に習得・トレーニングが可能となるのだ。

オペクラウドVRで制作されたコンテンツは、VRコンテンツの総合プラットフォームであるジョリーグッドプラスを通じてサブスクリプション型で利用ができる。世界中の医療従事者が先端の医療事例にもとづくコンテンツを作り、クリエイター経済圏を創出するUGCプラットフォームを形成しているのだ。

［図表10-11］**オペクラウドVR**

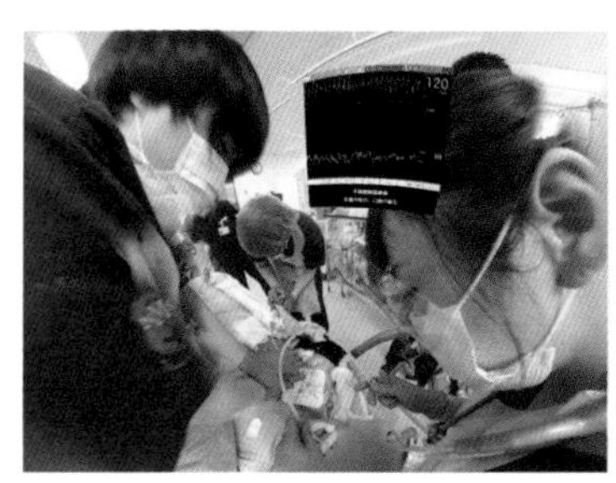

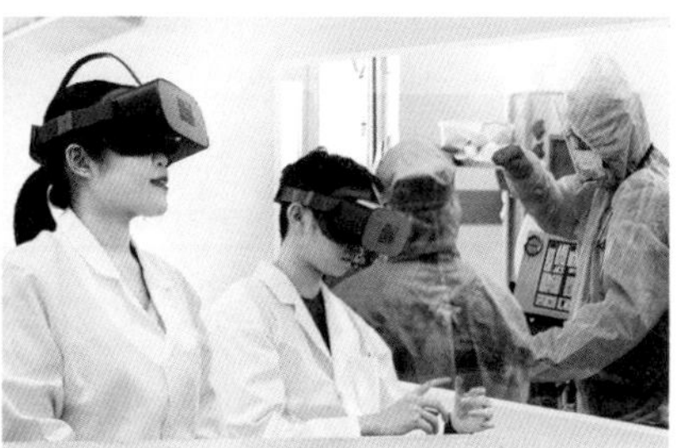

出所：ジョリーグッド

発達障害向けソーシャルスキルトレーニングを展開

また、発達障害者の就労移行支援を行っている企業から、ソーシャルスキルトレーニングに活用できないかとの打診を受け、発達・精神障害を持つ方の就労移行支援や児童の療育支援にもジョリーグッドプラスの領域は広がっている。

ソーシャルスキルトレーニングでは、人と人の心や物理的な距離感・コミュニケーションを学ぶことが必要であるが、言葉などでの説明では限界があった。しかし、同社の本人視点でのVRを活用すると、仮想空間上で言葉では表現しきれない当事者間のやりとりを追体験できる。
専門医の監修のもと、サブスクリプションサービス(VR総合プラットフォーム「ジョリーグッドプラス」内)として展開しており、200社を超える障害支援施設などでの活用が進んでいる。

統合失調症・うつ病支援など心の病の対応へメタバースを活用

さらに、このソーシャルスキルトレーニングの取り組みを精神疾患の方の治療にも活かせるのではないかという打診を受け、国立精神神経医療研究センターの認知行動療法の専門チームとの共同研究も始まり、世界初のVRでのうつ病治療を研究開発している。
従来の治療においては、認知行動療法や精神科を専門とする医師が、1対1の対面でのカウンセリングを行っており、患者や医師の双方にとって時間的負担が大きかった。
また、治療には患者にリラックスした環境やストレスがかかる状況を思い浮かべてもらう必要があるが、人によって差が生じていた。VRの活用により個別カウンセリングの負荷を低減するとともに、シーンを鮮明にイメージすることができ、治療の効果を向上させることが期待できる。
統合失調症による幻覚や幻聴などの症状は治療薬で緩和できるが、再発を繰り返すと認知機能が低下するなど自立が困難になるケースもある。VRを使い、患者が買い物など生活の場面を仮想体験することで、社会復帰しやすくすることを目指す。
精神科医や認知行動療法の専門家もジョリーグッドに社員として所属しており、専門的な知見をもとにコンテンツの開発を行っている。
同社は大塚製薬や帝人ファーマなどの多くの製薬・医療機器企業と連携した取り組みを行っている。大塚製薬とはメンタルヘルスの地域連携プラットフォーム確立に向け、さまざまな精神疾患を抱える患者の社会参加に貢献する計画だ。

今後、グローバルにおいても専門や業界のキーとなる医師・研究機関・医療企業との連携のもと、医療教育や精神疾患対応のメタバースプラットフォーマーとして展開を加速する方針である。

すでに米国の認知行動医療の専門家と連携して、英語版のうつ病治療VRも開発。今後は、医療での知見・経験を活かし、あらゆる産業の熟練技術を3D空間で習得できるソリューションの展開も行う構えだ。

［図表10-12］（左）SST（発達・精神障害支援）向け
ソーシャルスキルトレーニング、（右）精神疾患向けVRサービス

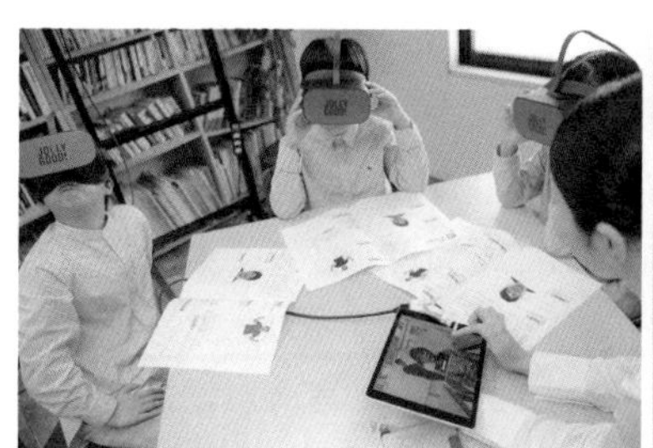

出典：ジョリーグッド

07 mediVRの取り組み

脳に働きかけリハビリを大きく変えるVR技術

リハビリにもVR技術が変化をもたらしている。3D技術の活用により、今まで治すことができなかった症例においても治すことができるようになっている。以下、「脳の再プログラミング効果」によりあらゆる症例へのVRリハビリテーションをグローバルで展開するmediVRを紹介したい。

mediVRは2016年に大阪大学発ベンチャーとして医師の原正彦氏によって設立された医療機器メーカーである。心筋梗塞などを専門に診ていた循環器内科医の原正彦氏は、その治療において合併して脳梗塞や脳出血を発症した患者を数多く見てきた。後遺症に苦しむ患者のため「リハビリにVRを取り入れることで、こうした状況を打開できないだろうか」と考えたことが、mediVRカグラの開発につながった。

仮想空間上の狙った位置に手を伸ばす動作を繰り返すことで、姿勢バランスや二重課題型の認知処理機能を鍛えるリハビリテーションをサポートする。背景がシンプルで認知負荷が低

［図表10-13］mediVRカグラ操作パネル画面

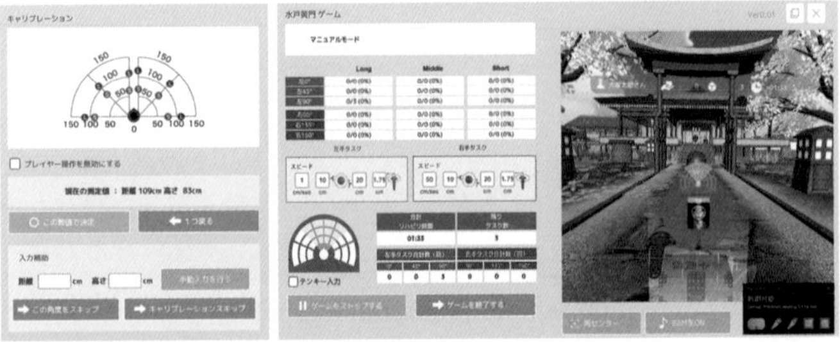

出典：mediVR

い「水平ゲーム」と「落下ゲーム」、注意を喚起するよう認知負荷性を高めた「水戸黄門ゲーム」「野菜ゲーム」「果物ゲーム」という5種類のVRリハビリテーションコンテンツを提供している。

「脳の再プログラミング」効果をあらゆる症例に適用

あらゆる症例に共通する脳の指令と身体の動作の関係性に着想してアプローチしているのが同社のリハビリテーションの強みだ。VRを通じたリハビリテーションによって脳と身体の動作の関係性を再構成する「脳の再プログラミング(Brain Reprogramming)」の効果が生まれる。症例に関わらない脳—身体の関係性にアプローチしていることから、脳梗塞・脳出血・脳性麻痺や、交通事故での脊髄損傷、関節疾患、パーキンソン病など、あらゆる症例へ適用が進んでいる。ゲーミングの要素を取り入れ、言語の壁がなくグローバルに適用が可能とみる。

同社は現在、このアプローチを拡げていく上で、影響力の大きいVIP層を対象に成果報酬型リハビリセンターを展開している。医療機器としての展開とともに「成果」自体を収益源としていくモデルだ。アーリーアダプター層から導入を進めることで、グローバルのリハビリテーションで広く活用される「インフラ」として普及を進めるべく展開を図る。

[図表10-14] mediVRカグラを活用する様子

出典:mediVR

08 デンタル・プレディクションの取り組み

歯科領域でも進むメタバース

歯科領域においてもデジタルツインやメタバースの取り組みが進んでいる。米国などで急速に歯科のデジタル化が進む中で、日本では歯科医ごとに個別化しており、デジタル化や業界をあげた連携が遅れていた。

こうした中で、日本発でグローバルに展開する歯科デジタルツイン・メタバースプラットフォームが生まれている。先述のホロアイズとも連携し、グローバルでの歯科メタバースプラットフォームを図るデンタル・プレディクション(Dental Prediction)について紹介したい。

歯科デジタルツイン・メタバースを活用し歯科技術の底上げを図る

デンタル・プレディクションは宇野澤元春CEOが2020年に設立した歯科メタバース・デジタルツイン企業である。宇野澤氏が千葉大学大学院医学博士課程での研究を経て、ニューヨーク大学へ留学。多くの歯科手術の症例・患者数を経験する中で、帰国後日本の歯科領域の技術の底上げの必要性を感じたことが設立のきっかけだ。

同社は患者の歯のCT画像および口腔内スキャンまたは石膏模型により歯科デジタルツインを生成する。その歯科デジタルツインを活用し、デジタル上でのシミュレーションや術前ディスカッション、3Dプリンターを通じた模型制作と模型を用いた

［図表10-15］（左）デンタル・プレディクションによる
歯科デジタルツイン、（右）メタバースを活用した歯科カンファレンス

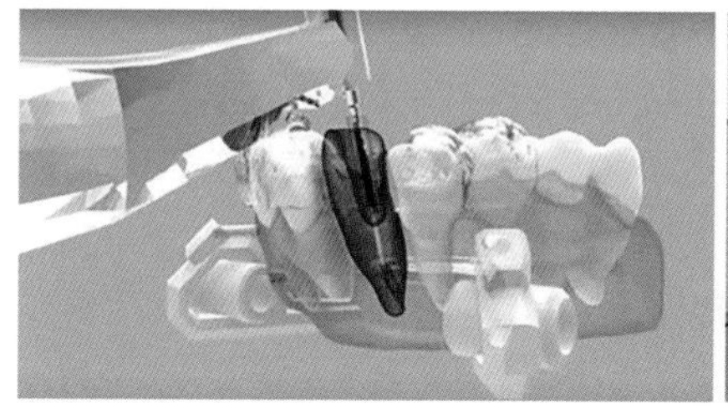
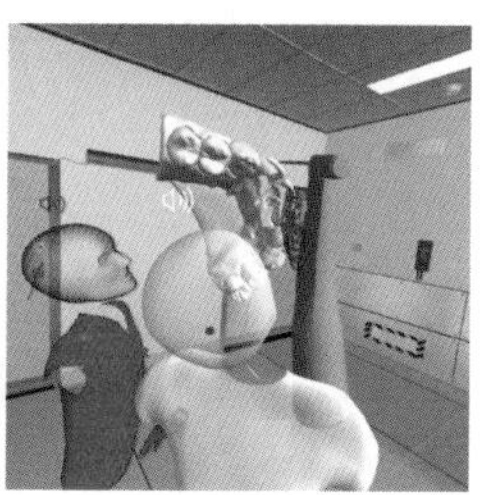

出典：デンタル・プレディクション

手術の詳細アプローチ検討、実際のオンライン相談、手術支援など歯科医に対して包括的な支援を提供している。

3Dデジタルツインにより今まで「視覚」的に見えなかった部分も事前に検討できるとともに、3Dプリンターを用いた模型を通じて「触覚」も補完している。実際の現場での治療に重点が置かれていた歯科において、データを用いた事前のシミュレーション・トレーニングの価値を加え、効率性や品質・安全性の向上に寄与しているのだ。

歯科医によるクリエイターエコノミーの創出

医療・歯科領域では、様々な医師の症例を共有し業界全体の技術を向上する上で、学会・論文や勉強会などが重要なチャネルとなっている。しかし、従来は症例の共有において写真・動画の2Dデータが活用されるのみで、効果的な共有ができていなかった。同社のプラットフォームを活用することにより3Dデータでの症例や手術でのアプローチをメタバース環境で3D情報をもとに共有することが可能となる。

同社は歯科医がオリジナルの教材をプラットフォーム上に提供し、収益を得るクリエイターエコノミーの創出も図る。日本には職人気質で技術が高い歯科医が多い中で、歯科医が技術・

経験をもとにグローバルで新たな収益を得ていくモデルの土台を支えていく考えだ。

歯科3Dデータの活用・共有については、先述の医療メタバースプラットフォームのHoloeyesを活用している。加えて、3D空間上でのシミュレーションやカンファレンス(術前会議)上で医療機器の検討や購入もできる。歯科医が同社のプラットフォームを通じて、患者への対応をシミュレーションできるとともに、その手術に最適な医療機器も調達できる形となっているのだ。

グローバルでの歯科メタバースプラットフォームへ

同社は5G技術による遠隔手術支援などの先端技術の活用や、積極的なグローバル展開を進めている。

例えば国内ではソフトバンクと連携し、東京—大阪間の遠隔で5G歯科手術支援を行う実証実験を行っている。東京の熟練歯科医が、大阪の若手歯科医に遠隔で手術指導を実施した。

さらにグローバルでは、Holoeyesやシンガポールの大手通信企業のシングテル・NTTドコモ、総務省などとともに日本—シンガポール間の遠隔教育を行っている。

今後、サウジアラビア・ドバイや米国、カンボジア、台湾など、世界各国と日本の間で遠隔教育のプロジェクトを推進する。世界中の歯科医が活用し、最新の手術・機器を検討できる歯科メ

[図表10-16] **メタバースを活用した歯科遠隔手術支援**
(右)**東京側でレクチャーを行う指導医、**
(左)**大阪で指導をうける若手歯科医**

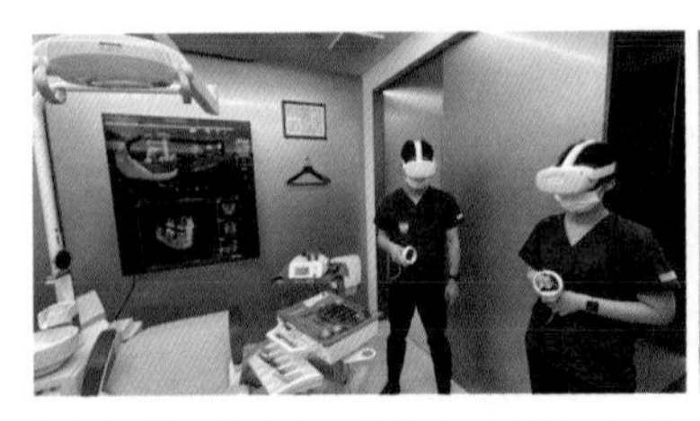

出典:デンタル・プレディクション

タバースプラットフォーム構築を目指す。

「襷プロジェクト」を通じて歯科へのメタバース浸透を図る

同社は今後の歯科メタバースの普及に向けて、5Gなどの通信技術とともに、歯科医のデジタル技術に対する苦手意識を払拭することや、個別のクリニック間の連携が重要とみる。

宇野澤氏は歯科業界全体でメタバースのハードルを下げる取り組みを実施している。歯科医師にメタバースを体験してもらい、体験した歯科医師から、次の歯科医師へ体験者を紹介してもらいヘッドセットを送る「襷（たすき）プロジェクト」だ。

ヘッドマウントディスプレイとともに、モバイルでのAR、模型の3つをインターフェースとして3Dデータ活用を図る。今後はAIを用いて患者側の歯の3Dデータにもとづく最適な歯科のマッチングや、メタバース空間上での仮想歯科クリニックでの診察などに発展させる。

同社は2023年に歯科デジタルツイン・メタバースが大きく花開くとみる。日本発でグローバルに拡大する歯科プラットフォームとしての展開が期待される。

［図表10-17］デンタル・プレディクションの
歯科デジタルツイン・メタバースプラットフォーム

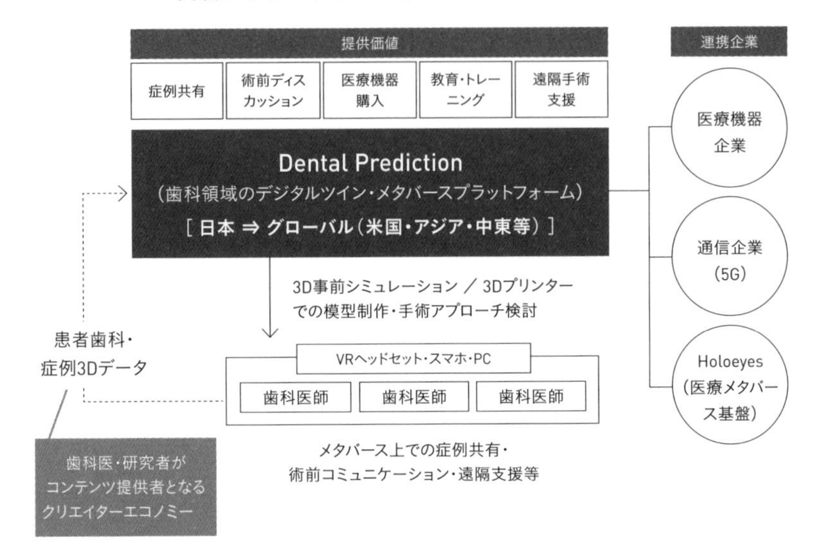

第11章

農業領域でのメタ産業革命

01

求められる農業のデジタル化

食料需要増・都市化の中で生産性／収益性向上が求められる

農業は、世界的な人口増や所得増加に伴う食料需要の増加に対応することが求められている。農地全体としては、世界的に都市化が進み、耕作可能面積拡大に限界が見えている。その中で、デジタル化・機械による生産性向上が急務となっている。

また、日本においては農業就労者の減少・高齢化が進む中で、農地集約により10ha以上の規模の大きい農家が増えてきている。労働者が不足している中で、いかに生産性を上げていくのか、人材育成・ノウハウ継承を行っていくのか、収益性を向上し儲かる農業へ転換するか、などが課題となっている。そうした流れを受けて、データを活用した精密農業や、自動化・無人化が求められている。

自然対応の不確実性とモデル化の難しさが課題

農業のデジタル化の難しさは「自然」を相手にしていることだ。日照量・天候により変動があり、昨今の気候変動で不確実性が増している。農作物は植物であるため、完全なモデル化は難しい。作物ごとの特徴や土壌の状況、雑草や害虫など変数が多い中で、データの整備を行わなければならない。

また、同一作物については、年に数回しかサイクルを回せず、データ蓄積が進みづらいことも課題だ。製品や建物のように設計データが存在するわけではなく、土地も広大であるため、そのデータ生成や、作物ごとの特徴をモデル化することが困難であった。このため、従来から農家においては、属人的なノウハウ・知見が重要であった。その観点でも農業分野のCPS化は遅れてきた領域であるといえる。

衛星やドローンセンシングを通じたデジタルツイン化が進展

近年では、衛星データやドローンでのセンシングを通じて農場をデジタルツイン化することや、データ分析により作物や土壌ごとの育成モデル、害虫・天気の影響をシミュレーションすることが可能になりつつある。加えて、これら農地のデジタルツインの情報から、農機を自動化し、オペレーションの負荷を下げる取り組みも研究開発される。

今後、品種改良や、生育シミュレーションなどへも適用が期待されている。

［図表11-1］農業におけるデジタルツイン循環例

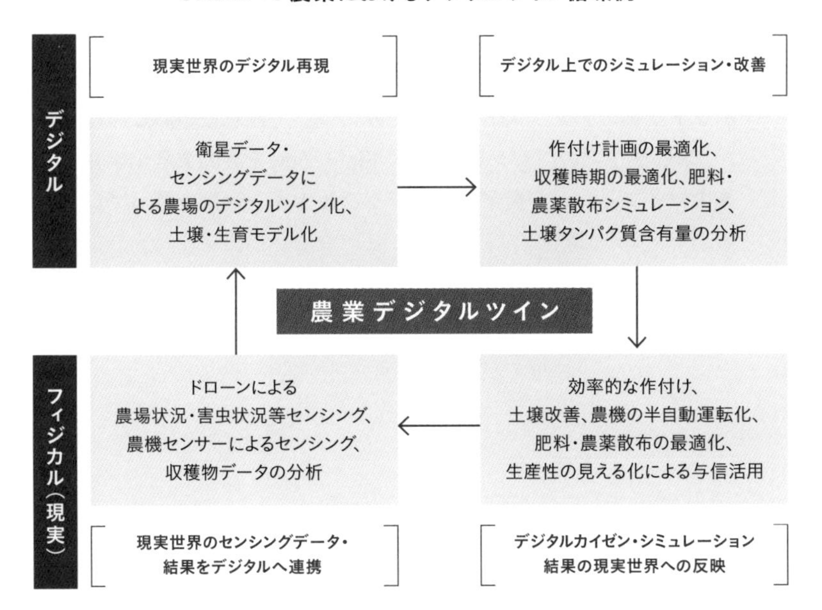

これまでは労働集約型の低収益の業界とみられがちであったが、農業のCPS化によって変わりつつある。デジタルツインを通じた効率的な圃場管理・儲かる農業の実現、ノウハウがない農家であっても新規参入できる環境づくり、農機の自動化による負荷低減などがなされることにより、農業の生産性が大幅に上がることが期待される。

農業をはじめ第1次産業は従事人口も多く、食料自給率を左右する重要な産業である。今後、第1次産業におけるメタ産業革命のさらなる進展が求められる。

現場に近い非ITプレイヤーが存在感

農業におけるメタ産業革命の担い手の特徴としては、現場における機器や資材を扱っているプレイヤーが存在感を持っていることが挙げられる。

製品や建物のように設計データが存在しないため、日々農場という現場に接している農機や、収穫ロボット、肥料企業といった企業がデジタルソリューションを展開する。

次節以降、農機企業のクボタ、肥料企業の独BASF、収穫ロボット企業のアグリストの取り組みについて触れたい。このほか、米農機企業のジョンディアや、Field Viewを展開する化学企業のバイエルなどが農業分野のデジタルツイン活用を行っている。

02 農機企業クボタによるKSASの取り組み

ユーザーの経営高度化に向けて農地デジタルツインを展開

クボタは1890年設立の大手農機企業である。同社はスマート農業のソリューション提案として営農支援システムKSAS（クボタスマートアグリシステム）を通じて、農地のデジタルツインを活用したサービスを展開する。スマホ・PCを活用して圃場管理、肥培管理、作業管理、作業記録や作業進捗管理を可能にし、収穫量の最大化、品質向上に役立つサービスを提供している。

従来の紙の農地地図をデジタルツイン化し、その上で今までの手書きの日誌、書類・ファイルなどで管理していた作業情報などを重ねる。それにより農業者の農業経営をデジタル化・高度化することがKSASの価値だ。

［図表11-2］KSASにおける農地デジタルツイン

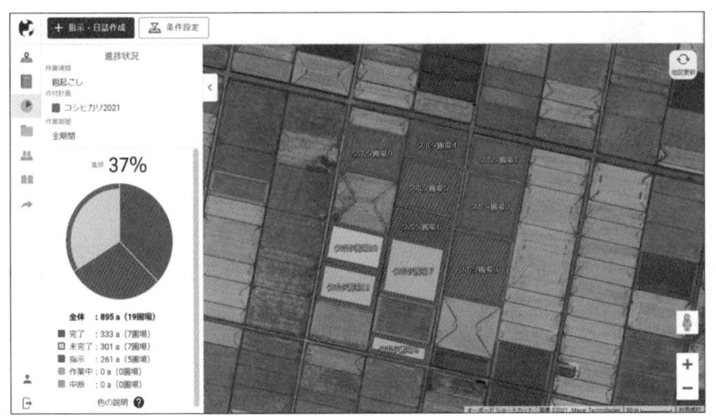

出典：クボタ

農業では他産業と比較してデジタル化が遅れており、例えば大規模な農業法人においては新人が圃場の場所を覚えるのに時間がかかることや、圃場間違いなどが発生していた。これら農地がデジタルツイン化されることで、効率化や人材育成にもつながっていく。圃場も多く農業経営が複雑化する大規模農家を中心にユーザーが拡大している。

コンバインのセンサーから タンパク含有量などを見える化

前述の圃場情報とともに機械のセンシングデータもデジタルツインに取り込み、収量品質の向上に役立てることができる。作物はタンパクや水分含有量が品質に影響するが、KSASを利用することで圃場ごとのタンパク値などの確認ができる。

同社の食味・収量センサ付きコンバインでは、収穫しながら収量とともに、食味(タンパク値や水分値)をセンシングする。そのデータを農地デジタルツインに反映させて管理を行うのだ。

その結果として圃場ごとの良し悪しの判断ができ、改善が必

［図表11-3］食味・収量センサ付きコンバイン

こく粒流量センサ
※イメージ
GPSユニット
食味センサ
※イメージ
収量センサ
※イメージ
※GPSユニット・こく粒センサは食味・収量メッシュマップのみ

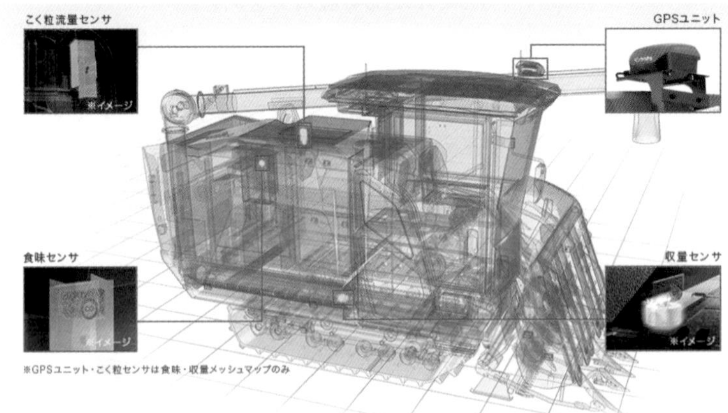

出典:クボタ

要な圃場がわかるため、圃場のエリアごとの施肥設計や、土壌改良の検討が可能となる。今までの勘や経験に頼った農業から、データにもとづくアプローチへと変化を生みだしているのである。

また、最新のコンバインでは圃場内をメッシュ化し、さらに詳細な食味・収量のバラつきをKSASで把握でき、翌春にメッシュ化したデータを参考に施肥マップを作成して田植機に送信することで、可変施肥が実施できる。KSASと農機の連動により、よりきめ細かな対策が可能になっているのである。

対応作物の範囲拡大と、農機の自動化・制御との連動を図る

今後はドローンや衛星データなどによるリモートセンシングを通じた生育状況・害虫発生状況の把握を行い、可変施肥や農薬散布の高度化を目指す。加えて、水管理システムとの連携により水管理の最適化を図っていく。

農機メーカーのクボタの強みとして、KSASのデジタルツインと連携できる農機の拡充も行う。機械のセンシングデータが自動的にデジタルツインに反映され、シミュレーション結果をもとに機器を制御することや自動運転化も長期的に狙う。

今後、作物の範囲を現状の水稲や麦などから、野菜栽培などへと拡大する。KSASを軸に農業でのデジタルツインプラットフォーム展開を目指す。

[図表11-4] **KSASが目指す農地レイヤーマップ**

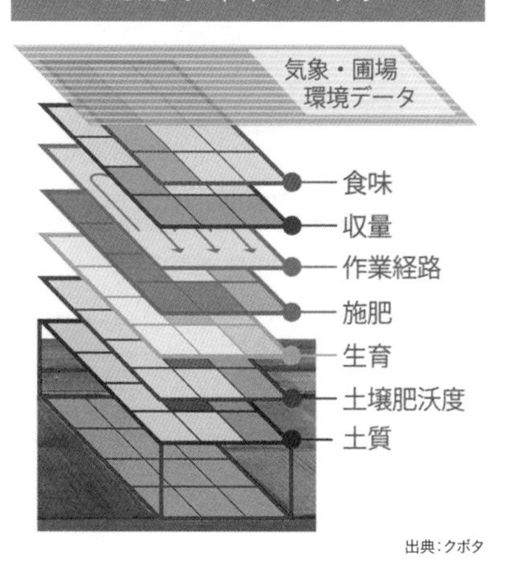

出典：クボタ

03 BASFの取り組み

農地デジタルツインを生成し農業経営を最適化

次に農業資材などの化学企業の取り組みを紹介する。BASFは1865年設立の、ドイツに本社を置く化学企業である。同社は農場をデジタルツイン化し、農家の農業経営・作物管理・肥料管理を最適化するxarvio(ザルビオ)を展開している。農業領域は投資領域と捉えており、ケミカル・マテリアル・産業用途など幅広い事業がある中で、R&D投資のうち40%を農業分野に投下している。

農業分野としては主力の農薬事業とともに投資・拡大を行っているのがザルビオを含む「デジタル農業」領域だ。環境負荷の低減・サステナビリティの担保と、農業生産性の拡大などの複合的な要素の両立のためには、デジタル技術の活用が重要と捉

［図表11-5］xarvioにおける農地デジタルツイン

出典：BASF

える。単体の作物を最適化するだけではなく、輪作も含めて農家の顧客体験の向上を図っているのだ。

展開しているサービスのザルビオフィールドマネージャーは、各圃場のデジタルツインを生成し、土壌や作物の品種特性、気象情報、人工衛星からの画像などをAIが解析して、作物の生育や病害・雑草の発生を予測・シミュレーションし、農家の意思決定を高度化する。

その他、スマホでの撮影画像をもとに病害虫・雑草などを診断するスカウティング、面積単位で収量を保証する成果保証型サービスのヘルシーフィールド(現時点では日本では未展開)も展開する。

JA全農と連携し日本での普及を図る

ザルビオフィールドマネージャーの強みは農業分野の病害モデル、生育モデルなどのAIモデルである。そのモデルを活用したシミュレーション結果から、農薬散布や追肥など実施すべきアクションや最適な収穫時期などをレコメンデーションするのだ。

いつ、どのような作業が必要かを圃場ごとに把握できるため、効率的な栽培管理計画を作ることが可能となる。衛星画像の自動解析による「生育マップ」表示のほか、過去15年分のデータをもとに潜在収穫量である「地力」も分析することができる。

また、ザルビオの農地デジタルツインデータにもとづき農薬散布を最適化するとともに、ドローンでのセンシングや、農機センシングデータとの連携も行う。例えば、トラクターのセンシング画像をエッジ画像処理して、トラクター後部に設置の散布機でピンポイント散布するスマートスプレイヤーなどが挙げられる。

現在、グローバルで18カ国での導入が進んでおり、日本においてはJA全農と連携してザルビオフィールドマネージャーの展開を行う。水稲輪作体系を主とした18作物が利用可能であり、今後さらなる対象作物の拡大や、農業AIの範囲拡大を図る。

04 アグリストの取り組み

ピーマンなどの野菜収穫ロボットを展開

最後に収穫ロボット企業の取り組みとして、AGRIST(アグリスト)の取り組みを紹介する。同社は2019年設立の収穫ロボット展開を行うスタートアップである。宮崎県新富町の農家と連携してロボットを開発し、自らも農場を運営していることが特徴である。

現在はピーマン・キュウリなどの果菜類の収穫を行うロボットと、自動収穫ロボットに最適化されたビニールハウスの開発を行っている。

［図表11-6］アグリストの収穫ロボット

出典:アグリスト

センシング機器としてのロボット

同社が目指すのは農業のデジタルツイン化だ。農業は農家の経験・知見によるものが大きく、天候や災害などの影響も受けやすい。従来のCO_2や日射量などのセンシングデータとともに、作業記録や植物や土地の状態などのデータ化が農業の高度化には欠かせない。そのためには農業現場のデータを集めるセンシングデバイスが必要となる。

ここでインターフェースとして重要な役割を果たすのが収

穫ロボットだ。収穫プロセスは、農作業の中で半分以上の時間を占めており、負荷が大きい。農家の負荷が大きく課題解決につながる収穫ロボットを通じて自動化・効率化を図るとともに、ロボットを介して収集した花・果実・葉などの画像データと、農場内に設置されたセンシングデバイスを介して収集したCO_2や日射量などのセンシングデータを組み合わせて農業デジタルツインを作り上げていくのだ。

農業のデータのパラメーターは複雑であり、新規就農者と熟練就農者では効率性や収穫量に大きな差が生まれる。これを収穫ロボットや農場内のセンシングデバイスと、そこから生成されるデジタルツインを通じて、収穫の時期、農薬散布の必要性などの農家の判断の材料提示を行う。ロボットの画像認識技術を活用することで、ビニールハウスのどの場所で、どの程度の生育状況で、収穫量がどのように推移したのかなどの3Dデータの蓄積ができる。

既存のビニールハウスにおいても環境センサーなどが設置されていることが多いが、四隅と中央という形で分散・定点でCO_2

［図表11-7］収穫ロボットデジタルツイン

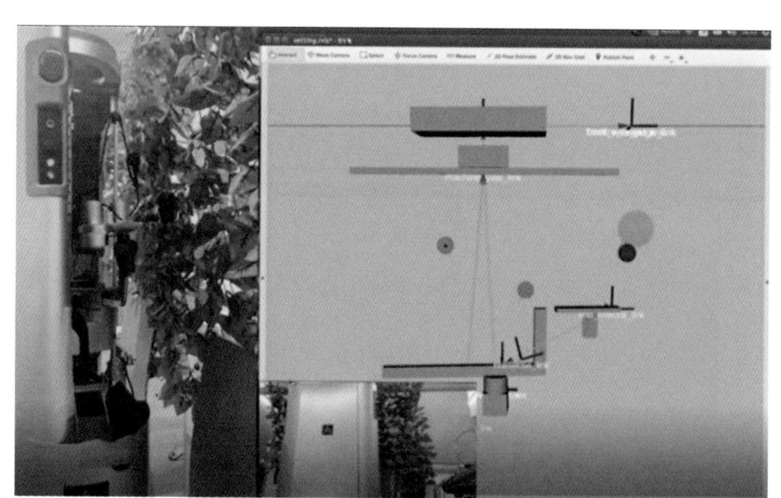

出典：アグリスト／写真は開発中のもの

や日射量のデータを収集しているケースがほとんどである。これらはあくまでハウス内の環境データに特化したものであり、作物自体の生育状況を観測している訳ではない。

一方で収穫ロボットはビニールハウスを動き回ることで、作物自体の生育状況の局所的な違いについてのデータを収集することができる。これにより農業デジタルツイン・マップを生成していくのだ。より価格の高くなる大きさに育てるために収穫時期をずらす、価格推移動向から価格が高い時期に収穫するなど戦略的な意思決定につなげる。

メタバース×遠隔操作を通じた農業就業機会の拡大

アグリストは、今後収穫ロボットの操作をメタバース上で行う遠隔操作化も見据える。農業従事者不足への対応のために、どの場所からも従事できる環境を構築するとともに、農業—福祉連携として身体的・物理的制約があった人の就業機会創出にもつなげる。自宅など遠隔操作のメタバース環境で、農場の収穫作業に従事する仕組みの構築を行うのだ。メタバース環境で

[図表11-8] **収穫ロボットの遠隔操作**

今後メタバース融合でゲーミング化／写真は開発中のもの　出典：アグリスト

収穫作業をゲーミフィケーション化することにより、就業の魅力や生産性・効率性を高める。

同社は今後、ピーマン・きゅうりなどから、より幅広い作物へ適用を拡大するとともに、「儲かる農業」の実現に向けて農家の収穫量最大化を支えるデジタルツイン・OS開発を強化する。

第12章

働き方・人材／業務領域での
メタ産業革命

Meta-Industrial Revolution

01 マイクロソフトの取り組み

メタバースを中心に、CPSによって働き方や働くという概念、求められるスキルが大きく変化する。居住地や時間、身体や外見といった制約を超えて働くことが可能となる。

あらゆる仕事の土台となりうるメタバース上でのコラボレーション・会議のアプリケーションに、メタ社やマイクロソフトなど各社が注力している。また、人材会社もメタバース専門部門を立ち上げて対応を強化するとともに、人材会社の枠を超えた業態展開にも取り組んでいる。

ある側面ではリアルを超えるメタバース会議

コロナ禍で遠隔でのウェブ会議が普及した。Zoomや、後述するマイクロソフトのTeamsなどがそれにあたる。これにより多くの会議は出社したり、訪問・対面でなくとも自宅や遠隔地から実施できることとなり、効率性の向上や、ワークライフバランスの改善につながった。

しかし、人と人とのコミュニケーション・関係性作りやアイデア創出、よりリアルな製品イメージや現場訪問による情報を踏まえた立体的な議論はウェブ会議では難しく、改めて対面会議との違いを踏まえた使い分けの重要性が認識されている。

その中で、ウェブ会議をより拡張・補完するのがメタバースを活用したコミュニケーション・会議だ。当然ながらオフィスは引き続き重要であり、人間関係の構築や、熱量の共有において対面コミュニケーションに勝るものはない。

一方で、設計情報などのデジタルツイン・シミュレーション結果を表示しながらの綿密な議論、コールセンターなどでの問い合わせ対応や、スタートアップなどで自社技術が適用された世界観没入型のプレゼンテーション、同時文字通訳での言語を超えたコミュニケーションなど業務の効率性・生産性向上についてはメタバースでカバー、もしくはより高度化することができる。その上で、厳選された機会としてリアルで会うことの価値はより高まるだろう。

今後リアル会議、ウェブ会議、メタバース会議の振り分けがなされていき、プライオリティが変化していくと想定される。ここでメタバースでの新たなコミュニケーション・会議のあり方を提案するマイクロソフトの取り組みに触れたい。

Meshにより働き方を大きく変える

マイクロソフト全社としての取り組みは後述するが、ここでは働き方やコミュニケーションのあり方を変えるという観点でマイクロソフトのコラボレーションプラットフォームのMicrosoft Meshの取り組みを紹介したい。MeshはMR(Mixed Reality)や3Dでのコミュニケーションを実現するクラウド基盤のAzure上で提供するプラットフォームである。特徴としては、PC・モバイル・ホロレンズ2などどんなデバイスでも参加可能であることだ。

アニメーションのアバターとともに、人をスキャンしてホロポーテーションさせたアバターも活用可能だ。離れた場所であっても一緒に存在を感じながら、コミュニケーションを行うことができる。3D空間や現実空間に製品設計や、工場ラインの3D情報を投影しながらディスカッションすることや、トレーニング、遠隔での作業指示などにも活用できる。

Meshでは MRデバイスのホロレンズ2用のアプリの展開や、遠隔ウェブ会議のTeams向けのアプリケーションの開発を進めている。マイクロソフト社とともに、パートナーが独自のアプリケーションをMesh上で開発・提供することもできる。

現実世界にアバターや、デジタルツインを投影

例えばMRデバイスのホロレンズ2用Meshを活用したコミュニケーションが図表12-1だ。物理的な部屋の中にバーチャルのミーティングテーブルが出現し、会議を行っている。中央のホロレンズ2を装着した方のみが物理空間に存在しており、他2名は遠隔地からアバターで会議に参加（図表12-1左）。製品設計データなどのデジタルツインを取り込んで議論を行うこともでき、ある面では現実での対面会議よりも詳細な議論・検討が可能となる。

また、異なる言語同士の参加者であっても、音声をリアルタイム翻訳してコミュニケーションすることができ、距離の壁だけでなく言語の壁も超えることができるのだ（図表12-1右）。

［図表12-1］（左）**ホロレンズ2用Meshでのコミュニケーション例**

出典：日本マイクロソフト

仮想空間でのコラボレーション

VRでMeshに対応しているソーシャルVRサービスのAltspaceVRでは、VRデバイス装着もしくはPCなどから仮想空間上でコミュニケーションを行う。先述の現実空間とともに、仮想空間上であっても3Dを活用したコミュニケーションが、場所・言語などの制約を超えて実現できる。

今後、ミーティング場所として現実世界へ3Dを投影するAR

／MR型なのか、仮想世界の上で行うVR型なのかで使い分けが生まれると同社は捉えている。

［図表12-2］VR用Mesh（Altspace VR）でのコミュニケーション

出典：日本マイクロソフト

遠隔会議アプリTeamsをメタバースで拡張

Mesh for Microsoft Teamsはウェブ会議アプリケーションのTeamsをメタバースで拡張したもので、2022年度中にプレビュー版の提供が開始される予定だ（執筆時点）。従来のウェブ会議が苦手とされるホワイトボードや付箋を活用したアイデア出し・整理や、製品デジタルツインを表示した詳細な会議（図表12-3上）が可能だ。デジタルツインの表示とともに、PowerPointやExcelなどを表示して共同で編集することもできる。

また、遠隔会議においては雑談や社員のコミュニケーションが不足することが課題となったが、メタバース空間上のオフィス廊下等でのちょっとした雑談など（図表12-3下）も生まれる設計となっている。打ち合わせ・会議とともに、イベント等の開催も可能となる。

Mesh for Microsoft TeamsはPCからメタバース空間にアクセスできるため、ヘッドセットは必須ではない。

参加者はカスタマイズ可能なアバターで参加が可能であり、ユーザーのリアクションをリアルタイムに反映することができ

［図表12-3］Mesh for Teamsでのコミュニケーション

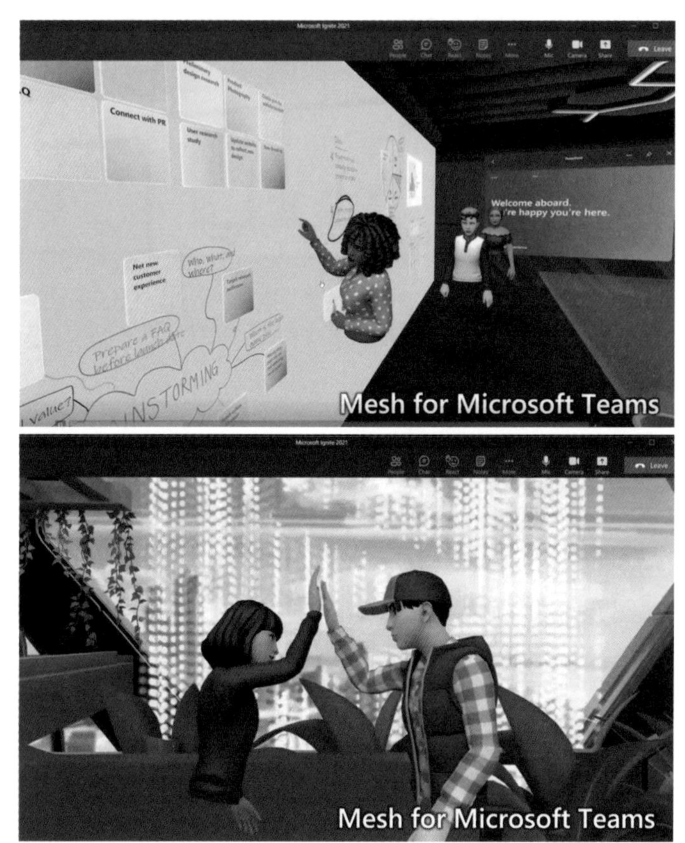

出典：日本マイクロソフト

る。遠隔ウェブ会議においては、ビデオがオンで顔や表情が見える形であるとコミュニケーションが活発化することが調査で明らかになっているものの、ビデオをオフにして参加する人も多い。参加している環境の状況や、化粧の有無など、様々な理由で顔を出したくないという理由からだ。そのように画面をオンにしたくない理由があっても、アバターを活用することにより実際の顔を出すことなく、インタラクティブなコミュニケーションが可能となる。

［図表12-4］Mesh for Teams

出典：日本マイクロソフト

ハイブリッドワーク時代のインフラとしてのメタバース

マイクロソフトでは、メタバース上にオフィスのデジタルツインにあたるイマーシブ空間をTeamsで提供する計画だ。ここにはミーティングスペースや、共用スペースが存在する。会議をする際には会議室に入るとともに、廊下でたまたますれ違って会話・雑談をすることも可能となる。

コロナが今後収束していくにあたって、出社とリモートのハイブリッドワークが進むと、オフィスにいる人と、遠隔から参加する人の情報ギャップなどをなくす必要が出てくる。これらを防ぐためにも、物理的なオフィスにいるいないにかかわらず、同じ環境のバーチャルのオフィスにアクセスし、そこからコラボレーションを行うことが有効と同社は捉える。

国・場所など関係のないコラボレーションが可能となり、オフィスなどの場所の概念が大きく変わる。日本人だから日本の会社で働くという世界ではなく、国籍を超えてやりとりをして、活躍できる世界になってくると見られる。デジタルツイン上の工場や建設現場などの、デジタル上の「現場」に行って議論するということも想定される。

メタバースの取り組みが進む中で、同社は今後Meshを通じて人々のコラボレーションや連携を下支えするべく展開を強化する。

02

パーソルマーケティングの取り組み

インクルーシブな、誰もが機会を得られる世界へ

メタバースの世界においては場所・国籍や身体の特徴、年齢、性別などのそれぞれの特徴を超えてすべての人が機会を得られるインクルーシブな環境が生まれる。移動時間がなく、育児や介護などの隙間時間を使ってメタバースで業務をすることや、今までは身体の特徴や病気などの理由で、その人にあった働く環境がなかった人が活躍でき、誰もが可能性を発揮し、挑戦できる社会となることが期待される。

例えば、HIKKYが展開する世界最大のバーチャルマーケットでは、育児や介護など時間的制約があったり、身体的特徴や病気などで店頭に立つ業務が難しかった人も含めて、117名がメタバース接客で活躍している。

先述の収穫ロボットのAGRISTは、メタバースをインターフェースとした遠隔操作ロボットを福祉就労につながるキー技術と捉える。福井県はひきこもりの人の就労支援として行政をあげてメタバースの活用を検討するとともに、NTTも障がいがあり外出が困難な方の就労支援をメタバースで行う。このように各社がメタバースを契機にインクルーシブな機会・環境づくりに取り組んでいる。

メタバースでこれら働く上での社会課題の解決を図っているパーソルマーケティングの取り組みに触れたい。

メタバースを通じた多様な働き方の実現へ

パーソルマーケティング株式会社は、テンプスタッフやdodaなどを展開する総合人材サービスのパーソルグループの1社で、営業支援、店舗・販売支援の人材派遣・アウトソーシング事業を手掛けている。2022年1月に「メタバースデザイン事業部」を新設し、メタバース領域での人材サービス展開を本格化している。

働く環境としては、会社に出社して週5日フルタイム出勤が当たり前の時代から、コロナ禍でリモートワークが取り入れられるなど、柔軟さは増した。しかし、仕事の多様化が進んでいるとはいえず、職場が居住場所や家庭環境（子育て・介護）、身体の特徴などの多様さに対応できないため、「働きたい」という意思やスキルを持っているにもかかわらず、働けないケースがある。

これらの社会課題に対応し、多様な働き方を支えることができ、場所や時間などの制約がないメタバースを有望領域として捉え、参入を行っている。コロナ禍で働き方の多様化が加速し、労働環境の整備を通じて競争力につなげたい企業が増えており、これら企業の戦略とメタバースの親和性が高いとみる。

パーソルマーケティングは、顧客に変わって営業活動・販売活動を行うSPO（セールスプロセスアウトソーシング）事業の一つの柱としてメタバースを位置づけている。プロモーション、イベント、物販、デジタルコンテンツ販売において、メタバース空間上で働く人材を提供するのだ。

現状ではアパレル企業などが自らの世界観を表現するとともに、メタバース上の仮想店舗での販売を進めているが、これらアパレル企業が初期的な顧客企業となっている。その他、製造業企業で自社の製品や工程のこだわりをメタバース上で世界観を表現することで、ファンづくり・プロモーションを行う企業や、社内向けのコミュニケーション・日々の業務の活性化や、新人研修などでの活用の問い合わせが増えている。メタバースにより新たに生まれる企業のオペレーションや、それに伴う人材会社の役割として幅広い可能性があると考えており、今後メタバースを通じて現実空間でのロボット遠隔操作をはじめとした、新たな領域の展開も図っていく計画である。

2年間で3000名のメタバース人材の育成を目指す

メタバースで働く人材を求める企業と、働く人材をつなぐ存在であるパーソルマーケティングは、両者に対してアプローチを行うことで、市場創生を図ろうとしている。

働く人材側としては、パーソルマーケティングに登録をしている人材に呼びかけメタバース空間での就業トレーニングを行う計画だ。リアル店舗では来店した顧客の表情・視線を読み取って店員が声がけをする形になるが、メタバース上で顧客がアバターとなると声がけのタイミングやポイントが異なってくる。また、コミュニケーションのスタイルとしても、メタバース上での接客はリアルの店舗よりフレンドリーな対応や、メタバース空間の世界観に合わせた対応が求められることがユーザーの反応から見え始めている。

これら「メタバース上で働くこと」の特性を踏まえて、2年で3000名のメタバース上で働けるスタッフの教育を実施することを目標に掲げ、大規模にトレーニングを実施していく方針だ。

[図表12-5] **メタバーストレーニングの様子**

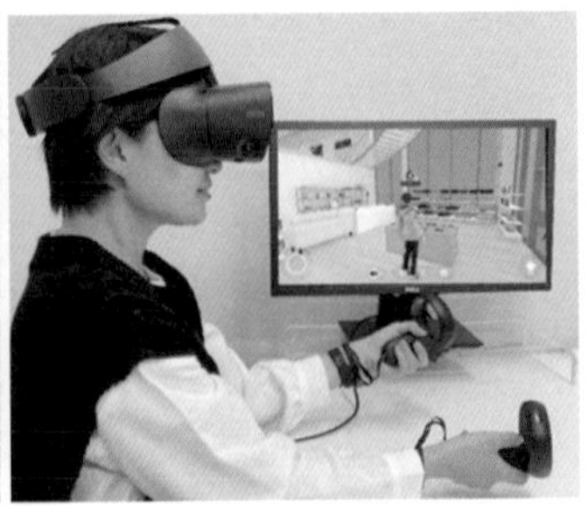

出典：パーソルマーケティング

企業の需要喚起・市場形成を仕掛ける

一方で、メタバースを展開する企業側としては、メタバースが黎明期であることから「メタバースで何ができるのか、自社として何をしたいのか」は手探りの状態である。展開企業側の需要喚起や市場の創出にあたっては、企業側の検討や活動のサポートが必要となっている。

同社は、これら企業側の需要喚起・市場創出のために、PwCコンサルティングと連携し、企業のメタバースを活用した経営戦略・ビジネスアクションの策定を支援するとともに、企業のメタバース空間(ワールド)構築・運用においてはVR開発企業のモグラ(Mogura)と連携している。

構築支援するメタバース空間については、目指したい世界観に応じて最適なプラットフォーム(Cluster、VR chatなど)を提

[図表12-6] **パーソルマーケティングによるメタバースデザイン事業**

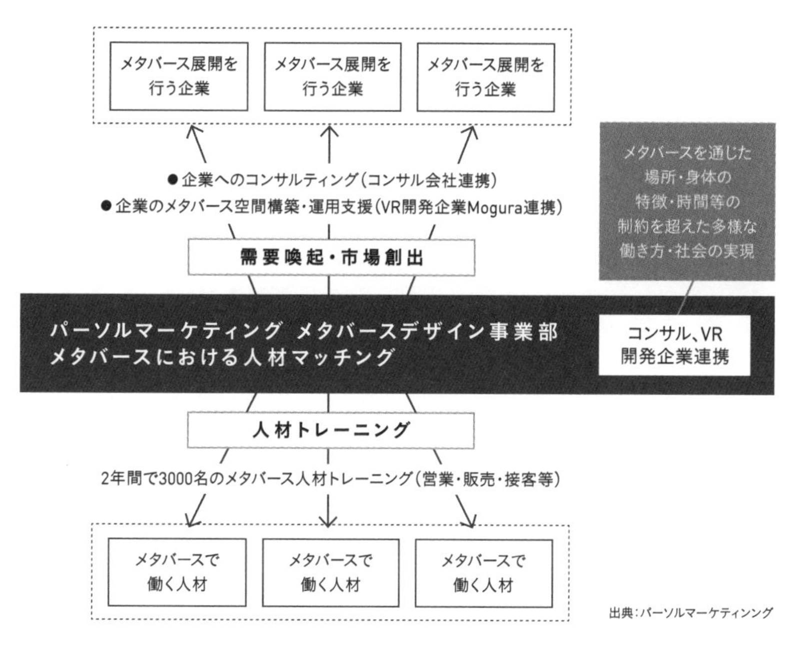

出典:パーソルマーケティング

案する。市場が形成されるのを待つのではなく、自らパートナリングを形成して市場を主体的に創っていることが特徴だ。

さらに同社は、アバターの「なりすましの防止」や、個人情報の保護などをはじめメタバース空間上で働く人材を守る法制度やコンプライアンス対応についても整備していく方針だ。メタバースを次世代のビジネスフィールドと捉え、長期的な観点で他社に先駆けて積極的にチャレンジすることに経営陣をはじめコミットをしている。

今後、同社はメタバースを通じて働くことに関する多様なニーズや思いに応えることで、グループビジョンである「はたらいて、笑おう。」の実現に取り組む。メタバースは黎明期であり変化が激しい。メタバース時代の中で、積極的にチャレンジを繰り返して、事業のあり方や提供する価値も柔軟に組み替えていく方針だ。

03 パソナの取り組み

人材会社が事業・産業プロデュース企業へ

メタバースにより新産業が大きく創出されてくる中で、人材会社はメタバースを大きなチャンスとして捉えて積極的な取り組みを行っている。社会や人材のニーズに合わせた紹介や派遣などのサービスを行ってきた人材会社が、社会の変化や産業・事業そのものを自ら創出し、そこに人材を供給する姿へ変わってきている。先述のパーソルとともに、産業自体を作りあげるべく自ら仕掛けているパソナの取り組みを紹介する。

パソナグループは1976年に創業された大手総合人材サービス会社である。同社のメタバース本部の取り組みの特徴は、本社機能の一部移転を行っている淡路島でのメタバース事業作り・地域創生を軸に、人材会社の枠を超えた事業創出を行っていることだ。

淡路島のメタバースと絡めた都市づくり

同社は2020年から淡路島へ本社機能を一部移転し、未来の都市や働き方のあり方の検討を行ってきた。

21年11月には淡路島にアバター人材育成とアバターを活用したアウトソーシング（BPO）拠点として「淡路アバターセンター」を設置している。アバターに関する操作や接客スキルなどをトレーニングするとともに、販売・営業・受付・案内・相談などの対人接客業務を遠隔でアバターが遂行するBPO（業務委託・請負）サービスを受託する。

さらに、淡路島をモデルケースとして、メタバース上での業務・観光・生活の事業を実証することを目指す。Web3の世界における社会課題の解決に向けて、「メタバース×淡路島」をテーマに事業開発を行っていく。

日本では、労働市場が東京一極集中となっているが、それは地方に魅力的な仕事が少なかったからだと見る。メタバース活用により地方・淡路島から新しい魅力的な産業・未来の働き方を作り上げていく。

具体的には、淡路島の観光施設のメタバース化など、街づくりのアイデアをメタバース上で仮想的にPoCやシミュレーションを実施した上で現実での都市づくりにも活かす、というものだ。それとともに、現実空間の淡路島を、メタバースを含めた新産業の集積地としていく方針だ。

同社はWeb3の世界で今後必要とされる人材を育成し、裾野を広げるための人材育成プログラムを検討している。産業構造の転換にあたり、育成の必要が出てくる人材としては、DX人材はもちろんのこと、メタバースディレクター、メタバースプロデューサーなどだ。淡路島を起点に社会課題解決×メタバース×Web3の事業を開発し、日本のみならずグローバルに展開す

［図表12-7］パソナによるメタバース本部

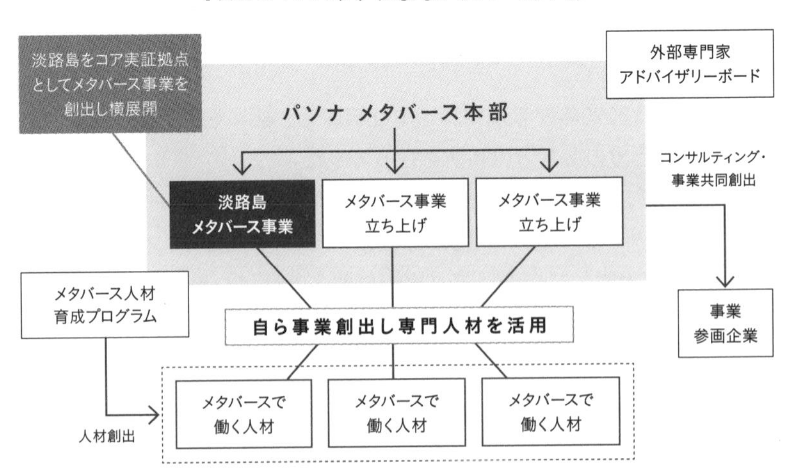

ることをねらっている。

メタバース事業プロデュース企業として産業・企業を引っ張る

同社はメタバースやWeb3などの業界専門家をアドバイザリーボードとして招聘するとともに、外部起業経験者や、自社新規事業経験者等の知見を掛け合わせていく。メタバース事業のプロデュース能力を強化し、自ら事業を生むことを目指す。現在同社は、メタバースと人材・業務・教育・医療・都市・防災・展示会・農業などを掛け合わせ、幅広い領域で自社の新規事業創出を検討している。メタバース本部とともに、多くの若手を中心とした社員がアイデアを出し合い自社として主導的に事業を創っているのだ。

収益源としても人材サービスだけではなく、事業そのものや、そこで培った知見をもとにしたコンサルティングでの収益を得ていくモデルを検討する。DXについては日本は他国の後塵を拝してしまったが、これから市場が生まれるアーリーアダプター期であるメタバースにおいては、スピード感を持って取り組めば、日本が世界をリードできるとみる。

同社は人材会社の領域を超えて、事業自体を顧客企業と共同で作り、主導的に市場・産業をグローバルで創出する。企業を自ら引っ張るとともに、その産業に必要な人材サービスを提供していく方針だ。

第13章

キープレイヤー ①
（産業CPSプレイヤー／ゲームエンジン）

Meta-Industrial Revolution

01

メタ産業革命におけるプレイヤー

続いて第13〜16章にかけてメタ産業革命においてキーとなるプレイヤーの構造について触れたい。メタ産業革命におけるプレイヤーマップとしては図表13-1の構造となる。

デジタル空間やデジタルサービスの入り口となるのがハードウェアだ。これはVRヘッドセットや、ARグラスなどとともに、ウェブブラウザやモバイル端末も含まれる。

その上で、デジタル上での取り組みを支える各種通信企業、クラウド企業、半導体企業が存在する。その土台のもとで、メタバースプラットフォームとそこに属する各種ワールド、デジタルツイン基盤やそのアプリケーションが存在する。

そして、デジタルツインやメタバースの3D空間を広範囲に支え、重要性が増してきているのがゲームエンジンプレイヤーだ。

CPSの生成手法にもとづくキープレイヤー

前述の構造の中で、本章では産業CPSプレイヤーについて触れたい。産業CPS(デジタルツイン・メタバース)のプレイヤーは大きく4つに分かれ、その組み合わせによって生成されている。PLM・BIMなどの設計情報、機器センシング情報、衛星データ、ゲーム技術がそれにあたる。

従来のデジタルツインの主要な用途である製造業や建築業等の製品・機器・建設物などの可視化やシミュレーションにおいては3D設計データが土台となっていた。それが建設現場の環境や都市・モビリティなど、メタ産業革命の範囲が広がる中で、それらと衛星データや機器を通じたセンシングとを組み合わせたCPS生成が重要になってきている。また、3D空間の生成で長け

［図表13-1］メタ産業革命のプレイヤーマップ

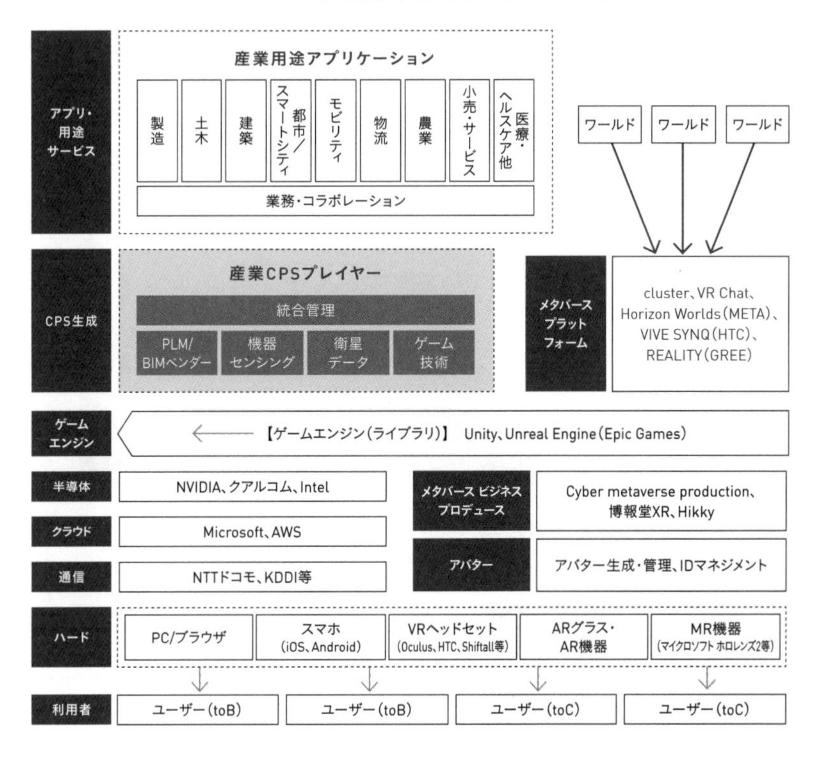

ているゲーム領域でノウハウを蓄積したプレイヤーが、産業領域でも展開を行っている。

これらCPS生成においては、アプローチによって強み・特徴が異なり、有効となる業界や工程・用途が異なるため、使い分けていくことが重要となる。

デジタルツインプラットフォーマーとしてのPLMプレイヤー（DAPSA）

先述の通り、設計情報を起点とするデジタルツインにおいてはCAD／PLMやBIMプレイヤーが中心的役割を演じる。これらの企業を筆者の造語として「DAPSA(ダプサ)」と呼びたい。DAPSAは、ダッソー・システムズ(仏)、アンシス(米)、PTC(米)、シーメンス(独)、オートデスク(米)の頭文字をとった略語であり、拙著『製造業プラットフォーム戦略』で提示した造語である。

DAPSAは製造業や建設・都市など広範囲でデジタルツインを展開して領域を拡大するとともに、有望技術を持つスタートアップを買収し、合従連衡が進む中でその存在感を高めている。まず、各社の取り組みについて触れたい。

［図表13-2］**デジタルツインプラットフォーマーDAPSAの展開領域**

BtoCにおけるプラットフォーマーGAFA	産業デジタルツインにおけるプラットフォーマDAPSA		本社国	設立年
G	D	DASSAULT SYSTEMES	仏	1981年
A	A	Ansys	米	1970年
F	P	ptc	米	1985年
A	S	SIEMENS	独	1847年
	A	AUTODESK	米	1982年

02

DAPSA①：ダッソー・システムズの取り組み

バーチャルツインで産業・都市の持続可能性を支える

ダッソー・システムズは1981年設立のフランスのバーチャルツイン（同社におけるデジタルツインのこと）企業である。3DEXPERIENCE（3Dエクスペリエンス）をコンセプトに、産業の設計・エンジニアリング—工程／ライン設計—製造／施工—販売・サービスなどの横断領域をデジタルでつなぐポートフォリオを有し、スマートシティ・都市においてもバーチャルツインを展開している。

ラインにおける人間の負荷シミュレーションや、リサイクルプラスチックの設計活用検討、CO_2排出シミュレーションなど、企業・都市のサステナビリティを支える取り組みも強化している。

シンガポールをまるごとデジタルツイン化

同社の国家・都市のデジタルツインの事例として、シンガポールについて触れたい。シンガポールでは、GISデータ（地理情報データ）やBIMなどをベースに国家全土を丸ごと3Dバーチャルツイン化し、リアルタイムで都市情報を可視化する「バーチャル・シンガポール（Virtual Singapore）」が展開されている。

これは、Smart Nation政策にもとづいて、国立研究財団（NRF）、シンガポール首相官邸、シンガポール土地局（SLA）、シンガポール政府技術庁（GovTech）によるプロジェクトであり、地形情報・建物・交通機関・水位・人間の位置などのリアルタイムデータを統合し、3Dモデル化するというものだ。

［図表13-3］Virtual Singaporeによる都市の3D化

出所：ダッソー・システムズ

デジタルツインのシミュレーションにより都市課題を解決

例えばシンガポールでは、かつて縦割の組織構造で重複した工事計画の乱立や、都市計画における無駄が発生してしまっていた。これをデジタルツインで可視化し、各インフラを整備する計画の最適化が図られている。

工事計画では、各省庁横断で建設後の人・車の流れの変化をシミュレーションできるほか、工事状況や交通情報をリアルタイムで共有できるため、渋滞緩和策や工事効率化のための検討が行われる。

その他デジタルツイン活用により、効率的な発電のための太陽光発電パネルの設置場所検討など国家全体としてのエネルギー効率最大化、インフラオペレーションのリアルタイムでのモニタリング、物流・人の移動・渋滞の解消や公共機関の最適化・改善、風の流れのコントロールによる都市の体感温度の低下――といった効果が生まれている。

同社はフランスのレンヌ市他でもバーチャルツインを活用した都市計画・運営を支援しているとともに、国内でもけいはんな学研都市をはじめとする各都市の実証実験に参画している。

［図表13-4］Virtual Singaporeにおける都市デジタルツインを活用した分析

出所：ダッソー・システムズ

03

DAPSA②：アンシスによる取り組み

デジタルツイン展開企業も支えるプラットフォーマー

アンシスは1970年設立のCAEを中心としたシミュレーション技術に強みを持つ米国のデジタルツイン企業であり、GE風力発電機においても活用されている。

アンシスのデジタルツインの特徴は、同社が持つエンジニアリングシミュレーション技術を基本として、SAPやPTC、マイクロソフト、GEなどのIoTプラットフォームを利用したデジタルツインソリューションを企業の基盤技術として提供していることにある。

同社は強みである個別製品・設備などのデジタルツインとともに、それを拡張し複数要素をつなぐデジタルツインであるSoS（System of systems）デジタルツインを展開している。

複数要素を統合するSoSデジタルツイン

スマートシティや自動運転、空飛ぶ車などのように、個別のハードウェア・ソフトウェアだけでなく、複合要素が連携して動くシステムやビジネスが増えてきている。複雑なシステムは、各個別システムや、それらを構成するサブシステムなど、「システムの集合体」（System of systems）となっている。これら各システムの目的・ミッションをつなぎ合わせてシミュレーションを行う統合型のデジタルツインがSoSデジタルツインだ。

例えば図表13-5の左が空飛ぶ車、右が自動運転におけるSoSデジタルツインの例だが、ハード・ソフトウェアとともに、各種センサーや他車両との連携、通信ネットワークとの連携、各種建物・インフラなど複数のシステムなどを連携したシミュレーションを行う。

同社はアンシスのデジタルツインとともに、他領域の個別デジタルツインとつながるプラットフォームとしての位置づけを目指す。今後、複数システム連携や都市・社会・国家レベルへと課題が複雑化する中で、SoSデジタルツインの強化を図っていく計画だ。

[図表13-5] **Ansysの提唱するSoS**（System of systems）**デジタルツイン**
（左）**空飛ぶ車シミュレーション、**（右）**自動運転シミュレーション**

出典：Ansys

04

DAPSA③：PTCによる取り組み

設計デジタルツインとAR/IoTで、デジタルと物理空間をつなぐ

PTCは1985年設立の米国に本社をおくソフトウェア企業で、デジタルツインの情報を活用したソリューションを提供している。PLM・CADの製品や、設計、稼働データを基軸として現場からデジタルへデータをフィードバックするIoTと、デジタルデータを現場で活用するARを組み合わせた展開を行っている。

ボルボや建設業といった産業領域のみならず、小売、広告・コンテンツなどでARを使った取り組みをしている。これにより、リッチな顧客体験を提供する広告コミュニケーションや、バーチャル試着などの付加価値を提供している。

産業領域で培った3D設計モデルのノウハウを活かして、非産業・エンターテインメントなど、幅広い領域でデジタルと現実世界の間をつなぐ。

［図表13-6］PTCの小売・コンテンツ領域でのARの取り組み

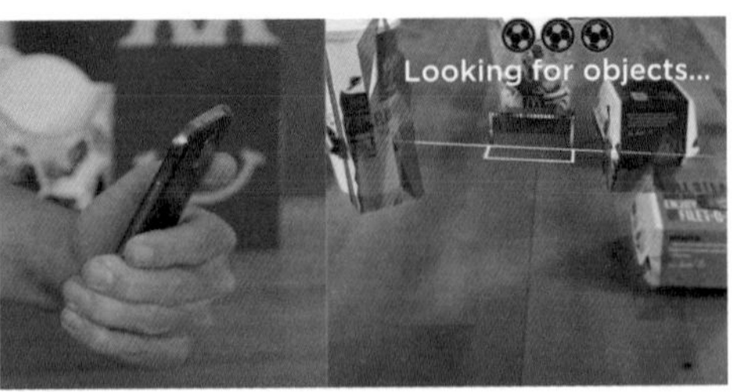

出典：PTC

ARを活用した仮想機器制御

PTCはARを通じて仮想空間上に制御ロジックをモジュール化して表示し、その組み合わせにより制御モデルを構築するあり方を提示（図表13-7）している。ローコード開発・ノーコード開発などでは、ブロックを組み合わせて開発する手法が広がっている。

これを機器に仮想的に紐づけた制御ブロックを現実空間に投影し、機器の動作を確認しながらARコンテンツでモデリングのモジュールを組み替えて制御をしていくというものだ。

［図表13-7］**PTCの提唱するARモジュール型制御**

出典：PTC

05

DAPSA④：シーメンスによる取り組み

1兆円規模の買収でデジタルツイン企業へ

シーメンスは1847年設立の、ドイツに本社を置くコングロマリットである。1兆円以上の資金を投じてソフトウェア企業を買収し、重電をはじめとする製造企業から、デジタルツインを中心としたソフトウェア企業へと大きく転換している。

製造業の章で紹介した自動車会社のマセラッティや、ビンファストの事例のように、製品設計から製造ライン設計、製品動作まで包括的なデジタルツインを提供。組立・プロセス産業を含む製造業向けや、鉄道・発電等のインフラ向け、スマートシティ向けなど幅広い領域でデジタルツインを展開している。

プロセス産業におけるデジタルツイン

先述した組立産業（自動車・電機など）とともに、プラント産業（化学・鉄鋼など）でもデジタルツイン提供を行っている。加工―搬送―組立など各ラインが個別に存在している組立産業と比較して、プラント産業は配管などでラインがつながっている。全体の反応を最適にマネジメントしなければ爆発や火事などにつながりかねないため、DCS（Distributed Control System）と呼ばれる制御システムで全体統合・制御されているのだ。

組立産業においては、レイアウトなどによる生産性のシミュレーションが重要であったが、プロセス産業においては配管や反応炉内など見えない部分の化学反応や状態のシミュレーションが重要となる。

シーメンスは幅広いプロセスのシミュレーションを提供している。コロナ禍のワクチン製造においても、迅速なライン検討・立ち上げなどに同社のデジタルツインが貢献した。

［図表13-8］プラント領域の反応シミュレーション

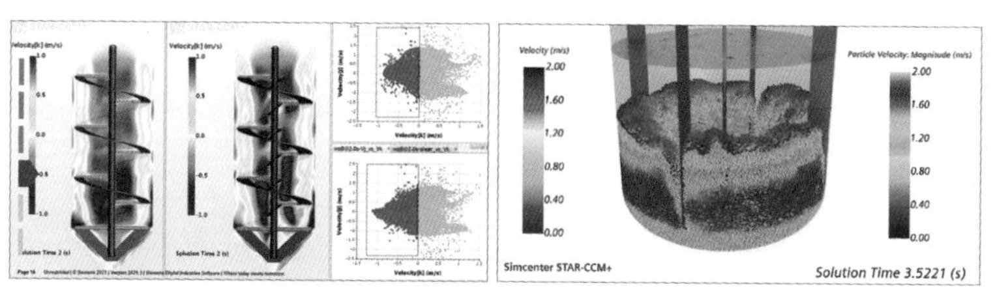

出典：シーメンス

プロセス産業では、プラントの異常時の対応が現場の熟練ノウハウとなっており、これらの標準化や技能伝承が求められている。この領域においても、実際に異常時を経験する機会は限定的であるため、デジタルツインのシミュレーションやメタバースとしての仮想体験が重要となる。

同社はバーチャル上のプラントで異常事態を仮想体験し、対応をシミュレーション・トレーニングする仕組みを提供することで、顧客プラントの安心・安全を支えている。

［図表13-9］プラント領域の異常時対応シミュレーション

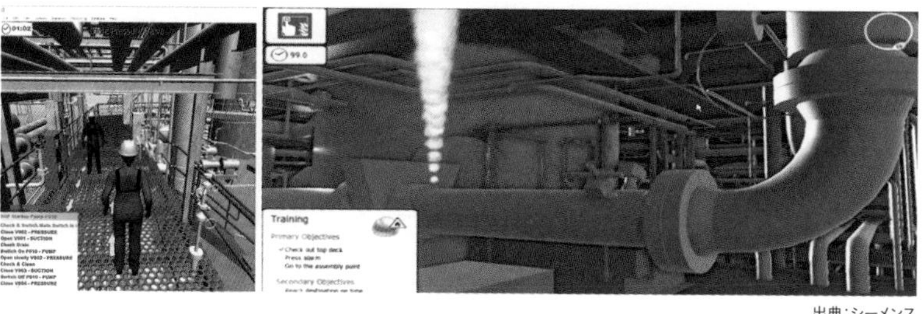

出典：シーメンス

06 DAPSA⑤:オートデスクの取り組み

産業やエンターテインメントの3Dを支える

オートデスクは1982年設立の米国に本社を置くソフトウェア企業である。3D設計ソフトウェアに強みがあり、製造業・建設・都市などの産業に限らず、ハリウッドをはじめとしたエンターテインメント・コンテンツ産業など幅広い領域の3Dを支えていることが特徴だ。

産業領域とエンターテインメント領域の3D技術の融合が図られていることについてはすでに述べたが、その双方のポートフォリオを持っているのが同社だ。建設領域で取り上げたとおり、建設・都市のBIMについてグローバルで強いプレゼンスを有する。

本書で紹介した清水建設による豊洲のケースをはじめ、米国ワシントンDC、仏パリ、インドのムンバイなど、グローバルにスマートシティのデジタルツインを支えている。

建設と製造業の複数領域を繋ぐデジタルツイン

産業領域においては、例えば、製造業向けデジタルツインと、都市・建設業の設計ツール・デジタルツインであるBIMの双方をポートフォリオとして持ち、複数領域をつなぐデジタルツインを提供できることが同社の強みとなっている。工場の施設と連携したライン設計を行っているほか、建材メーカー向けにおいては、彼らが持つ製品3Dデータと、顧客であるゼネコンの建設物3Dデータ(BIM)との連携が行える。

東芝エレベータはオートデスクのデジタルツイン活用を通じたビジネス・オペレーション変革を目指し、ゼネコンの建物設計と自社エレベーター製品の3D図面を連携し、顧客との設計のすり合わせを効率化している。

従来は図面ベースでのコミュニケーションしかなく、変更依頼があった際には持ち帰って図面を変更し、再度すり合わせをし、といったことを繰り返す必要があった。その結果、設計リードタイムがかかるとともに、ゼネコン側もエレベーター部分の設計変更を建築プロジェクト全体のモデルに反映させなければならなかった。

デジタルツイン活用により、ゼネコンの3Dデータと自社エレベーター製品のデータを連携させ、顧客の要望に合わせて迅速に対応することが可能となった。自社設計効率向上・リードタイム削減と、顧客満足度を高めることを同時に実現している。

[図表13-10] **建設と製造を繋ぐデジタルツイン**(東芝エレベータ)

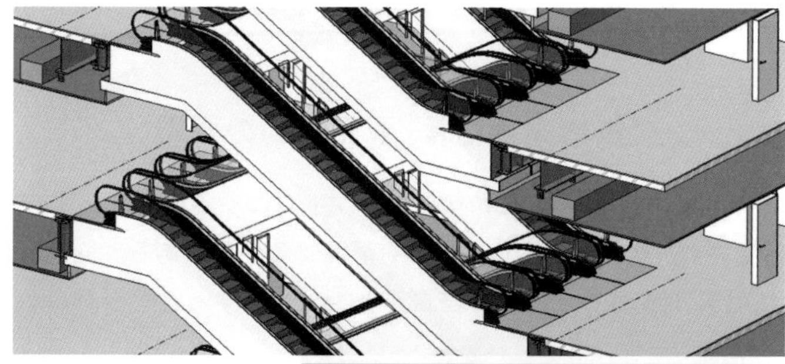

出典:Autodesk・東芝エレベータ

07 センシングデータによるCPS生成：ソニーグループ

先述のとおり、デジタルツインの範囲の拡大や複雑性が増す中で、設計情報とともに、センシングデータをもとに補完を行う必要が生まれている。

例えば、モビリティ領域で触れたダイナミックマップ基盤は車両がセンシング接点となっており、インフラ管理領域で触れたイクシスは社会インフラの検査ロボットが接点となりCPS生成を行っている。

日本は機器やエッジ領域の技術に強みを持っている。またメタバースの文脈においては、身体をセンシングしてアバター化する技術なども重要となる。以下、センシングの技術を活用し、メタバース展開を行っているソニーグループの取り組みを紹介する。

センシング技術を活用し、現実空間の再現

ソニーグループは1946年にエレクトロニクスを祖業として設立され、現在では多様な事業を展開する企業である。同社はカメラ・センサーでリアル空間をセンシングすることが強みの一つだ。

デジタルツイン・メタバース時代においては、これらセンシング技術を通じて現実世界を精緻に3次元化する技術が武器になると見る。ボリュメトリックキャプチャ技術（実在の人物や場所を3次元デジタルデータに変換し高画質に再現する技術）や、センサーでエッジ処理をして3Dデータ化もできるAI搭載センサーなどが挙げられる。

［図表13-11］ソニーグループによるメタバース関連の展開

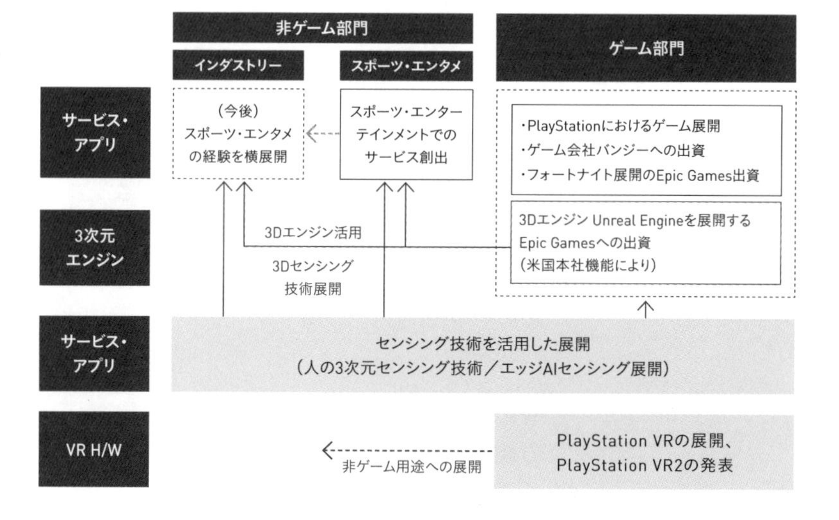

スポーツ・エンターテインメント領域で技術を蓄積

同社は技術革新が早く、新しい技術の活用に積極的なスポーツや、エンターテインメント領域で技術やユースケースの蓄積を進める。

例えば英国のプロサッカークラブのマンチェスター・シティと提携し、メタバースを活用したファンエンゲージメントに関する取り組みを行っている。ホームスタジアムのエティハド・スタジアムをメタバース空間上に再現し、グループ会社ホークアイ・イノベーションズのトラッキングシステムのデータをもとに、選手やボールの動きをリアルタイムで高精細に再現する取り組みや、アバターを通じてファン同士が交流できるサービスを提供する予定だ。

マンチェスター・シティは比較的ファン層が若く、デジタルマーケティングなどで先端技術を活用することに積極的なため、今回の提携に至った。今後アーリーアダプター層のスポーツやエンターテインメントで技術やノウハウを蓄積し、他産業への展開も見据える。

［図表13-12］マンチェスター・シティとのメタバースの取り組み
（左）スタジアムのメタバース空間での再現、（右）トラッキングシステム

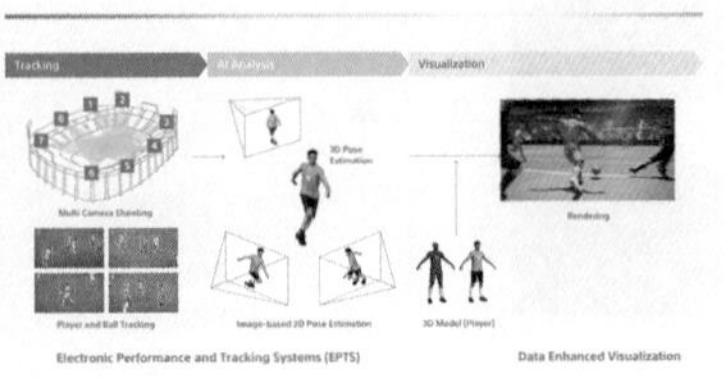

出典：ソニーグループ

ゲーム分野とビジネス分野を活用した ソニーの総合力で展開

同社は上記のビジネス領域と、ゲーム領域の総合力も強みとなる。メタバースのインターフェースとなるVRハードウェアとしては「PlayStation VR」を展開しており、「PlayStation VR2」もコンセプトや本体外観が発表されている。PlayStation VRは、ゲームの領域に限らず幅広い分野で用途展開を進めるものとみられる。

また、メタ産業革命のキー企業であり、メタバース空間を提供しているゲーム「フォートナイト」や、あらゆる3次元エンジンのUnreal Engineを展開しているEpic Gamesに出資し、連携を強化している。今後ゲーム・非ゲームのそれぞれの強みを活かしメタ産業革命時代のキープレイヤーとして競争力を発揮することが想定される。

［図表13-13］PlayStation VR2

PlayStation VR2

出典：ソニーグループ

08 衛星データを活用：スペースデータ

デジタルツインやメタバースの対象が都市空間など広大になる中で、衛星を活用したCPS生成がキー技術となる。以下にてスペースデータ社の取り組みを紹介したい。

衛星データを活用し世界中の都市のデジタルツインを生成

スペースデータは2017年に連続起業家の佐藤航陽氏によって設立された宇宙開発企業である。同社は人工衛星から取得する地上観測データと、AI・3DCG技術を組み合わせて地球・都市のデジタルツインを生成する技術を展開している。

日本のみならず、ニューヨークなどの海外都市のデジタルツインの生成に成功しており、今後、グローバルで都市3Dモデルの生成を図る。

同社のデジタルツイン生成のプロセスとしては衛星から地上の静止画像と、標高データ（DSM：数値表層モデル・DEM：数値標高モデル）を取得する。そのデータを機械学習し、地上の構造物

[図表13-14] スペースデータ社の衛星データを活用した都市デジタルツイン生成プロセス

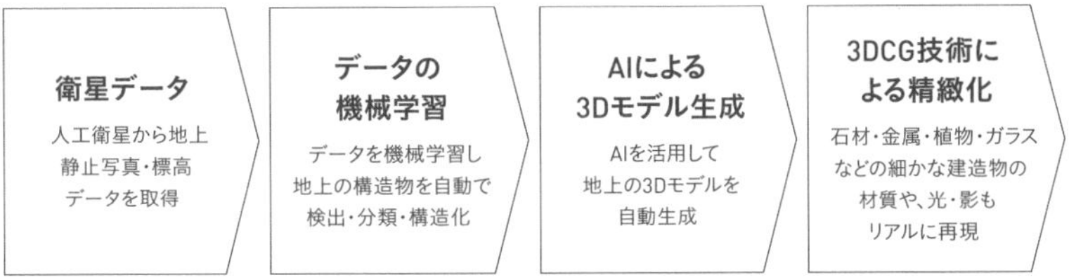

衛星データ	データの機械学習	AIによる3Dモデル生成	3DCG技術による精緻化
人工衛星から地上静止写真・標高データを取得	データを機械学習し地上の構造物を自動で検出・分類・構造化	AIを活用して地上の3Dモデルを自動生成	石材・金属・植物・ガラスなどの細かな建造物の材質や、光・影もリアルに再現

を自動で検出・分類・構造化する。その上でAIを活用して地上の3Dモデルを自動生成し、3DCG技術によって石材・金属・植物・ガラスなどの細かな建造物の材質もリアルに再現するのだ。

同社の強みは衛星・AI・3DCGの3つ技術を複合的に有していることだ。これら技術は複雑であり、通常、個別要素ごとに専門企業が分かれる。当該技術を統合的に扱える企業は限られており、今後、グローバルにおけるデジタルツイン・メタバースプラットフォーマーとしての展開拡大を加速する。

図表13-15がニューヨークと新宿の衛星データにもとづくデジタルツインデータだ。同社は世界全体での横展開が可能とみている。

［図表13-15］**スペースデータ社技術を活用した都市のデジタルツイン（左）ニューヨーク、（右）新宿**

出典：スペースデータ

法律・規制にも準拠したグローバルに拡大可能なモデル

同社の特徴は法律や規制などにも準拠したスケーラブルな形式であることだ。

従来の衛星を活用した3Dサービスでは、写真に写り込んだ看板や広告などの肖像権や著作権をクリアしない状態で提供されることが多い。これらデータを企業がそのまま活用するのは法的にグレーとなる。

同社の技術は、地上の構造物を学習させた上で、AIによって看板などを除き、特徴量・属性データ（高さ・デザイン・形状・階数・屋上の形状・看板の有無など）を捉えた3Dモデルを新たに自動生成する手法をとる。
　その結果として、ユーザー企業は法律・規制などの影響を受けることなく3Dデータを活用できる。そのため、技術者やクリエイターが、自動運転・空飛ぶ車など新技術のシミュレーションや、自社サービス・コンテンツでの活用において、現実に即した3Dモデルが活用できるのだ。

メタバースの一人称での活用や、クリエイターの開発に適したデータ

　3Dモデルの作成技術としては、複数の写真を合成して再現するフォトグラメトリー手法が主流である。その場合、航空・衛星写真の撮り方・解像度に依存してしまう。解像度の観点で限界が存在するとともに、写真撮影時点の影などがそのままモデルに取り込まれてしまっていた。
　その結果、近距離になると空間の解像度が劣化してしまうことや、光や影などをリアルに再現できず、VRやメタバースなどで空間を歩き回る上での課題が存在していた。同社のモデルは、新たに生成する3Dモデル自体が複雑な構造情報を持っているため、ガラスのデザインや鉄のフレーム、柱などとともに、反射や影などを3Dモデルで表現することができる。加えて、クリエイターや技術者が個別のニーズに合わせて柔軟・容易にカスタマイズできることも強みだ。

デジタルツイン・メタバース時代のグローバルプラットフォーマーへ

　同社はこれらの技術を活用して、衛星データから現実世界をデジタル空間上に再現し、様々な用途に使えるプラットフォー

ム「OpenEarth」をリリース予定だ。

ビジネスモデルとしては、3Dモデル提供のSaaS型を志向しており、全世界のあらゆる場所の3Dモデルがダウンロードできる。

VRや3Dモデル業界では、受託開発・スクラッチ開発が多いが、同社が企業や資金力のない個人の開発者向けに安価でプラットフォームとして提供することで業界全体を活性化する。メタバース・デジタルツイン時代で拡がる3Dデータの「民主化」を支えるのだ。

後述の3D環境の2大エンジンであるUnityやUnreal Engineにも対応しており、同社の属性データをこれらを通じて表現することも可能である。

サービスを英語・中国語・日本語に対応させており、これらグローバル市場でプラットフォーマーとなる展開を加速する。

［図表13-16］OpenEarthプラットフォーム

現実世界のデータ
衛星データ
人流・交通量
昼夜・四季・天気
潮流・植物分布
夜間光量 etc

スペースデータ社
OpenEarthプラットフォーム

デジタルツイン・メタバースの用途
to C ゲーム・エンタメ・コミュニケーション向け
To B 産業向け
ゲーム開発/VR
映像制作・ライブ
メタバース空間
デジタルツイン・シミュレーション（都市・防災/防衛、自動運転等）

事業者に対する3DデータのSaaS提供により、
デジタルツイン・メタバースの民主化を図る

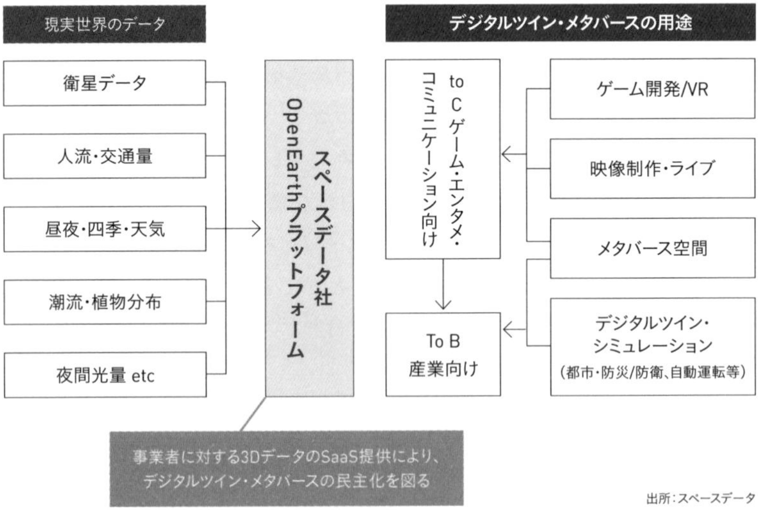

出所：スペースデータ

参考書籍

・『世界2.0～メタバースの歩き方と創り方～』（佐藤航陽氏著・幻冬舎）

09 ゲーム技術を通じたCPS構築(JP GAMES)

デジタルツイン・メタバース時代には、ゲームエンジン技術をはじめとして、ゲームと産業での活用の垣根がなくなっていく。ゲーム領域で培った技術を他産業で展開していくプレイヤーが今後増えることが想定される。以下に取り上げるJP GAMESは、そうした企業の一例である。

FFXVのディレクターによるゲーム技術会社

JP GAMESはスクエアエニックスのファイナルファンタジー(FF)XVのディレクターであった田畑端氏が2019年に創設したゲーム開発企業である。田畑氏のFFチームのゲームの創り方は「遊び」としてゲームを作るのではなく、「世界」としてゲームを作り、

[図表13-17] 田畑氏がディレクターを務めたファイナルファンタジーXV

出典:スクウェア・エニックス

その中にシナリオやシステムを埋め込み、高精度な仮想世界を生んでいく。このアプローチはメタバースが広がる中で、他産業にも応用が利くとみる。

ANA GranWhaleの開発

2021年にはパラリンピックのパートナーとして、その世界観を再現した仮想の街を作り、ユーザーが住民となりパラリンピックを体験するスマホアプリ「The PEGASUS Dream Tour」を開発した。

このパラリンピックで同じく公式スポンサーであったANAと合弁会社ANA NEOを設立し展開しているのが、本書でも紹介したバーチャル旅行プラットフォームのANA GranWhaleだ。

物理的な旅行には大きな費用がかかり人生で行ける回数は限りがあるとともに、コロナ禍などで移動の制約も存在する。また、身体的制約からすべての人が旅行に行けるわけではないのが現状だ。旅行の楽しさや経験を共有する上で、メタバース旅行で価値提供したい考えだ。

同社は単なる現実世界の転写ではなく、旅から旅をまたがって移動していくことなど「現実を超える」非日常の顧客体験の提供が重要と捉えている。ANA GranWhaleでは、メインとなる都市はANAと各都市との提携のもと公式にコンテンツを作り上げるが、バーチャル旅行世界のUGC化も見据えている。現地の風景写真から仮想空間化して世界中の土地を旅行できる世界を作るのだ。

現地の住民や旅行者が撮影した街の写真をもとに3D化し、ユーザーが創る世界を別のユーザーがメタバース旅行するという循環を生み出す。

プラットフォーム化による他産業展開

これらの技術を他産業に汎用的に活用できる形でメタバース空間エンジンとしてプラットフォーム化したものがPEGSUS WORLD KITだ。FFの仮想空間創造のアプローチを活かした高品質な世界を作るエンジンを目指す。

ゲームエンジンにはUnreal Engineを土台として活用しており、仮想世界の構築とサービスに必要な機能をモジュール化し、3Dやゲームエンジンの取り扱いに慣れていない企業であってもより簡単にメタバース世界を構築できるようにしている。

同社はこのプラットフォームは、ANAとANA GranWhaleの取り組みにとどまらず、娯楽・小売・教育など幅広い産業での活用用途があるとみる。

例えば歴史教育は従来「見る・読む・知る」というプロセスであるが、これに過去の歴史的出来事をメタバース上で「実体験する」ことが加わることにより、学びの深さが変わると見ている。

同社はメタバース空間がアプリの次の世代のインフラになるとみている。バーチャル旅行にとどまらず、ロボット共生をはじめ、時代や社会の未来を先取った世界を作り、現実を主導して進化を起こしていく考えだ。

今後企業のメタバース・トランスフォーメーションを支える存在となるべく、ゲーム技術の産業横展開を図る。

［図表13-18］PEGASUS WORLD KIT

出典：JP GAMES

10 ユーザーがカスタマイズ：シンメトリーディメンションズ

デジタルツインの対象として、製造業・建設業から都市などへと範囲が拡がると、既存のデジタルツインのソフトウェアやアプリケーションのみではカバーできない領域も生まれる。その際には、それぞれのデータや分析エンジンなどをつなぎ合わせ、ユーザーの特有の課題・要件にそったデジタルツインへとカスタマイズすることが重要となる。

BIM、各種点群データなどの3Dモデルや、都市型デジタルツインを展開するシンメトリーディメンションズを紹介する。

都市型デジタルツインのシンメトリーデジタルツイン

シンメトリーディメンションズは、2014年にCEOの沼倉正吾氏によって設立されたXR・デジタルツインを展開する企業である。創業当初のXRの開発から、2018年にデジタルツインプラットフォームの開発に事業をシフトしている。

CAD／BIMといった3Dデータや点群などの幅広いデータ分析の必要性が高まっていること、5G技術・LiDARをはじめとするセンシング技術の発展により、都市など、より広い領域でのデジタルツインの活用が拡がると捉えたことが背景だ。

同社のプラットフォームの「シンメトリーデジタルツインクラウド」は、都市型のデジタルツインであることが特徴である。産業デジタルツインの製品設計を事前シミュレーションすることや、使用データをもとに改良に活かしていくコンセプトを都市領域で展開している。提供対象としては国・地方自治体、民間企業など幅広い。

［図表13-19］シンメトリーデジタルツインクラウド

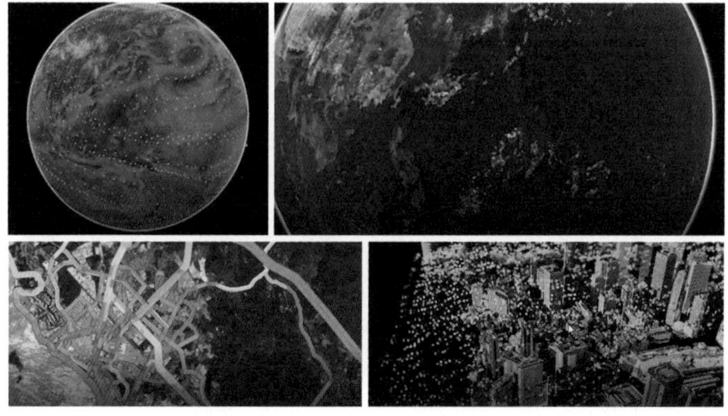

出典：シンメトリーディメンションズ

最適なデータ・分析モデルを「統合」し、組み合わせる

同プラットフォームには3Dの地球モデルが入っており、プラトーデータを含む国・自治体のオープンデータ、地図データ（GISデータ）、CADや建築・土木で活用されるBIMデータ、点群データ、時系列のセンサー・IoTデータ、企業保有データなどを簡単に接続できることが強みである。

さらに民間企業提供の人流・交通解析モデルや、熱流体解析、点群・衛星データ解析などを組み合わせて都市計画を検討する際や、災害発生時に迅速に現地情報を可視化・共有するなどの目的で活用されている。

同社は多くの設計ソフトウェア企業がパッケージ提供しているデジタルツインでは必ずしもユーザーの個別案件に最適な分析モデルが揃っているとは限らないと捉えている。同社のデジタルツインは、ユーザーにとって最適な形でカスタマイズできることが強みだ。

産業領域と比較しても、都市はより多くのデータを接続し、分析することが求められる。同プラットフォームは都市デジタルツインの複雑さ・多様さに寄り添うデジタルツインであると言える。

今後は同プラットフォームを活用して、インテグレータやアプリケーション企業などのパートナーが新たなビジネスサービスを作っていく経済圏も創出する。また、デジタルツインでの分析結果を様々なデバイスで可視化・共有できるようになっている。これによりPCでのブラウザ以外でも、モバイルや、AR／VRデバイスなど用途に応じた可視化を行える。

さらに分析・シミュレーション結果をAPI連携し、自社のサービスに組み込んで活用することができるなど、柔軟で利便性が高いことが特徴だ。

［図表13-20］シンメトリーデジタルツインクラウドの構造

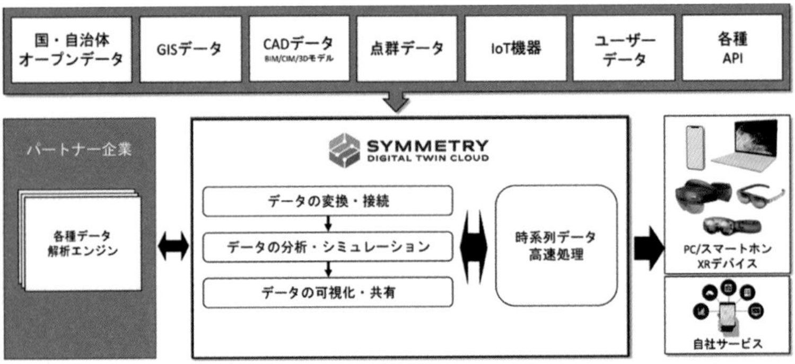

出典：シンメトリーディメンションズ

渋谷や東京都のデジタルツインプロジェクトに参画

同社は渋谷区や、渋谷未来デザインと共同で「デジタルツイン渋谷プロジェクト」を展開している。渋谷全体のデジタルツイン化にあたっての第一弾として、緑道の再開発を行う街区において、住民のアイデア・意見を取り入れられるデジタルツインを構築している。2.6kmの緑道の点群データや国交省のプラトーのデータなどにもとづき作成されたデジタルツインに住民がブラウザ、モバイルでアクセスできる。

今後は土木分野の配管のデータや、住民の施設やイベントなどへのニーズ・要望を反映させていき、住民との合意形成のデジタルツインと、区の管理・維持管理としてのデジタルツインの実証を進めていく計画だ。

同社は、先述の東京都による「デジタルツイン実現プロジェクト」にも参画している。ユーザーのスマートフォンで撮影された点群データを活用して、東京都のデジタルツインを迅速・正確にアップデートする実証実験を支えている。

［図表13-21］**デジタルツイン渋谷プロジェクト**

出典：シンメトリーディメンションズ

バーチャル静岡の点群化を支援し、土石流災害時に盛り土を早期発見

静岡県における2021年の土砂災害発生時の盛り土特定においても、大きな役割を果たしたことはすでに述べたとおりだ。静岡県とバーチャル静岡の取り組みで密に連携を進めており、土石流災害の際は当日に連絡を受け、翌日朝にドローンで点群・デジタルツイン化した。

最新のものと過去のデジタルツインの比較により盛り土を特定した。オンラインで災害対策チームとの打ち合わせを迅速に行い、当日の夜には市長に盛り土の存在を報告することができている。

従来は災害時の状況把握に1カ月程度かかっていたが、3Dデータを活用することにより即時に実施できたことは、メディアでも大きく報じられた。同社は都市課題やニーズが複雑化する中で、都市や都市に関する企業の活動を支えるべくデジタルツインプラットフォーム展開を強化している。

［図表13-22］**静岡県熱海市の土砂災害時のドローンでの3Dデータによる分析**

出典：シンメトリーディメンションズ

11

3Dゲームエンジン①：Unreal Engine（Epic Games）

［図表13-23］メタ産業革命のプレイヤーマップ（ゲームエンジン）

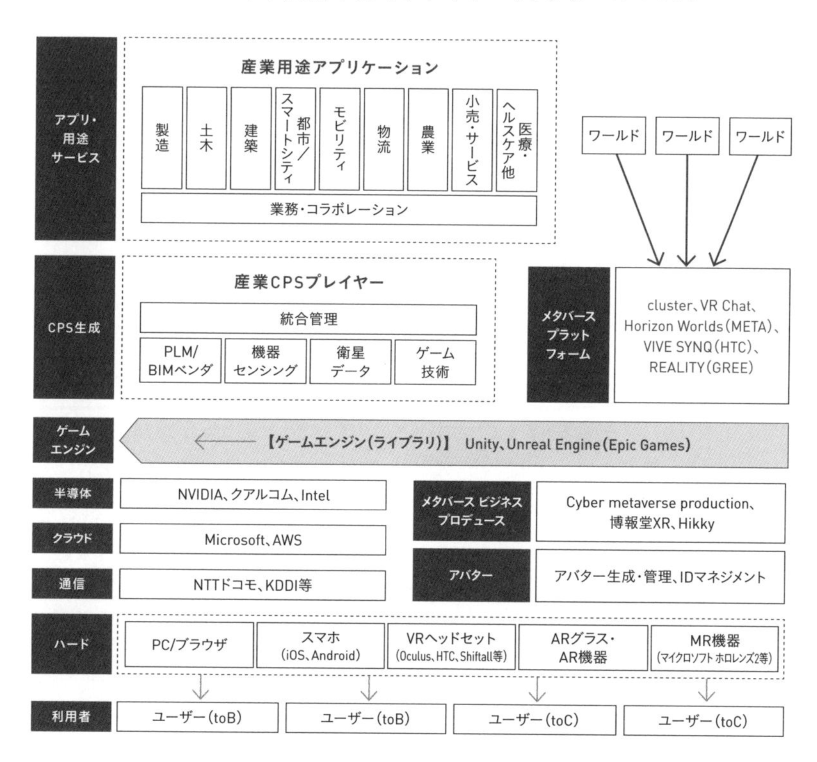

先述の通り、産業・都市・自動運転など、あらゆる領域でゲームエンジンが活用されてきており、メタ産業革命でも重要な役割を担うようになった。

ゲームエンジン内に3D空間を生成したり、シミュレーションを実施できるライブラリが含まれているほか、個別化・細分化する各種デジタルツインやシミュレーション基盤、データモデルなどを組み合わせることで、統合デジタルツイン・メタバースを実現できることが大きな価値だ。

本章では、主要なゲームエンジンであるUnreal EngineとUnityのそれぞれの動向について触れたい。

本業のゲーム技術を横展開し 幅広い産業にゲームエンジンを提供

Unreal Engineは、1991年設立、フォートナイトなどのゲームを提供しているEpic Games社によるゲームエンジンである。もともとは同社のシューティングゲームのUnreal向けのゲームエンジンであったが、これらを標準化し、ゲーム業界はもちろんのこと、都市・産業・行政などへ提供している。

先述の九州地方整備局の河川開発においてもUnreal Engineが活用されているほか、建築・都市・自動車業界・航空業界など幅広い産業での用途が広がっている。Unreal Engineの特徴としては、ゲーム業界での活用については売上の5%を課金するモデルだが、ゲーム用途以外では無料で提供されていることが特徴だ。

［図表13-24］Unreal Engineの提供スキーム

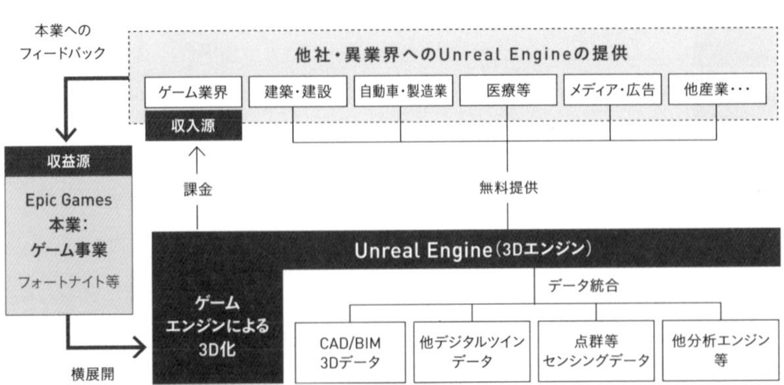

3D開発エンジンを広く提供することで、ゲーム外を含む幅広い業界での活用のデータやノウハウを蓄積し、本業のゲームにフィードバックさせるサイクルだ。

開発者エコシステムを支援しスケールを図る

同社は他産業領域へ浸透する上で、開発者エコシステムの支援に力を入れている。例えば1億ドル規模の開発者支援(Epic MegaGrants)を行い、開発者の育成・支援を行っている。また、無償のトレーニングも実施し、開発者や導入を支援する企業の裾野拡大・育成を図っている。

フォートナイトなど本業での収益を、ゲームのみならず幅広い領域で活用される3DプラットフォームとしてのUnreal Engineに投入し、次世代のビジネスモデルに向けた「投資」を行っているのだ。

物理モデルにもとづく詳細シミュレーション

3Dの表現とともに、実際の物理的なパターンに応じてシミュレーションも可能である。図表13-25の自動運転のシミュレータにおいては、道のぬかるみや、雨の際の視界なども再現し、現実世界で起こりうる様々な状況でシミュレーションが可能となっている。

これらにおいてもUnreal Engine上で道路はじめ周辺情報を3D構成し、その上で自動車のCADデータ、走行シミュレーションなどの既存データと統合してリアル環境に近いシミュレーションを行っている。

都市のシミュレーションにおいても人間の動作モデルをもとに、人流のシミュレーションや、それにもとづく街づくりを行える。また、フォートナイトをはじめ、Epic Gamesがリアリティを追求したゲーム開発で培った高精度な3D技術が武器と

[図表13-25] Unreal Engineを活用した自動運転シミュレーション

出典:Epic Games

なっており、例えば外科医の手術シミュレーションにおいてもUnreal Engineが活用されている。

同社は今後メタバースやデジタルツインにおける「インフラ」となるべく、本業としてのゲーム展開とともに、その技術・ノウハウを活かしたUnreal Engineの各産業への提供を加速する計画だ。

[図表13-26] Unreal Engineを活用した人流シミュレーション、外科医の手術シミュレーション

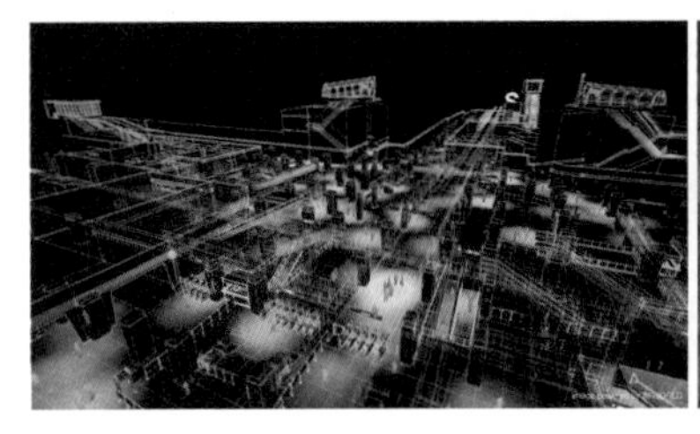

出典:Epic Games

12 3Dゲームエンジン②：Unity

個別デジタルツイン・分析モデルを統合

続いてUnityを紹介したい。同社は2004年設立のゲーム開発プラットフォーム企業である。Unreal Engineとともに世界で最も採用されているゲームエンジンである。ポケモンGO！など幅広いゲームにおいて活用されている。

産業・都市用途では、様々なデジタルツインや分析モデルが細分化しており管理が煩雑化している。これらをUnityを通じて統合して、用途や目的に応じたシミュレーションを実施できることが強みだ。

［図表13-27］Unityの展開モデル

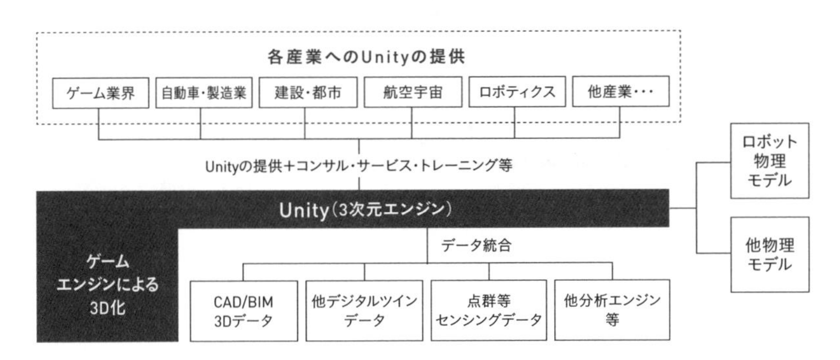

統合シミュレーション価値を提供

同社はロボットなど個別機器の制御や動作モデルなど、現実空間に即したシミュレーションが実施できることが強みだ。摩擦や抵抗などの物理計算もシミュレーションに加味することができ、自動運転や、ロボティクスなど幅広い複雑な用途で活用が進む。

ロボットのプログラミングについてはロボット企業や産業ごとに異なる言語や技術を習得する必要があったが、Unityでロボットをティーチング・制御できるようにすることで、より簡易・柔軟にロボットを取り扱えるようになる。

パッケージでのデジタルツインと異なり、自社の用途や目的に合わせて最適に調整できることも価値だ。ローコードやノーコード開発を取り入れて、今後のロボット社会、自動化社会のインフラとなることを目指す。

［図表13-28］Unityを活用したロボットシミュレーション

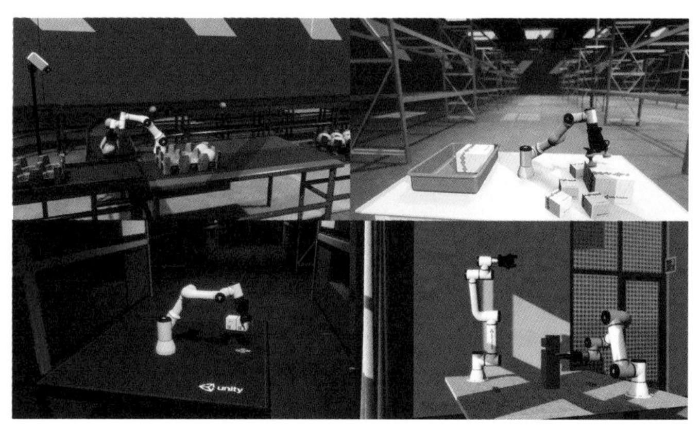

出典：ユニティ・テクノロジーズ・ジャパン

ホンダの事例：EV車のブランドストーリーを3D空間に構築

ホンダは新規自動車の設計においてUnityを活用して、ブランドストーリーを構築している。新規製品においてはその技術特性に限らず、その製品の使われるシーンや顧客体験などのブランドストーリーの訴求が重要となる。同社はUnityを活用することにより、自動車の設計・動作モデルの設定とともに、周辺の都市環境や車両、人の動きなどを3D空間に構築。ブランドの世界観・ストーリーを視覚的に表現している。

［図表13-29］HondaのEV自動車におけるブランドストーリー構築

出典：ユニティ・テクノロジーズ・ジャパン

大林組：精緻な施工管理にも活用

　また大林組では、Unityを活用して建設施工段階でのデジタルツインに取り組んでいる。建設現場では3次元の設計情報であるBIM／CIMデータ、現場周辺の環境情報である点群データ、位置情報を含む車両や重機情報データ、作業員データなどを統合管理する必要がある。

　従来は現場監督が図面を広げて関係者との打ち合わせや業務調整を行っていたが、これからはUnityを活用し複数人が3D空間で同時に、視覚的な管理を実現する。これにより、図面解釈などの習熟度によらず、また施主・ゼネコン企業・サブコントラクター企業・サプライヤーなどの幅広い主体での合意形成や調整をより迅速に実現できると期待している。

［図13-30］大林組の施工管理におけるUnityの活用

出典：ユニティ・テクノロジーズ・ジャパン

第14章

キープレイヤー②
（プラットフォーム／ビジネスプロデュース／通信）

Meta-Industrial Revolution

［図表14-1］**メタ産業革命のプレイヤーマップ**
（プラットフォーム／ビジネスプロデュース企業／通信企業）

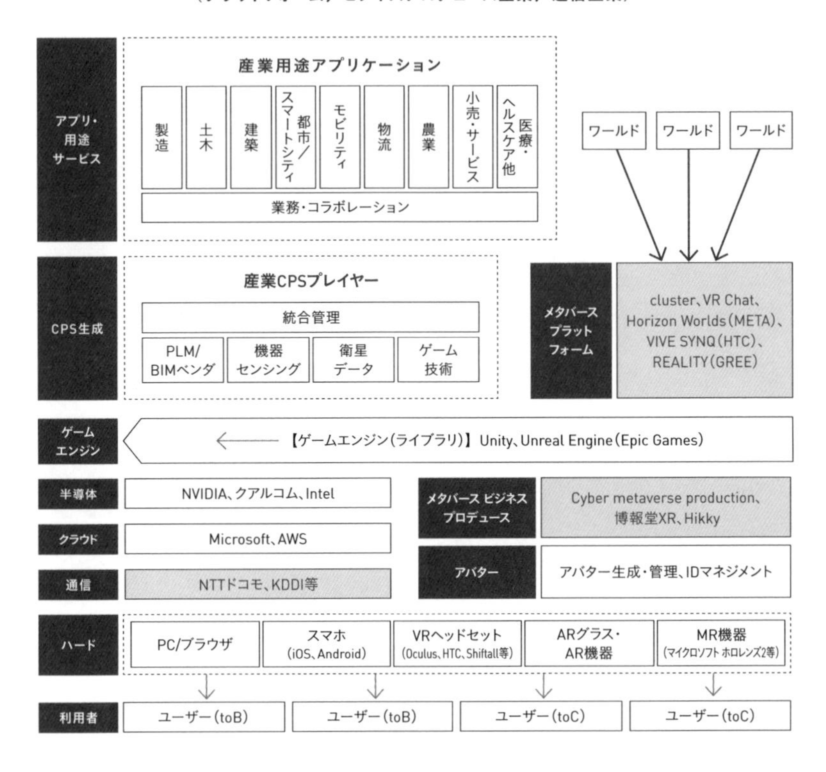

01 メタバースプラットフォーム企業：クラスター

メタバースのプラットフォームとしては、日本発のプラットフォームclusterやグリーが展開するリアリティ、米国の世界最大のメタバースプラットフォームのVR チャット、メタが展開しているホライゾン・ワールドなどが存在する。そのうち、本書でも紹介したバーチャル渋谷・大阪など多くのメタバースのワールドが展開されているクラスター(Cluster)について紹介したい。

イベント・コミュニケーションのあり方を変えるプラットフォーム

クラスターは2015年に加藤直人CEOによって設立されたメタバースプラットフォーム企業である。ユーザーがゲームやイベントなどのワールドを作り、遊ぶことや交流することができるプラットフォームだ。メタバースが注目される前の2015年から継続して展開し続けてきた技術・ノウハウが強みの源泉となっている。

法人向け展開での活用の方向性は幅広く、①現実世界のデジタルツイン再現・体験(オフィス再現など)、②デジタルで完結するイベント(カンファレンス)、③仮想の姿・未来の姿を創造して体験する(IPの世界の再現、将来の姿のPoC・アイデアソン)などだ。

先述のバーチャル渋谷・大阪などの都市領域での活用や、ゲーム・アニメ企業に限らず製造業や、官公庁・教育機関・金融機関なども含めて幅広い産業の活用が進んでいることが特徴だ。

より多くの人にメタバースに触れてもらうためにも、スマートフォン・PC・ヘッドセットなどあらゆるデバイスから参加ができる。海外からの来場者も多く、今後グローバル展開を加速させる。

［図表14-2］法人用途でのclusterの活用例

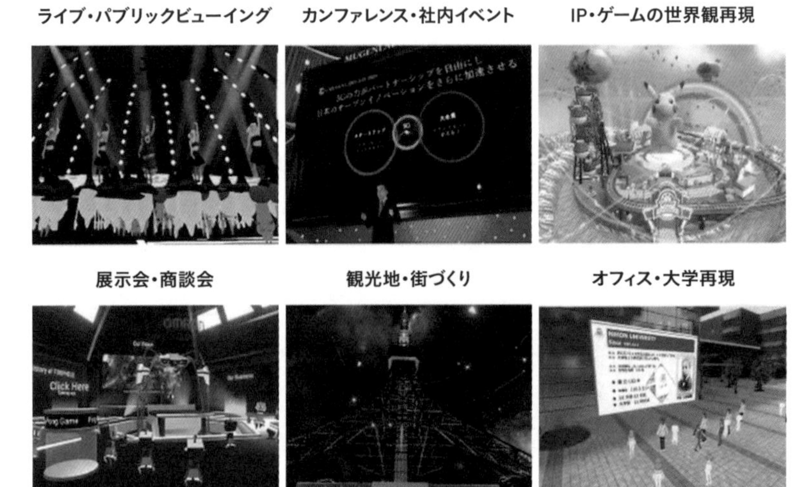

出典：Cluster

製品などデジタルツインをもとに深い関係性構築

　メタバースでの展示会やイベントなどが急速に広がった背景としては、コロナ禍の影響が大きい。現実世界でのイベント・コミュニケーションができない中での「新たな選択肢」として検討が進んだのだ。

　しかし、注目すべきはリアルイベントの開催が戻りつつある中でも、メタバースでのイベント開催の流れが企業に着実に定着しつつあることだ。従来の物理イベントでは多くの費用がかかるとともに、設置・取り壊しなどの工数や、廃棄物などが出てしまうことが課題であった。これらはメタバース上でのイベントではかからないため、費用の削減や、環境に配慮した展開が可能となる。

また、リアルイベントでは表現できなかったようなレベルで、デジタルツインをもとにした製品や技術の詳細な説明やアピールを行うことができ、より深いコミュニケーションができることも大きなメリットとなる。

例えばFA・ロボット企業のオムロンは、製品の3Dデジタルツインをクラスター上のメタバースに再現し、参加者が自社製品をより深く理解・体験できる「バーチャル展示ブース」を常設している。メタバースでのイベントを実施する際に、CADやBIMなどの3Dデータをもとに、クラスターがメタバース用にカスタマイズして展開する。

多くのメタバースイベントの経験によって蓄積された3D空間の製作スピードや品質などのノウハウを武器に、企業に対し

［図表14-3］**オムロンによるclusterでのバーチャル展示ブース**

メインエリア
オムロンのビジョンや企業理念実践の
取り組み事例を紹介しています

事業紹介エリア
オムロンが展開する4事業について
紹介します

フォルフェウス ヒストリーエリア
フォルフェウスの開発の歴史を紹介しています

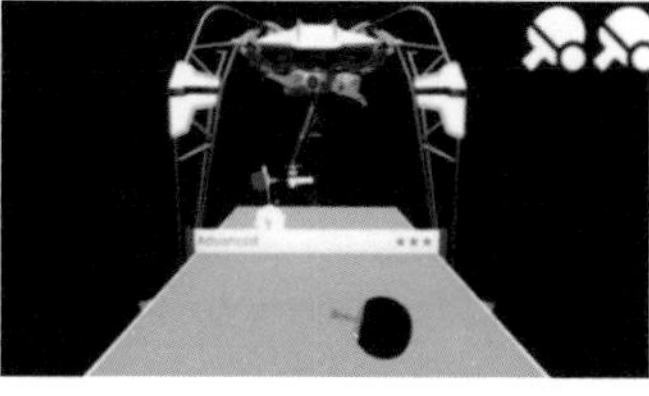

フォルフェウスとの卓球ラリー体験
フォルフェウスとの卓球ラリーを通じて
オムロンの技術コンセプトを体験いただけます

出典：Cluster

てサポートを行っている。メタバースの取り組みについて各社手探りの中で、企業に対して効果的な活用のアイデア段階からの支援や、展開にあたってのコンサルティングや伴走支援も行うことで、共同で市場を作り上げていることが強みだ。

ワールドクラフト機能を通じて経済圏を構築

同社のプラットフォームでは4万以上のワールドが、UGCとして生まれている。これらクリエイターの活動を支えるべくワールドクラフト機能も提供を開始した。これにより、アイテムを自由に組み合わせることでスマホなどを活用して容易にワールドを創作できる。

クリエイターからの反響も大きく、リリース5カ月で3万を超えるワールドが生まれている。ワールドクラフトで使えるアイテムもクラスター社の公式のみならず、クリエイターが制作し販売することができる。今後、クリエイターがより創造性を発揮できるよう、バーチャル空間を作り上げるハードルを下げて、クリエイターエコノミーを活性化させる方針だ。 従来クラスターの収益源としては、法人向けイベントを通じた収益であったが、今後クリエイターを支えるソリューションや、クリエイターエコノミーの活性化による収益をより強化していく考えだ。

参考文献
・「メタバース〜さよならアトムの時代〜」(加藤直人著(Cluster CEO))

02 メタバース ビジネスプロデュース企業①:HIKKY

デジタルツインや、メタバースが進んでいく中で、技術面や知見面で自社のみの展開・検討についてハードルを感じる企業も多い。しかし、本書で取り上げている中でも、自社で技術・ノウハウを構築している企業も存在するが、後述のように展開を支援するパートナーを活用して実現しているケースも多い。これら企業を活用して、スピード感をもって展開をしていくことも重要である。

プラットフォームフリーで企業のメタバース展開を支援する企業をここでは「メタバースビジネスプロデュース企業」と呼びたい。博報堂や、サイバーエージェントといった、広告業として企業の消費者とのコミュニケーションを支援してきた企業がメタバースにおいても積極的に取り組んでいるほか、VR領域でノウハウ・技術を蓄積しメタバース時代における新たなメタバースビジネスプロデュース企業となったHIKKYなどのケースが生まれている。

ここでは、小売領域で紹介したサイバーエージェントとともに、キープレイヤーである博報堂やHIKKYの取り組みを紹介したい。

バーチャルマーケットの展開

HIKKYは舟越靖CEOにより2018年に設立されたメタバースビジネスプロデュース企業だ。理念として「Creative Revolution」

を掲げ、誰もが創造性を発揮できる世界を目指している。

同社はアバターなどの3Dアイテムやリアル商品（洋服、PC、飲食物など）を売り買いできる世界最大のVRイベントであるバーチャルマーケットを年2回展開している。日本や世界から100万人を超える来場者が参加し、「バーチャルリアリティマーケットイベントにおけるブースの最多数」としてギネス世界記録にも認定されている。

さらにVRヘッドセットや高精度PCがなくともブラウザーやスマートフォンを通じてメタバースに触れられるサービスの提供も行っている。現実とメタバースが融合している世界を目指しているのだ。

[図表14-4] **バーチャルマーケット**

出典：HIKKY

Vket Cloudでクリエイターエコノミーを加速

バーチャルマーケットが世界最大規模に拡大できた背景にはクリエイターエコノミーの存在が大きい。バーチャルマーケットでは企業の存在がメディアでも取り上げられることが多いが、より軸となるのはクリエイターの出展である。バーチャルマーケットの中で、リアル製品や3Dモデル製品を売ることができ、1000以上の出展クリエイターがバーチャルマーケットの原動力になっている。

これらクリエイターエコノミーをより加速させるのが同社が提供する「Vket Cloud」(ブイケット クラウド)である。ブラウザーでアクセスできるバーチャル空間を開発できるエンジンであり、URLを発行するだけで特別なアプリも必要ないので、デバイスを問わず利用できる。

今後世界100都市をメタバース化

同社はメタバースの目指す姿として「オープンなメタバース」を提唱している。個別のプラットフォームやアプリなどにとらわれず、自由に行き来ができる環境を指す。世界100都市をメタバース化するパラリアルワールドプロジェクトを展開している(“パラリアル”とは、「パラレルワールド(並行世界)」+「リアル(現実世界)」を合わせた造語で、リアルとメタバースに並行して存在することを指す)。

バーチャルマーケット2021は「メタバースシティ」がテーマであったが、その際に生まれたのが図表14-5のパラリアル渋谷、パラリアル秋葉原だ。リアル都市がメタバースで表現されて体

[図表14-5] **パラリアルワールドプロジェクト**
(左)**パラリアル渋谷、**(右)**パラリアル秋葉原**

出典:HIKKY

験価値が増すアプローチをより拡大する。

今後、2022年に大阪とニューヨークをメタバース化し、5年以内に100都市をパラリアルの都市として展開する計画だ。メタバース空間での出店やイベント実施、メタバース空間での旅行や教育、行政サービスなどのサービス展開を行う。

メタバース時代の企業の水先案内人

HIKKYはバーチャルマーケットをはじめとする幅広いメタバース領域での取り組みをもとに多数の企業との連携や展開支援を行っている。本書でも取り上げたビームスや、大丸松坂屋百貨店、JR東日本、NTTドコモなどはHIKKYと連携してメタバースの展開を行っている。

メタバースの展開を行うための各種技術や、知見を活かしたアイデアや先端事例はHIKKYが提供し、連携企業はそれぞれのもつアセットや強みをもとに展開する世界観やビジネスモデルを検討する座組で連携企業を増やしている。いわばメタバース時代の企業の水先案内人だ。

多くの企業がメタバースとはなにかを理解することからタッグを組んで、コンサルティングやメタバース展開アイデアの創出、事業プランの共同策定まで踏み込んで支える。今後あらゆる業界でメタバース展開が「当たり前」となる世界を目指し展開を加速する。

03

メタバース
ビジネスプロデュース企業②：
博報堂XR

大手広告会社の博報堂ＤＹグループは、2020年よりhakuhodo-XRとしてプロジェクトを立ち上げてメタバース展開の支援体制を整えている。博報堂ＤＹホールディングス、博報堂、博報堂ＤＹメディアパートナーズ、博報堂プロダクツ、博報堂アイ・スタジオ、CRAFTAR、デジタル・アドバタイジング・コンソーシアムの7社横断でチームを構成している。これによりメタバースに関する技術・研究開発・事業構想・プランニング・クリエイティブ制作・実装・運用までトータルで担える体制を構築している。

生活者のエクスペリエンスや感情にどう影響があるのかの技術開発を、ユースケースを作っていきながら行っているのが特徴だ。産官学や、個人のクリエイターや多くのエコシステム企業と連携して、多様な価値を生んでいく。

企業のワールド構築を支援し、メタバース空間での広告のあり方を検討

hakuhodo-XRはすでに紹介した三越伊勢丹のVRを活用したスマートフォン向けアプリ「REV WORLDS（レヴ ワールズ）」に関し、CRAFTARを中心に様々な開発支援と広告体験の実証実験を行っている。三越伊勢丹にとっての新規事業であるREV WORLDSの構築・運用支援や、REV WORLDSをメディアと捉えた際の広義の広告やブランド体験をいかに行っていくのかを共同で検討・運用している。

［図表14-6］REV WORLDSにおける広告のあり方検討

出典：博報堂

現在、企業からの問い合わせが増えており、hakuhodo-XRとしてはワールドの構築と、ワールドの運用・マネタイズのそれぞれで知見・ノウハウを蓄積し、他社も含めた支援を拡大する。

リアル都市と連動したメタバースに注力

仮想とともに現実世界連携も含めてマルチバースとなることを想定する中で、三越伊勢丹のREV WORLDSと同様に、リアルと連動するメタバースが同社の注力領域だ。リアルの体験があるからこそ、バーチャル体験がオーバーラップし、購買を訴求することができると考える。

今後リアルな体験と、バーチャル世界でのリッチな体験・広告クリエイティブを深めていく。先述のバーチャル大阪にKDDIや吉本興業とともに参画し、都市連動型のメタバースの付加価値向上に参画しているほか、XRスタートアップであるMESONとは現実世界とサイバー空間を融合させた新たなコミュニケーション体験構築プロジェクト「GIBSON」を展開している。

GIBSONプロジェクトでは、渋谷区神南エリアで実証実験を行っている。先述の国交省のプラトーを活用した3D都市空間を生成し、そこにログインする遠隔地のVRユーザーと現実世界のARユーザーとがあたかも同じ空間で場を共有しているようなコミュニケーション体験を可能にするものだ。今後、観光、イベント、ショッピングなどでの適用を見込む。

［図表14-7］**博報堂ＤＹホールディングスとMESONの渋谷区神南エリアでのAR-VR融合による遠隔コミュニケーション実証**

出典：博報堂ＤＹホールディングス

アバターを軸にメタバース空間の付加価値化を図る

　同社はワールド・世界の構築や、メタバース空間における広告のあり方の検討とともに、アバター体験についても強化する。様々なメタバース空間が生まれる中で、自らのアイデンティティやインターフェースとしてアバターの重要性が増すと見ている。

　人々がアバターを複数持って、時と場合に応じて使い分けていくと同社は捉える。これらの想定の中で、アバター視点での体験価値向上を検討している。

　例えば、アバターを通じたファッション試着スマホサービスの「じぶんランウェイ」だ。このサービスでは生活者が自身の3Dアバターを専用筐体で生成したのち、試着してみたいファッションコーディネートを選択。すると、ランウェイ形式で複数の自分のスタイルフィッティングを360度見ることができ、後ろ姿や動いている姿を瞬時に確認・比較しながら検討することができる。今後アバターの重要性が増す中で、同社はSaaSビジネスなど従来とは異なるビジネス形態もあり得ると見る。

博報堂ＤＹグループとして、メタバース時代でコミュニケーションのあり方が大きく変わる中で、機会と捉えてメタバース事業を今後も全社をあげて強化する方針だ。

［図表14-8］（上）自らの3Dアバターを10秒程度で作成、（下）生活者のアバターがバーチャル空間で瞬時に同時複数試着体験

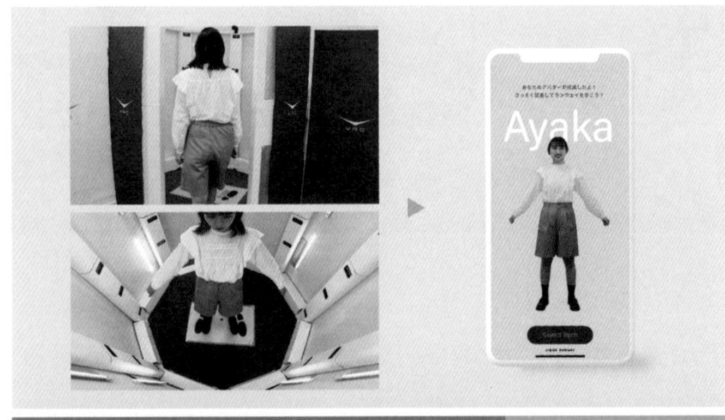

出典：博報堂

04

通信会社による5G×メタバース展開：KDDI

続いて通信会社による展開だ。通信会社にとってメタバースは5Gの有力なコンテンツとなりうるため事業として強化している。NTTドコモは出資先のHIKKYと連携して、2022年3月にウェブブラウザーから無料で参加できるメタバース空間「XR World」を発表している。

HIKKYのオープンメタバース構想にもとづき、JR東日本のメタバース・ステーションの「Virtual AKIBA World」とも相互接続する予定だ。以下、先述のバーチャル渋谷をはじめ、先行した動きを取るKDDIの取り組みを紹介したい。

バーチャルシティ・プラットフォームを展開

KDDIは先述のバーチャル渋谷・原宿・大阪の取り組みとともに、メタバースは5Gにおけるキラーアプリケーションになると捉え、幅広い展開を行っている。例えば、2022年から大都市に向けてメタバース都市プラットフォームの「VIRTUAL CITY」を展開予定だ。

実店舗の在庫情報と連動したアバターを活用したメタバース試着・購入・実商品の自宅までの配送や、実空間を拡張したバーチャル路上ラ

［図表14-9］KDDIの展開するメタバースプラットフォームVIRTUAL CITY

出典：KDDI

イブなど新たな都市体験の提案を行う。

メタバースを支える技術を強化

加えて、同社としてメタバースを支える各種技術の強化も図っている。

例えば、メガネのように折りたためるコンパクトなデザインのスマートグラスをNreal社と共同開発して展開している（図表14-10左）ほか、人間をデジタルで再現するバーチャルヒューマンの技術開発を行っている。同技術を活用して生まれたバーチャル上の「coh」（図表14-10右）は、モデルとして多くのファンやインスタグラムのフォロワーを有しており、カネボウのメイクモデルとしても起用されている。

［図表14-10］（左）**スマートグラスNreal、**（右）**バーチャルモデルcoh**

出典：博報堂

コンソーシアムを通じて メタバース展開のあり方・ガイドラインを策定

さらに同社は、先行してメタバースの世界や市場を創り上げている経験を活かしたルール形成にも取り組む。KDDIや渋谷未来デザイン・東急などは、渋谷・大阪のように都市におけるメタバースのあり方を議論していくために「バーチャルシティ・コンソーシアム」を立ち上げて、ルール形成・ガイドライン策定を行っている。

同社はメタバースの進展にともなって、警察や、テレビ局などのような実社会で欠かせない機能がメタバース上にも必要になると見ている。今後の他都市での類似モデル展開や新規ビジネス・技術開発など、日本発メタバースの発展に向けて、オープンに議論・調査研究を行い、ガイドラインの策定や政策提言、情報発信を行う。

2022年4月には図表14-11のトピックでバーチャルシティガイドラインのver.1が策定された。今後同社は、渋谷や大阪で培った知見をもとに、都市連動型メタバースの付加価値向上と、他国にも輸出できるモデルへの競争力強化を図る。

［図表14-11］**バーチャルシティガイドラインの主なトピック**

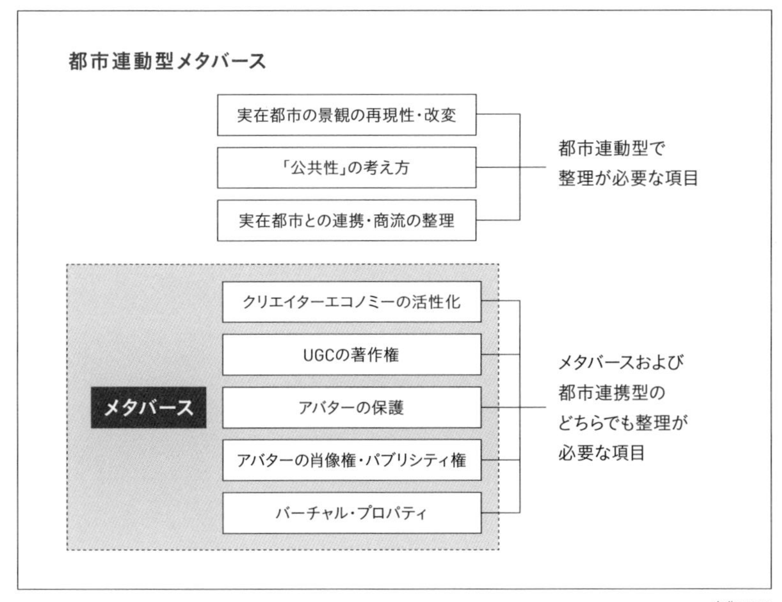

出典：KDDI

第15章

キープレイヤー③
（クラウド／半導体／ハードウェア企業）

Meta-Industrial Revolution

［図表15-1］**メタ産業革命のプレイヤーマップ**
（クラウド／半導体／ハードウェア企業）

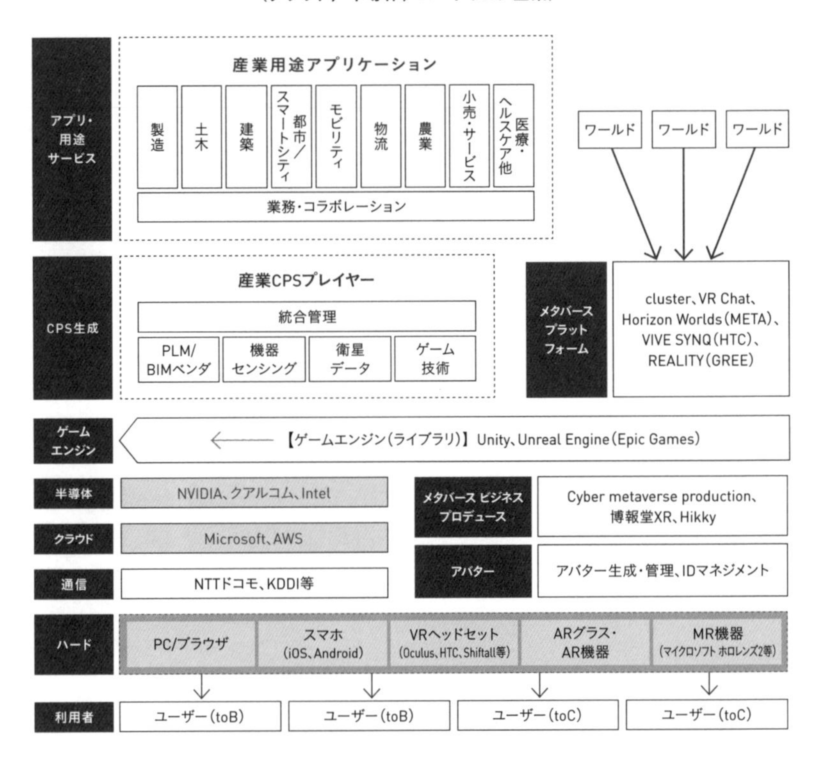

メタバースで動きを見せるGAFAM

メガIT企業の代表格であるGAFAM（グーグル、アマゾン、フェイスブック、アップル、マイクロソフト）は、メタ産業革命の中で大きな動きを見せている。

最も目立った動きは先述の通りメタ社（元フェイスブック）であろう。メタ社同様に、大きく投資をしている各社の動きを見てみたい。メタ社を除くと、モバイル型（アップル・グーグル）とクラウド型（アマゾン・マイクロソフト）の2つの方向性に分かれる（注：グーグルはクラウド展開を行っているが戦略分岐上モバイル型に定義）。

01 GAFAM①:モバイルOS企業のAR展開

一つ目の方向性である、モバイルOSを保有するアップル・グーグルは、モバイルや地図情報アプリとのシナジーの大きいARをより強化している。アップルは以前からARアプリケーションの開発者向けフレームワークのAR Kitを提供するなど、iPhoneや、iPadなどでのARアプリケーション拡充に注力してきた。

また、地図アプリのアップルマップにおいても、ARを用いたナビゲーション機能が搭載されたほか、ARデバイスの展開を計画しているとたびたび報道されるなど、今後同社の動向が注目される。

グーグルもAR志向の戦略を取る。ARスマートグラスのグーグルグラスを製造業・物流・医療などの企業・法人向けに展開している。2020年にはARスマートグラス企業のNorthを買収し、グーグルグラスとしては一時撤退した一般向けの展開も強化すると見られる。

また地図アプリケーションのグーグルマップでは3Dで都市を表示するイマーシブビューの発表もなされた。地図上に都市のデジタルツインを再現する取り組みだ。

02 GAFAM②：マイクロソフトの動き

また、もう一つの方向性がクラウド事業とのシナジーを図るアマゾン（AWS）と、マイクロソフトだ。アマゾンは、メタ社と戦略的クラウドプロバイダーとして連携し、メタバースに注力しているほか、米エピックゲームズや、日本のクラスターといったメタバースのキープレイヤーにクラウド基盤を提供している。

メタバースやデジタルツインの活用が進むと必要なコンピューティングリソースが増大する。クラウドプレイヤーとしては、事業の拡大にとって切っても切り離せない領域なのだ。クラウド企業の中で、メタバースを「全事業の根幹」として捉えて展開するマイクロソフトの動きに触れたい。

Mixed Realityとホロレンズ2

第12章で紹介したマイクロソフトにとって、メタバースの考え方の土台となっているのがMR（Mixed Reality）だ。MRは物理世界とデジタル世界を融合し、ユーザーが物理世界に存在しながら、物理・デジタル両方のオブジェクトとやり取りができる世界と定義している。

マイクロソフトはメタバースが注目される前の2016年からホロレンズ（現実世界の中にデジタル情報を3Dで表示するMRヘッドセット）を提供しており、現在は2世代目のホロレンズ2を展開している。

ホロレンズ2はグラスがシースルーになっていて、現実世界が見えた上で、その中に3Dのオブジェクト・ホログラムを出すことができる。また、ホロレンズ2自体が、センサーデバイスになっており、頭部前面の部分にRGBカメラや赤外線のセンサーを搭載。リアルタイムに現実空間をスキャンして、現実の形状を3Dで認識でき、現実空間の上に仮想のものを置くことができる。

マイクロソフトは、MRの市場セグメントの中で、法人市場に注力をしている。法人向けは、製造・建設・医療・小売り・教育など多岐にわたる。用途としては、3D設計・シミュレーション、トレーニング・シミュレーション、遠隔支援・リモート連携、セールス支援などだ。

メタバース＝次世代インターネット

マイクロソフトは、人・モノ・環境などのデジタルツインや3D情報が配置されたデジタル空間全体をメタバースと呼んでおり、「次世代のインターネット」そのものと捉えている。メタバースがPC・スマホ・ヘッドセットほかハードウェアなどの多様なデバイスが集まりコラボレーション・コミュニケーションするためのプラットフォームになると考えている。

同社のあらゆる事業がメタバースと深く関連することとなるという考えだ。上記の通り、クラウド領域ではメタバースの進展によりクラウドの需要が高まるとともに、先述したMeshをはじめメタバースでのコラボレーションのためのアプリケーションも提供している。

さらには、IoTのセンシング情報をモデリングしてデジタルツイン化するためのAzure Digital Twinsや、現実空間を3Dでセンシングするための3Dカメラ基盤のAzure Kinect DK、MRデバイスのホロレンズ2などもこれに含まれる。

Xboxをはじめとするゲーム事業では、コールオブデューティなどを展開する米アクティビジョン・ブリザードの買収計画を発表するなど、ゲームコンテンツ強化を通じたメタバース展開も掛け合わせる。

マイクロソフトにとってメタバースとは、「新たな事業の一つ」、ではなく「事業そのもののあり方を大きく変える根幹」となっているのだ。

［図表15-2］マイクロソフトの主なメタバース関連事業

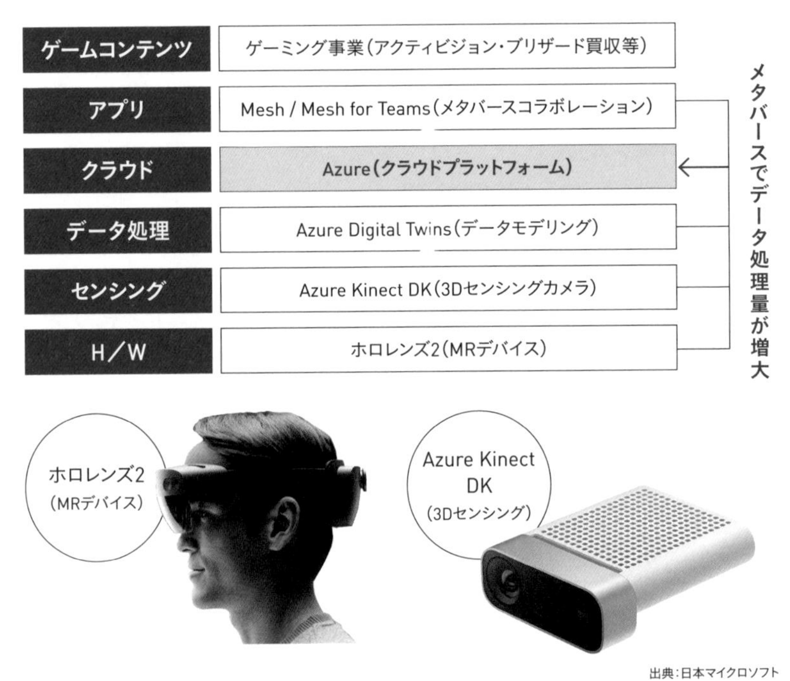

出典：日本マイクロソフト

03

半導体企業:CPSミドルウェアを狙うエヌビディア

クラウド企業同様に、半導体企業もメタバースやデジタルツインが進展することにより、コンピュータ処理量が増え、本業の半導体事業の収益が伸びることが期待できる。インテルは「メタバースの実現のためには既存の1000倍のコンピュータ処理量が必要である」と述べている。

大手半導体企業のクアルコムは、メタバースを活性化させるための1億ドルのファンド(Snapdragon Metaverse Fund)を組成している。オキュラスなどハードウェアの重要な半導体をクアルコムは押さえており、今後もメタバース時代においても重要なプレイヤーとなる。ここでは大手GPU企業であり、デジタルツイン・メタバースのミドルウェアのOmmniverse(オムニバース)を展開するエヌビディアの取り組みを紹介したい。

デジタルツイン・ゲームエンジンをつなぐ3Dデータ統合管理ミドルウェア

エヌビディアは1993年設立のGPUに強みを持つ大手半導体企業である。同社はメタバースやデジタルツインなどが拡がる中で、異なる3Dデータを統合管理するとともに、国外も含めた様々な場所で連携ができるミドルウェアのオムニバースを展開している。

CAD/PLM/BIM、3Dシミュレーターや、後述するゲームエンジンなどの3Dデータをつなげて共通管理ができる。従来はそれぞれ個別のデジタルツインや3Dデータが存在しサイロ化していたが、統合的に管理・エンジニアリングができるようになる。オムニバースは、大手CAD/BIMなどのデジタルツイン企業のオートデスクや、Unreal Engineなどと連携している。

今後、自動車・建築などの設計・エンジニアリングや、工場・スマートシティ・ロボティクス・自動運転のシミュレーション、ゲームクリエイター向けへと展開する。

［図表15-3］Ommniverseの各3Dデータをつなぐ構造

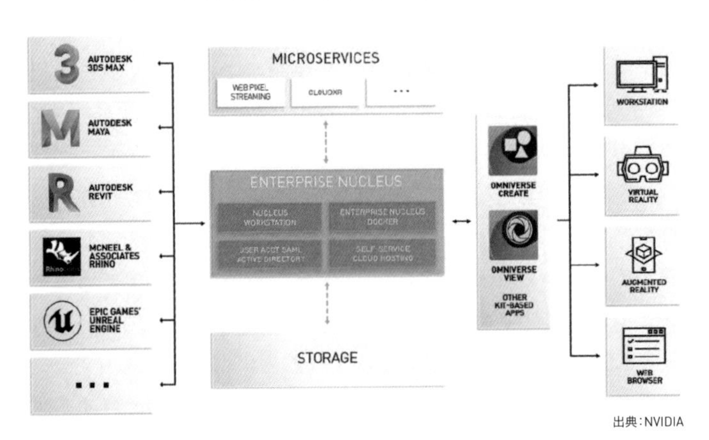

出典：NVIDIA

同時に複数人が異なるソフトウェアから3Dデータを編集

図表15-4がオムニバースでの3Dデータの連携プロセスの状況だ。複数人が異なる場所から、また、各個別の設計ソフトウェアから同時に3Dデータを編集できる。設計プロセスにおいては、領域や用途ごとに個別のソフトウェアを活用するケースが多い。その結果として、1つのソフトウェアでの編集結果を、別のソフトウェアへ連携させる手間が存在していた。

しかし、オムニバースでは各ソフトウェアでの編集結果が、統合された最終3Dデータに反映され、常に最新版の3Dデータにもとづき作業を行うことができる。エヌビディアは、オムニバースによりデジタルツイン・メタバースの市場が活性化するとコンピュータ処理量が増え、それにより本業のGPUなど半導体の収益につながると捉える。新たに組織を立ち上げ、全社をあげてオムニバースを強化している。

［図表15-4］Ommniverseでの複数人・別ソフトでの同時3Dデータ編集

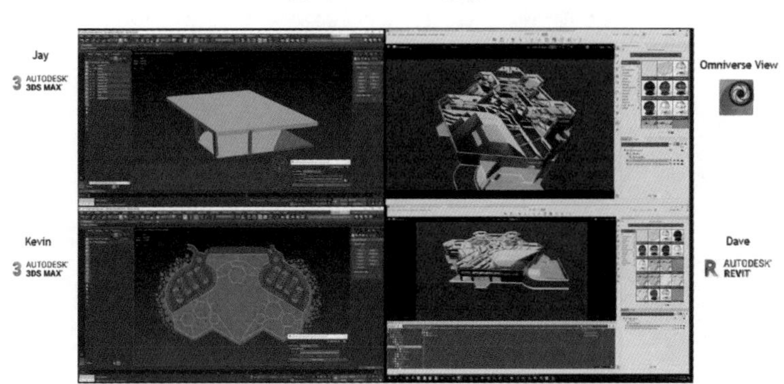

出典：NVIDIA

BMWとの工場デジタルツインの取り組み

BMWはエヌビディアのオムニバースを活用して工場全体のデジタルツイン化の取り組みを行っている。BMWとして各ラインの様々な工場3Dシミュレーターや、工作機械の3Dデータなどが個別に存在していたものを、オムニバースにより工場全体のデジタルツインとしてつなぎ合わせて、統合管理できるようにしているのだ。

モノの流れや、工場ラインの動きとともに、人の動きをリアルに再現してシミュレーション・最適化に活かしている。人間のデジタルツイン化においては、作業員のセンシングデータにもとづきデジタルヒューマンを構築し、作業効率や、負荷の分析などにも活かしている。

［図表15-5］NVIDIAのBMWとの工場デジタルツインの取り組み

出典：NVIDIA

04 ハードウェア企業①：Shiftall

メタバースの進展においては、デジタル世界と現実世界のインターフェースとなるハードウェアが非常に重要となる。先述の通り、仮想世界へ没入するVRヘッドセット、現実世界にデジタルコンテンツを投影するためのARグラス、現実世界とデジタルコンテンツを相互に影響させて投影するためのMRヘッドセットなどに分かれる。

代表例として、VRヘッドセットとしては、メタ社のメタクエスト、HTC社のVIVE、ARグラスとしては企業向けのグーグルグラス、MRヘッドセットとしてはマイクロソフトのホロレンズなどだ。これらハードウェアは一般層にはまだ普及しきっておらず、今後いかにハードウェアが安価で使いやすいものが出てくるかがカギとなる。これらハードウェアの普及戦略とともに、過渡期においてはブラウザーやモバイルでメタバースを体験する機会を作る掛け合わせが重要となる。

以下、パナソニックグループで超軽量VRヘッドセットなどのものづくりを展開するShiftall（シフトール）や、黎明期からヘッドセットとともにプラットフォームも含めてメタバースに全方位戦略を取るHTCの取り組みを紹介したい。

メタバース時代のインターフェースを支えるハードウェアを展開

Shiftallは岩佐琢磨CEOが設立したパナソニックグループのハードウェアスタートアップである。同社はメタバース用途として身体全体をセンシングしてアバターなどの動きへ反映し、メタバース上でフルトラッキングを実現する「HaritoraX（ハリトラックス）」を展開しており、VRヘッドセットをより軽量化・高解像度化している「MeganeX（メガーヌエックス）」などの展開を予定している。

HaritoraXはゲームやコミュニケーションなどの消費者向け（toC）領域をメイン市場と捉える。企業向け（toB）においてはカメラでセンシングをして人体の動きをトラッキングする技術が普及していることや、同製品が身体にセンシングデバイスを装着することからも複数人での共用ではなく消費者向け（toC）での活用を想定する。ゲームやコミュニケーションなどtoC市場では身体の動きを高精度に再現したいニーズが拡がっており、HaritoraXとしてそのニーズに応える。

［図表15-6］（左）フルトラッキングを実現するための身体センシングデバイス：HaritoraX、（右）超軽量・超高解像度 VRヘッドセットMeganeX

出典：Shiftall

一方で、MeganeXは企業向け（toB）においても大きく広がると捉えている。同製品ではパナソニックと両社の強みを活かして展開する方針である。製品を共同開発するとともに、パナソニックが強みのtoB展開を行い、同社がtoC拡大を担う体制だ。

同製品は視度の調整機能を持っているため、メガネを装着している人でも視力にかかわらず活用できることが強みとなる。また、メガネ型で取り外しがしやすい形状となっているため、企業内の現場で複数のユーザーが活用することにも向く。

すでにVR活用が進む自動車などの設計や、建設業・不動産・医療をはじめ、幅広い産業での展開を見込む。

「アジャイルものづくり」を武器に高速展開

メタバースのアプリケーションが今後細分化される中で、同社はインターフェースとしてのハードウェアで勝負をかける。岩佐氏が創業し工場をもたないファブレスメーカーとして「メーカーズムーブメント」を牽引してきたCerevo時代から培ってきたアジャイルなものづくりが強みだ。

岩佐氏はメタバースが話題となる前段階から、メタバース向けプロダクトに注力してきた。その背景は、メタバースがまだまだアーリーアダプター層の技術でありながらも、目的がない行動も含めて長時間過ごすユーザーが生まれていることだ。

今後、エンターテインメントを含むあらゆる行動が可処分時間の奪い合いとなる中で、雑談など明確な目的なしで利用されるメタバースは人間の根源的な欲求を満たすポテンシャルがあると見る。

同社は今後も変化し続けるメタバース領域において、求められるハードウェアの姿・形は変わり続けると捉えている。その中で、市場のトレンドをいち早く察知し、小さく・軽く・速く動くことで市場形成前段階から先行優位性を築く戦略だ。そのためにも、特定の機器にこだわるのではなく、変化の激しいアーリーアダプター層のニーズに食らいつき、最先端のユーザーに寄り添った市場投入をしていく。5〜10年後にメタバース市場が確立した際に「メタバースのH／Wと言えばShiftall」といったポジションを構築していくべくスピード展開を図る。

参考書籍
・『未来ビジネス図解 仮想空間とVR』（株式会社往来著／岩佐氏が執筆に参画）
・『VRChatガイドブック〜ゼロからはじめるメタバース〜』（岩佐琢磨・まつゆう*著）

05

ハードウェア企業②：HTC

VRヘッドセットのHTC VIVE

HTCは1997年設立の台湾に本社を置くエレクトロニクス企業だ。2016年よりVRヘッドセットのHTC VIVEを販売しており、高付加価値ヘッドセットとしていち早くアイ・フェイシャルトラッキングなど各種センシング・トラッキング技術を導入してきている。

クリエイターやVチューバーとの関係性を重視しており、先述のバーチャル美少女ねむ氏などが公式アンバサダーとして任命されている。HTCの強みであるハードウェアの通信コンポーネント製造や、モバイル事業も含めて強化をしてきたブロックチェーン・AIの技術力も強みだ。

［図表15-7］VRヘッドセット HTC VIVE

出典：HTC

全方位戦略で市場創出・拡大を図る

HTCの特徴はメタバース全体をVIVERSE（ヴァイバース）と位置付けて全方位戦略をとっていることだ。ハードウェアとしての展開とともに、メタバースプラットフォームのVIVE Sync（ソーシャルPF）、VIVERSE World（ブラウザPF）や、NFTのマーケットプレイスであるVIVE Marketも展開する。

加えて、日本発のアバター規格（VRM）とも連携しているほか、VRエンジンのWAVEを通じて他社プラットフォームを含めたVR／ワールド生成を下支えしている。プラットフォームとしては、一般向けには観光やゲーム・エンターテインメント、コミュニケーション、ライブ・展示会などの用途で展開し、ビジネス向けにはVIVE Businessのブランドのもと、自動車や建築・都市などの設計や、不動産、ヘルスケア、教育・トレーニング用途で活用が進んでいる。

［図表15-8］HTCのメタバース全方位戦略

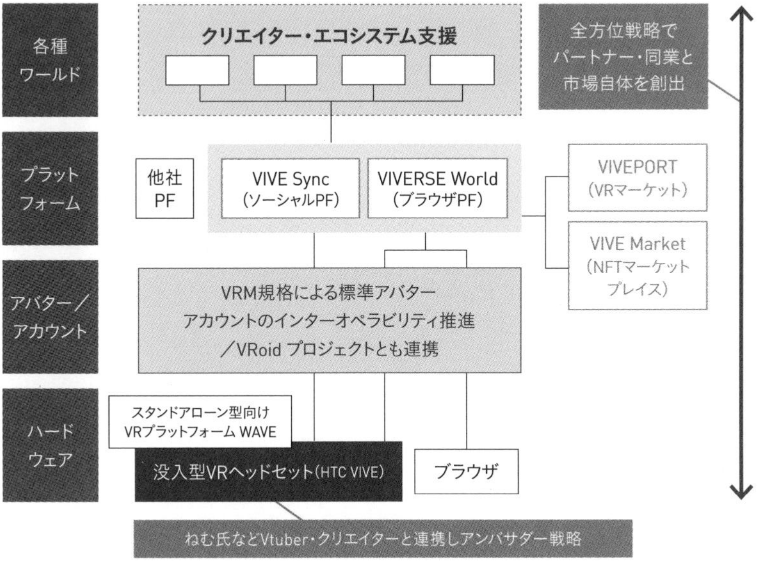

第16章

キープレイヤー④（日系IT企業）

Meta-Industrial Revolution

01 日系IT企業の3つの戦略

DXにおいて日本は他国に後塵を拝していたということは否めない。培ってきた設備やモノ、現場力などの物理的な強さに依存してしまいデジタル化が遅れてしまったのだ。

一方でメタ産業革命時代に向けては、DX時代と異なり、日本の強みを活かしたスピード感を持った展開が見え始めている。ここでは日系IT企業の大きな方向性、3つの戦略を代表企業とともに紹介したい。

① Society5.0のコンセプトにも呼応し、個別の事象・産業にとどまらず社会・都市課題などの複合的な課題解決をめざすマクロ的な視点でのデジタルツイン
② 産業のエッジ課題に寄り添う特化型CPS展開
③ メタバース社会を見越して先回りしたセキュリティ・相互運用性の整備

02
複合的デジタルツイン①：NTTのIOWN構想

社会・都市課題に挑む複合的デジタルツイン

各産業でデジタルツインの取り組みが進展する中で、課題・ニーズは都市・社会や、CO_2・サステナビリティなど複雑化しており、個別のデジタルツインの範疇を超えてきている。その中で、デジタルツインとデジタルツインをつなぐ複合的階層で日本企業の積極的な展開が見える。従来日本として経済性と環境・社会の両立を図ってきた姿勢・強みが活きる展開である。

一つの目的だけではなく、いかにトレードオフの関係にある複数の目的のバランスを取り全体最適を図るのかがポイントだ。これら複合的デジタルツインに取り組むNTTや、富士通、NECの取り組みについて紹介したい。

世界初の「光」を活用した情報処理技術：IOWN構想

NTTはIOWN構想を通じた次のインターネットの展開を進めている。同社は変化の激しいVUCAの時代の中で特定領域の一つの決まった解に向かったシミュレーションではなく、社会で複雑に絡み合う全体最適の解を導きだすデジタルツインが必要であると捉える。その上では現在のデジタルツインの計算量では足りず、圧倒的な計算能力の革新が必要となる。そこで同社が活用しているのが、「光」の技術だ。電気は伝送距離が延びると消費電力も延びてしまうが、光は伝送距離を延ばしても消費電力は変わらない。その光を情報の伝送のみならず、情報処理においても活用するコンセプトがIOWNだ。

［図表16-1］NTTによるIOWN構想

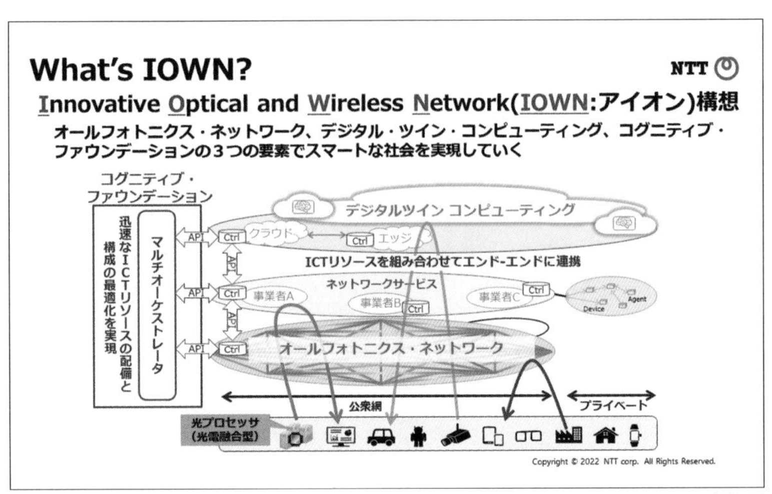

出所：NTT

グローバルでIOWNの仲間作りを推進

同社はIOWNコンセプトをグローバルのあらゆる産業に展開する上で、インテルやソニーとともにIOWN Global FORUMを設立。トヨタ自動車、エヌビディア、シスコ、マイクロソフトなどのグローバル93企業・組織が参画するまでに拡大している(2022年3月時点)。環境問題、カーボンニュートラルが世界的に課題化してきている中で、光技術を活用したデジタルツインのサステナビリティや、IOWNを通じた技術革新に期待が集まっている。

IOWNの軸となる光技術を活用すると、電力効率が100倍になるとともに、伝送／通信容量は125倍、遅延は200分の1になるとみている。デジタル化の中で、情報流通量やデータ量、電力消費量の増大の課題となっているが、これらの解決とデジタルツインの高度化を両立する持続可能なイノベーションなのだ。

同社のIOWN展開の特徴は技術的要素だけではなく、これらを活用することでどのような変化や価値が生まれるかの「世界観やストーリー」を描いて仲間作りをしていることだ。世界観やシナリオを定義することは従来日本企業が苦手であったが、同社は長期的なシナリオやストーリーを定義することで、多くのグローバルのパートナーを得ることにつなげている。

都市やモビリティを最適化する4Dデジタル基盤

IOWN構想のユースケース例としては、医療領域で紹介したバイオデジタルツインの他に、スマートシティやモビリティの高度化を実現する基盤として「4Dデジタル基盤」を紹介したい。

高精度で豊富な意味情報を持つ「高度地理空間情報データベース」上に、高精度な位置・時刻情報を持つ人・モノ・コトの様々なセンシングデータをリアルタイムに統合し、高速に分析処理・未来予測を可能とする基盤だ。

車の走行レーンの情報や、スマホデータから人の位置や行動情報をリアルタイムでモニタリングし、予測や最適化処理を行う。それにより自動運転や、物流サービス、環境・防災の最適化などに活かす。

目指す姿の一例としては、車同士とインフラの協調的な制御により信号機がなくとも高速に車両が行き交う交差点が実現さ

［図表16-2］NTTの4Dデジタル基盤

出所：NTT

れた世界だ。

IOWN基盤とセンシング技術をもとに高精度なリアルタイム制御

4Dデジタル基盤は、街づくりやモビリティ関連での活用が進む。同基盤の強みはIOWN技術により数千万台の車、数千万台のスマホなど大規模なデータをリアルタイム処理できることにある。都市の中の様々な、時に相反する主体の全体最適を図ろうとすると、膨大な計算が必要となるが、これを光の技術で実行するのだ。

図表16-3はNTTグループが展開を進める街づくりDTCのコンセプトだ。街単位では、エネルギーや環境、モビリティ、産業・店舗、個人サービス、健康など幅広い観点での最適化が求められる。今後IOWNを用いて、都市の競争力や住民のウェルビーイングの向上を下支えする街づくりDTCの展開を加速する。

［図表16-3］NTTの進める街づくりDTCのコンセプト

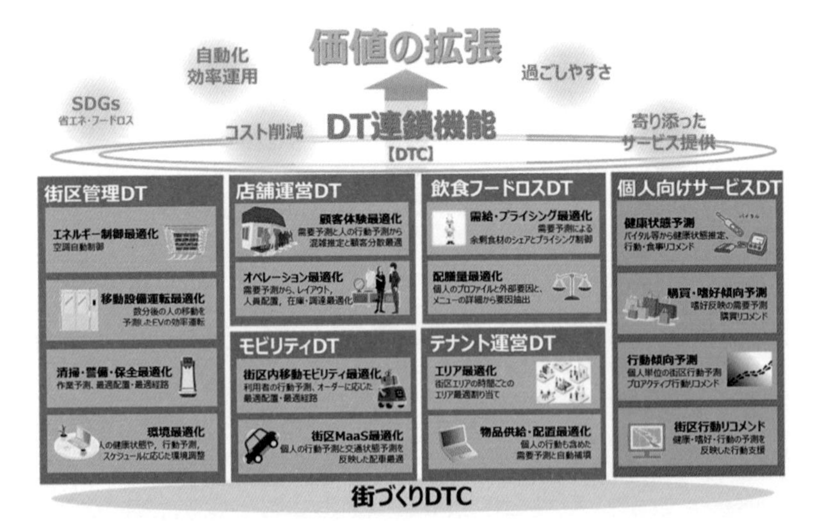

出所：NTT

03 複合的デジタルツイン②：富士通によるソーシャルデジタルツイン

都市・国家・地球課題に取り組む

続いて富士通はCO_2削減や交通渋滞などの「都市課題」、サーキュラーエコノミーやレジリエントな社会を実現する「国家課題」、地球温暖化・自然災害・水・食料不足・紛争などの「地球課題」のような複合的な社会課題解決のための基盤として、ソーシャルデジタルツインを提唱しており、その実現に取り組んでいる。

同社は時田隆仁CEOのもと、パーパス・イシュードリブンでの経営を推進している。足元の課題・ビジネスのみならず中長期での複雑な社会課題への取り組みを全社で強化していることがソーシャルデジタルツインに取り組む背景となっている。

［図表16-4］富士通のソーシャルデジタルツインのコンセプト

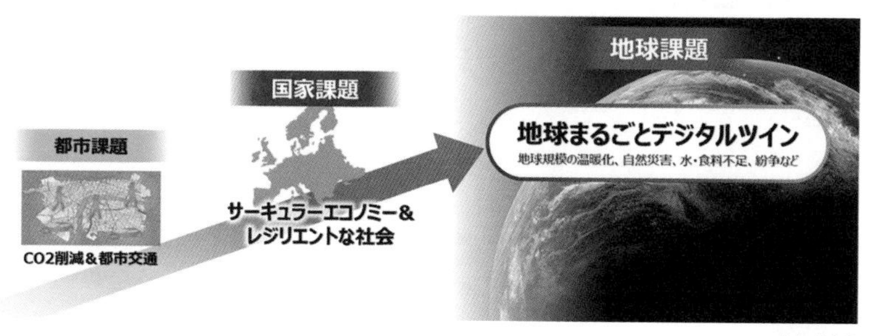

出典：富士通

イギリス政府と連携

ソーシャルデジタルツインでは、個別の事象のデジタル化だけではなく、社会の人・モノ・コトの関係性をモデリングして、シミュレーションする姿を目指している。例えば都市CO_2削減のために道路課金を行うロードプライシングの設計、パンデミック時の密回避のための行動インセンティブの設計などが一例だ。

都市・国家・地球規模の社会課題となると、都市のCO_2削減と、個人の利便性向上の両立などをはじめ、通常であればトレードオフとなってしまう課題に取り組む必要がある。人の行動や社会の変化などを複合的にモデリングし、リアルタイムでシミュレーションを行うことで、未来予測を実施し続けている。

これらの実現に向け、富士通はグローバルで国家や研究機関などと連携して技術開発を図る。例えば、イギリス政府が進めている国家デジタルツインプロジェクトに参画し、異業種のデジタルツインを連携するための技術標準化や実証に取り組んでいる。

［図表16-5］富士通のソーシャルデジタルツインの構造

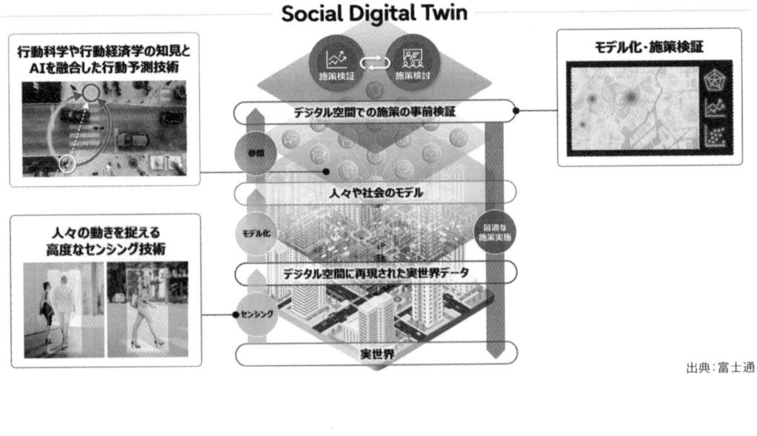

出典：富士通

04

複合的デジタルツイン③：NECによるオーバーレイ・デジタルツイン

未来を共創・試行するデジタルツイン

次にNECの取り組みを紹介したい。NECは1899年設立のIT・電機企業である。同社においてもキーワードは複合的デジタルツインだ。

同社はNEC 2030ビジョンにおいて、「未来の共感」を提示しており、あるべき・目指す未来の世界を様々な産業や社会全体でコンセンサスを得ながら創り上げていくために、「未来を共創・試行するデジタルツイン」「人と協働し社会に浸透するAI」「環境性能・高信頼・高効率を可能にするプラットフォーム」3つの技術コンセプトを打ち出している。

［図表16-6］AI技術を用いた個別化がんワクチン製造プロセス

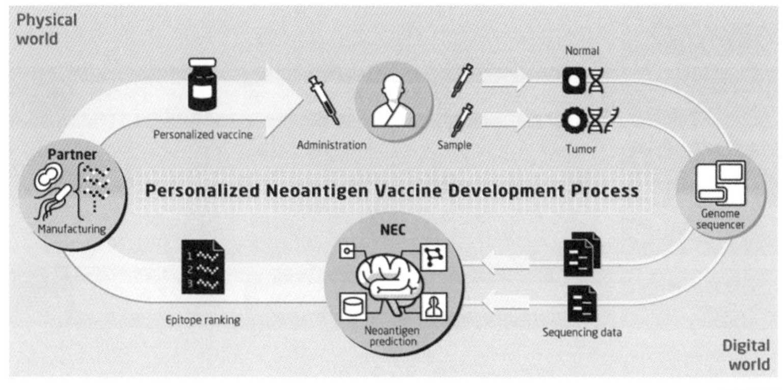

出典：NEC

NECが取り組んでいるデジタルツインの一例としてデジタルツイン技術を活用した創薬プロセスの高度化の取り組みを紹介したい。

感染症などのワクチン設計において、免疫機構として働くある遺伝子の各遺伝子型に対し、AI技術を用いて予測したワクチン候補と、地域ごとの遺伝子型の頻度と世界人口とをデジタルツインのモデルとして表現し、解くことで、多人種に効果のあるワクチンの設計・開発に取り組む。

COVID-19をはじめ感染症への対応が求められる中で、AIだけにとどまらずあらゆる数理技術を活用・応用して、従来人手を

［図表16-7］NECのScope3全体最適化ロードマップと、オーバーレイ・デジタルツイン

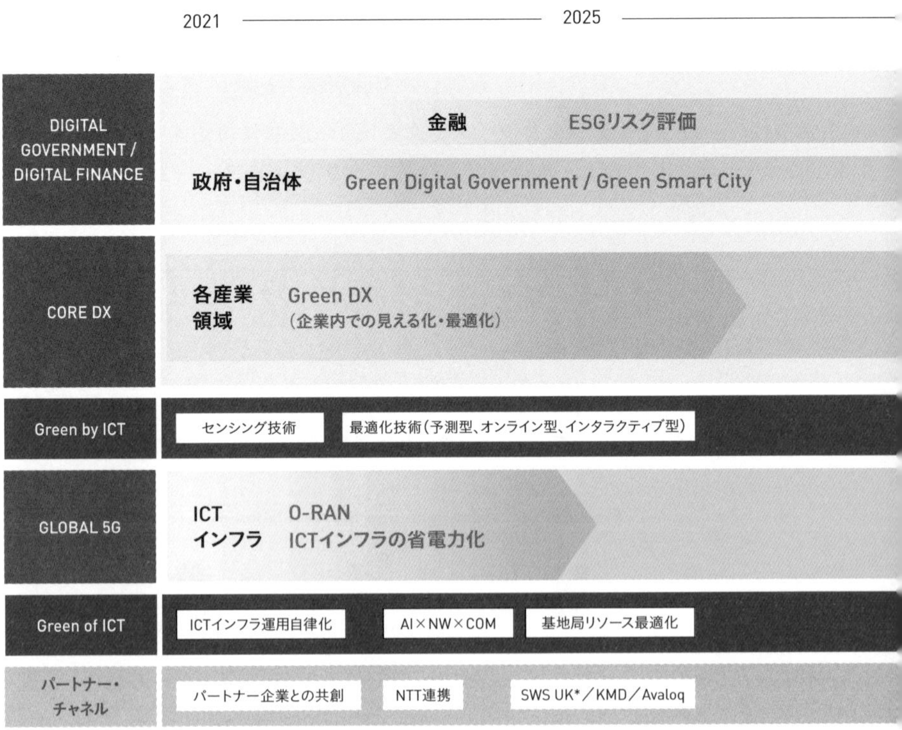

* NEC Software Solutions UK

かけて検討してきたワクチン創薬プロセスの高速化を図っている。またAI技術を活用して、がん患者一人ひとりに向けて薬を創製する、個別化がん免疫療法のワクチン開発にも取り組んでいる。

複合領域を統合するオーバーレイ・デジタルツイン

同社はサステナビリティ・CO_2排出削減など、社会課題が複合化する中で、個別産業・要素のデジタルツインのみならず、それらを統合する「オーバーレイ・デジタルツイン」が重要と捉え

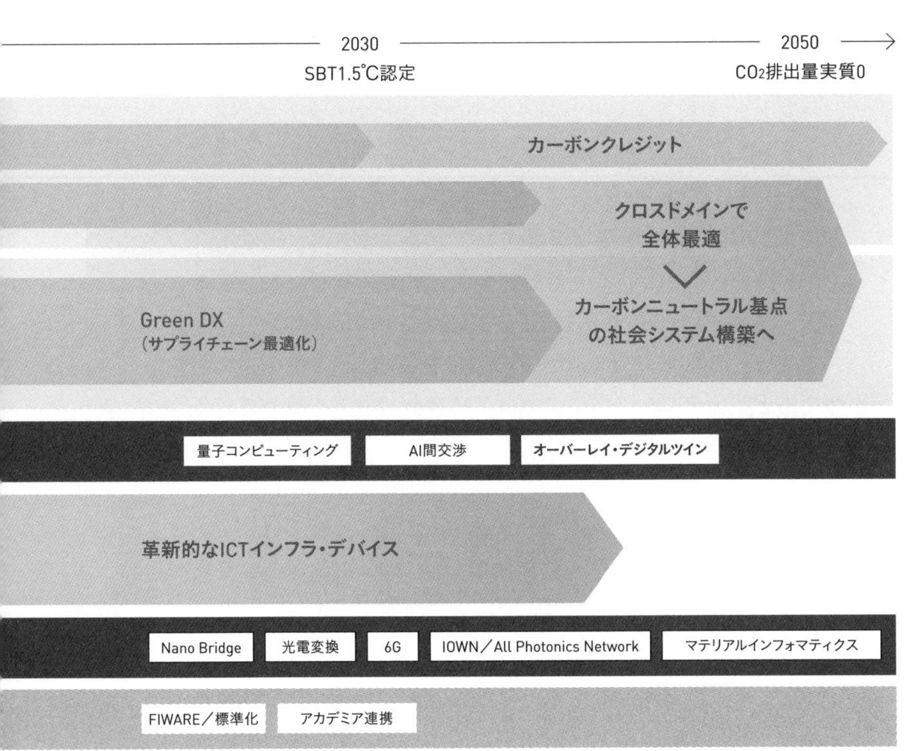

出典：NEC

る。これまで取り組んできている人のデジタルツインや、プラント・工場・倉庫のデジタルツイン、インフラ・システムのデジタルツインなどの技術を活かして複合的な要素間をつなぐデジタルツインの展開を行う。

一例としてはCO_2排出削減にあたり、スコープ3(サプライチェーン全体のCO_2排出量管理)の範囲や、国家・都市単位での取り組みが求められる中で、企業・業界を超えてCO_2をモニタリング・シミュレーションするデジタルツイン基盤を整備している。NECは複雑なスマートシティにおけるデータ連携、都市OSのFIWAREの活用などに積極的に取り組んできた。これらの強みがオーバーレイ・デジタルツインに活きると見ている。

産学官連携を通じて次の姿を提案

さらに同社は、産学官連携を通じてデジタルツイン・メタバースと5Gを組み合わせた新たな価値提案に取り組んでいる。

例えば、5G X LAB OSAKAと連携し、同社の共創スペース/ショールームであるNEC Future Creation Hubのバーチャル共創空間(VR空間)に相互にログインできるようにし、施設紹介や360°画像を活用したバーチャルツアーの案内を行った。またNEC Future Creation Hubでは、このほかにも大阪城のメタバースツアーの参加者にウェアラブル端末を装着し、センシング情報をもとにメタバース環境における感情分析などを行っている。

個人の感情や、その場の空気感をサイバー空間に反映させることで、メタバースでのより深い分析手法を開発している。これらメタバースの技術開発を、製造業・工場におけるバーチャルトレーニングや、学校・教育機関におけるバーチャル授業、バーチャル観光、バーチャル店舗などへ横展開する計画である。

また大阪大学とは、「NEC Beyond 5G協働研究所」を設置し、Beyond 5G技術とAI技術により既存のデジタルツインを高度化する取り組みを行っている。実世界のセンシング、データ処理、制御を即時に行うとともに、その制御によって変化した実世界の状況を再び仮想世界に取り込むことを図る。

センシングデータには不確かな情報も存在すること、AI認識による誤差、ネットワーク遅延が残存することなどを考慮し、実世界を確率的に推定し、未来を予測して柔軟に行動する「確率的デジタルツイン」のコンセプトの社会実装を目指す。

同社の画像認識技術や通信技術の強みを活かして、産学官での連携のもと社会の変化に対応できるデジタルツインやメタバースの開発を強化する。

［図表16-8］**メタバース観光とウェアラブル端末データを組み合わせた感情分析**

感情分析結果の蓄積・表示

リアルタイムな感情分析

出典：NEC

05
個別課題に寄り添う特化型CPS展開：東芝

日本のインフラなどの高精度なエッジ制御・OT（オペレーション技術）もメタ産業革命において再び強みとなりうる。インフラ設備などの領域では、標準的なデジタルツイン展開では対応できず、個別の産業・設備・インフラ特性に応じたシミュレーションや制御が必要となる。

ここでは、日立製作所とともに制御・産業ノウハウを活かして顧客に寄り添うCPSを展開している東芝の取り組みについて紹介する。日本企業として競争領域と、協調領域の振り分けが進んでいない企業が多い中で、同社はOT（オペレーション）技術を強みと位置づけ、自社が尖る部分と、他社と連携していく領域を明確化し展開している。

1875年設立の東芝は、エネルギーや社会インフラ事業から電子デバイス事業までを幅広く手掛ける企業である。「世界有数のCPS（サイバー・フィジカル・システムズ）テクノロジー企業になること」を掲げ、デジタルツインをはじめとしたCPSに全社を挙げて取り組んでいる。

世界有数のCPSカンパニーを目指す

同社はカーボンニュートラルやインフラレジリエンスなどの世界的な課題の解決に向けて、エネルギー・社会インフラ・デジタル領域の強化を行っている。この3つの領域と、フィジカル領域のデバイス・コンポーネント・制御技術・現場データなどの強みを掛け合わせることでCPS企業としての競争力を強化する。

東芝のCPSソリューションのブランドである「TOSHIBA

SPINEX」においては、エネルギー・社会インフラなど業種ごとにデジタルの技術を組み合わせたアプリケーションやプラットフォームなどの提供を行っている。

特徴的なのがアーキテクチャをオープンにして、他社との連携を通じて展開をしていることだ。30以上のCPSサービス群を有しており、モジュールを組み合わせて、顧客や産業課題・ニーズに応じた価値提供を行う。競争・協調領域の振り分けが苦手な日本企業の中で、ロールモデルとなる取り組みだ。

デジタルシミュレーションと制御技術を組み合わせたインフラデジタルツイン

先述の通り、制御などのOT技術や、産業・インフラ特性の深い理解にもとづくデジタルツインが同社の強みだ。インフラ領域のCPS展開ではデジタル分野の技術だけでなく、フィジカル領域へフィードバックする制御技術や、設計・エンジニアリング・保守データに基づく分析技術を持ち合わせていることが重要である。

これらデジタル領域と、複雑なフィジカル領域の双方をつなげられる強みを活かしたCPSで顧客のオペレーションやメンテ

［図表16-9］橋梁におけるデジタルツイン

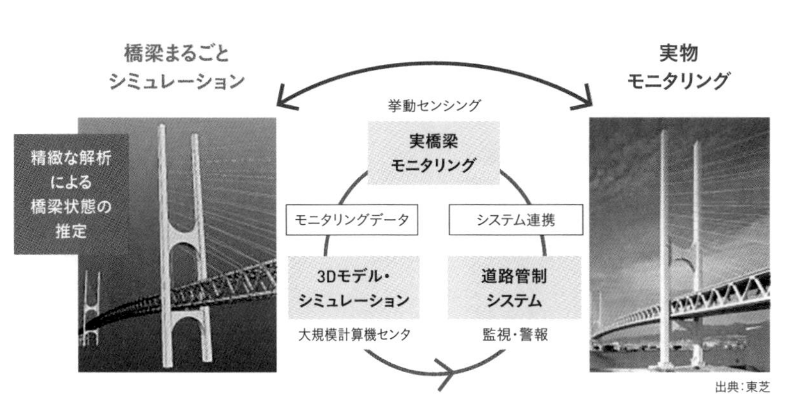

出典：東芝

ナンスを支える。

適用事例は、火力発電プラント、風力発電所、受変電設備、上下水道、鉄道、高速道路、スマート工場など様々なインフラに拡がっている。

例えば図表16-9は橋梁インフラのデジタルツイン化だ。橋梁全体の3Dデジタルツイン化・シミュレーションとともに、センサーを通じた挙動センシング、道路管制システムなどと連携させることにより橋梁管理を高度化する狙いだ。

また、ごみ処理場においても強みを活かしたデジタルツイン展開を行う。同施設では投入ごみの均質化を図り、安定した燃焼を維持するため、ごみクレーンを用いた破袋、攪拌(かき混ぜる)、ごみの移動などを行う必要がある。

従来、このクレーン作業は熟練運転員の経験に頼っていたが、AI画像解析技術でゴミの種別、高さ、攪拌状態などをデジタルツイン化し、AIごみクレーン全自動運転システムに活かしている。

これら各インフラで異なる課題・制御構造にもとづき最適なCPS提供を図っているのだ。個別課題の深い展開とともに、標

[図表16-10] **廃棄物処理施設における ゴミ攪拌プロセスデジタルツイン**

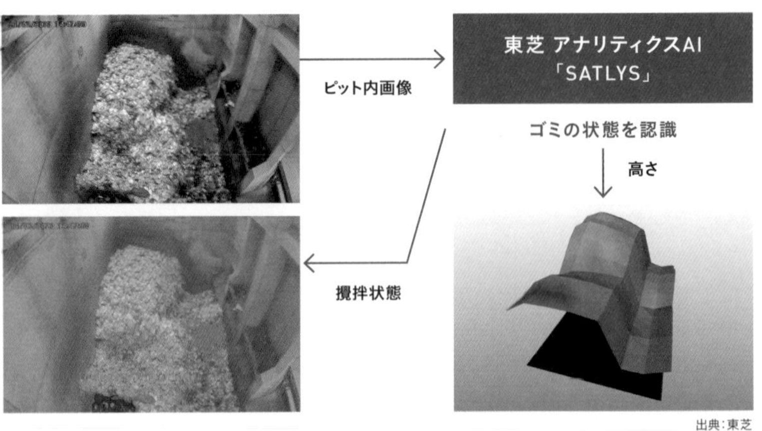

出典:東芝

準化を図りエネルギー・社会インフラドメイン全体としてのCPSの競争力強化を図る。

量子コンピュータと掛け合わせCPSカンパニーへ

同社は世界でも有数の量子関連の特許技術保有企業であり、量子技術による産業創出を目指した協議会であるQ-STAR(量子技術による産業創出協議会)で約60の企業とともに量子技術の社会への実装を推進している。

同社では、GAFAなどのCyber to Cyber領域のDXをDX1.0、Cyber to PhysicalをDX2.0、その次の段階として量子技術によるトランスフォーメーションをQX(Quantum Transformation)と位置付ける。社会課題の複雑化に伴って求められるCPSが高度化する中で、量子技術を活用して既存技術ではシミュレーションや分析が難しい領域に切り込み、新たな時代を切り拓き、競争力を高める方針だ。

06 セキュリティ・互換性の整備：凸版印刷

最後の方向性として、メタバース社会を見越して先回りした仕組み構築の方向性に触れたい。メタバースの普及など新たな技術やパラダイムシフトと連なって、新たな課題も生まれる。セキュリティやプライバシー、アバター・データなどの互換性がその一例だ。これらメタバースによる社会の変化やシナリオを解像度高く分析し、先回りした対応を行い、プラットフォーム展開を図っている凸版印刷の取り組みを紹介する。

凸版印刷は1908年創業の印刷会社であり、近年ではICT・デジタルソリューションを強化している。同社はメタバースを全社としてビジネス機会と捉えており、社内の取り組みとして新入社員研修をメタバース上で実施するとともに、外販サービス・ソリューションとしてもメタバース領域のプラットフォーム展開を積極的に行っている。

ビジネス向けメタバースプラットフォーム MiraVerseを展開

同社のメタバース戦略の1つとして、仮想空間に現実のリアリティを追求したビジネスユースのプラットフォーム展開を志向している。印刷事業を通じて培ったリアルな情報を高精度に表現するレンダリング技術にもとづく「フォトリアルコンテンツメーカー」と自社を位置づけている。

適用先としてはショッピングやプロモーション、製造・設計、教育・観光など幅広い領域を見込んでいる。カギとなるのが後述するアバター生成・管理だ。

［図表16-11］(上)**ビジネス向けメタバースプラットフォーム MiraVerse、**
(下)**バーチャルショッピングモール メタパ**

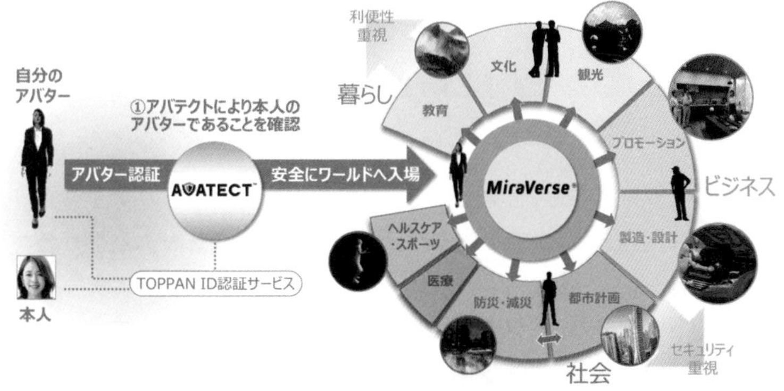

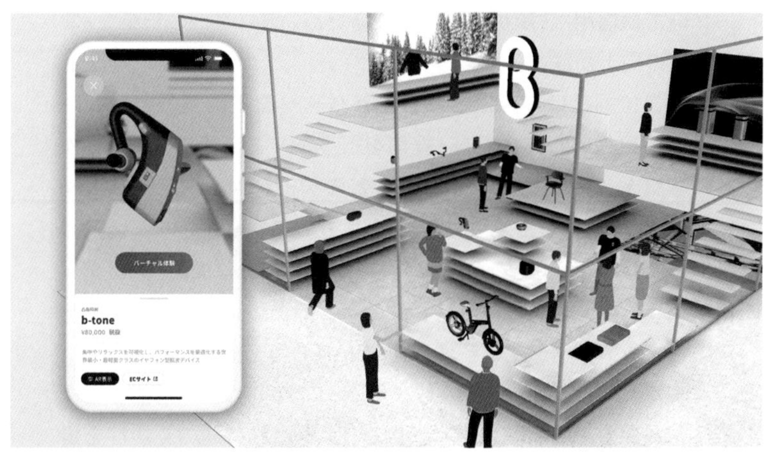

出典:凸版印刷

バーチャルショッピングモール　メタパの展開

　ショッピングの分野では、仮想空間上に構築した複数の店舗を、ショッピングモールのように1つに集約したスマートフォンアプリ「メタパ」を展開している。1つのアプリを通じて複数の店舗で買い物ができることや、友人や家族とグループでショッピングできること、ユーザーの行動分析が可能であることなどが特徴だ。

今後、出店者やユーザーの拡大を図り、メタバース上の購買体験におけるプラットフォーマーとなることを目指す。

自動生成・なりすまし防止機能など アバター展開を強化

メタバース社会を見据えて、今後生まれるセキュリティや互換性の論点にも対応した先回りでのプラットフォーム展開が特徴だ。

現状のメタバースではアバターは法律で保護されておらず、なりすましや著作権侵害のリスクがある。特にビジネス用途においては信用・信頼が重要視されるため、アバターの安全性・信頼性の向上が鍵とみる。

そこで同社は本人に酷似したアバターを生成するとともに、真正性担保のために認証・管理を行う取り組みを進める。1枚の写真と、入力した体重・身長などのデータからフォトリアルな3Dアバターを自動生成できるサービス「メタクローンアバター」を展開。アバター本体の管理や本人認証に加え、アバターにNFTや電子透かしを付与することで不正防止やなりすましを防止するアバター生成管理基盤「AVATECT」を提供する。

また、同一アバターで複数メタバース空間に接続可能な互換性を担保するID管理基盤も提供し、メタバース間の互換性を担保している。今後も同社は他社に先んじてメタバース社会の課題やニーズの具体的な検討・想定をもとに先手を打ったプラットフォーム展開を行うことを目指す。

［ 図表16-12 ］（上）自分の分身を作成するメタクローンアバター
（下）アバター生成管理基盤「AVATECT（アバテクト）」

生成元の顔写真
（AIで作成した架空の人物）

生成した3Dモデルの顔と全身

メタバース上での
利用イメージ

2D電子透かし

人の目では分からない

検査ソフトで読み込むと…

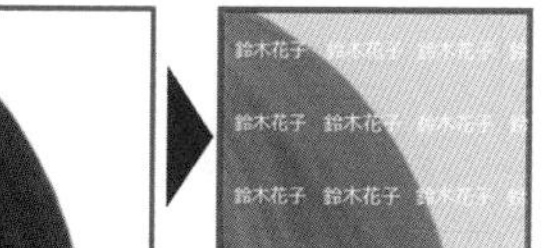

電子透かし情報が
埋め込まれている

2Dアバター

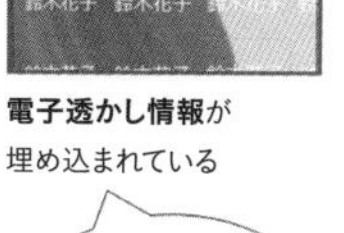

3D電子透かし

人の目では分からない

3Dアバター

検査ソフトで読み込むと…

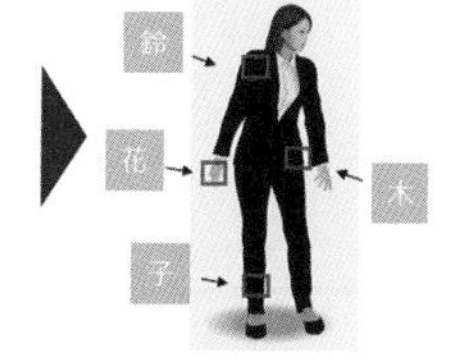

電子透かし情報が
埋め込まれている

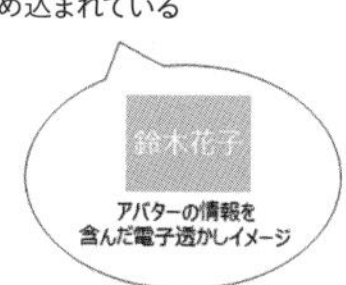

出典：凸版印刷

第17章

構造変化と求められる視点
［産学官連携編］

Meta-Industrial Revolution

01 Society5.0の社会実装に向けて

ここからはメタ産業革命時代における構造変化や求められる視点を解説する。第17章にて「産学官連携編」、第18章「企業編」、第19章「個人編」、第20章「日本の未来」として触れていきたい。

本章では、メタ産業革命時代で求められる産学官連携について見ていく。

欧州委員会も注目

ここまで見てきたようにCPSが各製品や産業レベルから都市や社会へと領域が融合していく中で、日本が提唱しているSociety5.0の重要性が増してきている。Society5.0は、「サイバー空間（仮想空間）とフィジカル空間（現実空間）を高度に融合させたシステムにより、経済発展と社会的課題の解決を両立する、人間中心の社会」と位置付けられている。

先述の欧州委員会におけるインダストリー5.0でも、日本のSociety5.0は先行するコンセプトとして言及されており、与えている影響が大きい。

日本は従来から現場や人を尊重した「人間中心」の産業のあり方や、歴史的な公害対策も含めた社会・環境との共生などに、先んじて取り組んできた歴史がある。しかし、これらが暗黙知化してしまったり、うまくデータ化・数値化することでのアピールがうまくできていなかったりする部分があった。

例えば製造業などにおける日本の競争力を分析し、標準・体系化したのは他国であり、自国ではアピールしきれなかったことと重なる。デジタルツイン・メタバースを通じて、現実世界における日本の強みをデジタルツインとして表現し、形式知化することで、他者・他社・他国にも伝えられる形に変え、世界に働きかけていくことが重要となる。

また、日本は少子高齢化など世界の課題を先んじて経験する「課題先進国」である。個別要素の効率化や、最適化では解けないトレードオフの課題や価値創出に相対する必要が出てくる。Society5.0のコンセプトにもとづいて、産学官をあげてこれらの課題を解決する仕組みをまず自国で作り、世界へ展開していくことが重要となる。

これらの取り組みで、民間企業の集合体として、政府-アカデミアとのハブとなっているのが経団連である。Society5.0のコンセプト段階から関与し、実現に向けた各産業のあるべき姿を提示している。

経団連によるSociety5.0の取り組み

経団連(日本経済団体連合会)は、狩猟社会、農耕社会、工業社会、情報社会に続く第五段階の新たな経済社会の姿として官民で提唱しているSociety5.0の具体化に向け、様々な政策提言やプロジェクト提案を行っている。下記はその中の一例だ。

- Society 5.0 for SDGs …デジタル共創によるグローバルな課題の解決
- Society5.0時代の産業 …教育、ヘルスケア、サプライチェーン、農業等の将来像
- Society 5.0の実現に向けた規制・制度改革 …デジタル前提のルールへの転換

Society5.0は、2016年から開始された第5期科学技術基本計画において初めて提唱されたコンセプトであり、CPSを念頭に置きつつ、「人間中心」「課題解決」「価値創造」といった産業界の

有する課題意識や将来展望が土台となっている。ドイツでは、個々の企業の枠を超えて工場をつなぐことで産業の発展を目指すインダストリー4.0が掲げられたが、日本のSociety 5.0はあらゆるものがCPSでつながることで、社会全体がこれまでと異なる新たな段階に発展していくという考え方に立脚している。

Society 5.0は、社会全体を視野に入れることから、技術革新自体もさることながら、革新的な技術をどのように使いこなし、いかに望ましい社会を作るかを構想する「想像力」と「創造力」がより重要になる、と経団連は捉える。こうした認識のもと、CPSにより接続された社会の姿を念頭に、各産業がどのように変化するのか、どのような技術が求められるのか、法規制をどのように変えるべきなのか、といった点につき、様々な意見を発信している。

足元の課題だけではなく、時代の「半歩先」をシミュレーションし、関係府省に求められる政策や、進めるべき産学官協働のプロジェクト等を提案して実現することも、経団連の重要なミッションの1つである。経団連は、Society5.0の実現に向け、産業界の見識を基に、内閣府（科学技術イノベーション政策）・経済産業省（産業政策）・文部科学省（文教政策）・デジタル庁（デジタル政策）等の関係府省をはじめ、大学・研究機関等とも対

［図表17-1］経団連のSociety5.0に向けた位置づけ

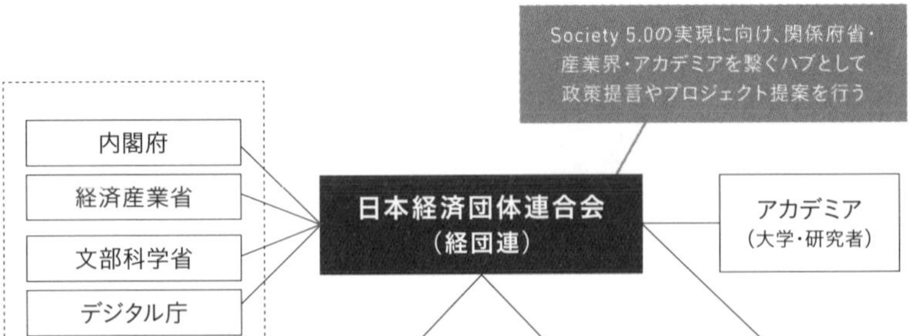

話・連携を図っており、民間-アカデミア—省庁という産学官をつなぐハブの役割を果たしている。近年は、スタートアップとの連携も強化している。

課題解決のグローバル展開を

欧州委員会では、2021年にインダストリー5.0というコンセプトを公表し、「人間中心」「持続可能性」「レジリエンス」などをその柱としてうたっている。これらの考え方の多くは、その5年前に日本が提唱したSociety 5.0で提唱されたものであり、コンセプト面では、日本はフロントランナーであるといえる。

ただし、具体化に向けた日本の歩みは遅い。CPSをより広く社会全体を包含するものとして捉えるコンセプトの議論がグローバルレベルで進む中、日本としても、世界に先んじて提示してきたSociety5.0を、具体的事例を伴う形でスピード感をもって世界に打ち出していかなければならない。

とりわけ期待されるのが「課題解決」である。日本は、超高齢化など世界に先んじて多くの課題に直面している。こうした課題の解決に向け、政府が政策を総動員し、民間も業界横断・産学連携で解決に取り組むことが、今、強く求められている。こうした経験の蓄積は、いずれ世界に同様の課題が広がることから、日本の強みとなりうる。即ち、「課題解決のグローバル展開」が、今後の日本の競争力のカギとなる。こうした中、経団連の産学官をつなぎ合わせるハブとしての役割は、ますます重要になっているといえるだろう。

02

求められる政策・ガバナンスのあり方の変化

規制がボトルネックに

異なるステークホルダーを連携させ、CPS活用の効果を増大させていく上では、規制を含めて、政策・ガバナンスのあり方の変化が欠かせない。ウーバーなどのライドシェアが生まれた際に、日本では白タク規制がネックとなった。このように「規制」がボトルネックとなってイノベーションが生まれづらい環境であることが浮き彫りとなったことは記憶に新しい。

また、日本は従来産学官の垣根があるとともに、官側の縦割り構造により、新しい試みを進めづらい点がある。デジタル庁が創設され、省庁横断での連携が期待されている。

CPS時代を迎えて変化が激しくなる中で、政策のガバナンスのあり方が大きく変わる。日本が世界に先駆けて提唱している「アジャイルガバナンス」について触れたい。

CPS時代のガバナンスモデル＝アジャイルガバナンス

経済産業省は「Society5.0」を実現していくために、多様なステークホルダーが迅速にルールや制度をアップデートし続ける「アジャイルガバナンス」の実践が必要であると提言している。「新たなガバナンスモデル検討会」により、2020年にはバージョン1が、2021年にはバージョン2、2022年にはバージョン3の報告書が発表された。

複雑で変化の速いCPS社会において、イノベーションを加速しつつガバナンスを確保するためには、政府・省庁が業界ごとの個別のルール形成・モニタリング・実行の機能を一手に担うこれまでの形では変化に対応できない。課題解決（ゴール）に着目した大きな枠組みの中で、多くのステークホルダーにより柔軟に変化・改定していくガバナンスモデルが必要になる。

先述のライドシェアや、自動運転などもその例にあたる。日々アップデートされる自動運転のプログラムに対して、政府・当局が都度審査をするといったプロセスのままだとイノベーションが生まれなくなってしまう。企業や自主規制団体・規制・インフラ・市場・社会規範などのそれぞれのステークホルダーが、実践の中で分散的にガバナンスを行っていくモデルを作ることが重要なのだ。

図表17-2上がアジャイルガバナンスの基本的な考え方だ。「環境・リスク分析」「ゴール設定」「ガバナンスシステムのデザイン」「同システムの運用」「同システムの評価」「環境・リスクの再評価」を高速で回していく社会全体のあり方の変化だ。図表17-2下のように、事前の「失敗しない」精緻なルールの設定よりも、実践の中のフィードバックにもとづく柔軟・迅速な変化・改正を重視する。

アジャイルガバナンスの考え方は、グローバルでも日本主導で提示され多くの注目を集めている。従来日本はミドル中間層によるある種「アジャイル」な意思決定やガバナンス体制が強みであった。これら日本の本来持つ強みを活かして、アジャイルガバナンスのコンセプトの実装により競争力のある社会へ日本が転換することを期待したい。

[図表17-2]（上）アジャイルガバナンスのコンセプト、
（下）アジャイルガバナンスでのルール改正プロセスのイメージ

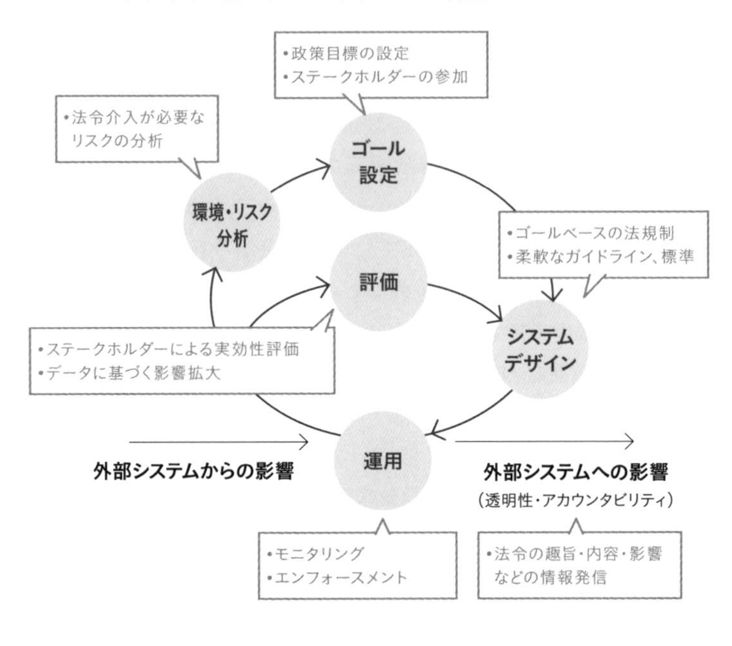

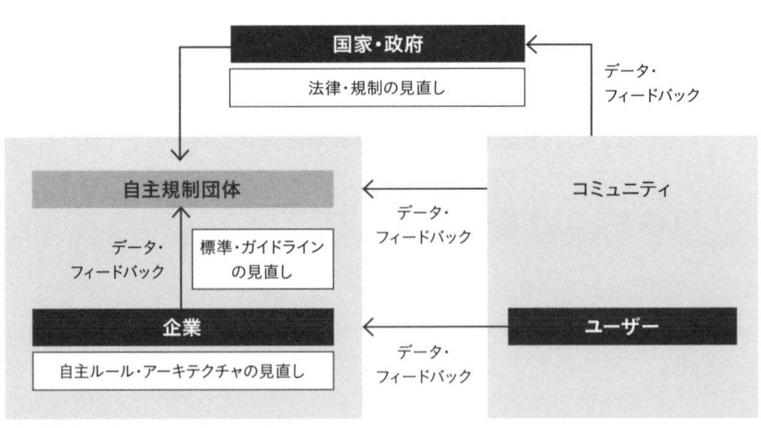

出典：経済産業省

03

研究機関・学との連携①
理化学研究所

領域・学科を超えた連携、国立研究所の重要性

産業CPS（デジタルツイン・メタバース）によって業界や企業間の垣根がなくなる中で、個別企業や産業の個別の競争関係などを超えて、いかにデータやノウハウ・技術を共有し合い、競争力のあるソリューションを生んでいくのかが論点になる。その観点では、1企業や1組織といった足元の範囲のみで判断するのではなく、業界・組織を超えた連携を進めることが求められる。これらの連携を促進していく上では、大学や研究機関などの「学」プレイヤーの役割も重要となる。

「学」では、学科や領域ごとの細分化が進みがちであり、横断での連携はあまり進んでいなかった。今後、領域横断での横ぐしをさした取り組みが求められる中で、産業と政策をつなぐ研究組織や大学といった「学」の存在の重要性が増している。

大学分野においては、医療領域で触れた名古屋大学はその好例であるが、本章では研究組織の取り組みとして理化学研究所（理研）、産業技術総合研究所（産総研）の取り組みについて触れる。国立研究所の役割として、技術的な複雑性などから民間側で開発しきれていない領域で先行的に研究開発し、それを標準化することで産学官での活用を支える役割だ。

ドイツではフラウンフォーファー研究機構がインダストリー4.0をはじめとした同国・欧州でのイノベーション創出を産学官をつなぎ支えている。日本においては、理研はスーパーコンピュータの「富岳」を活用した複雑なデジタルツインを、産総研はCPSを活用し、社会課題に根差した複雑な課題解決や、「人」

のCPS化などに取り組んでいる。
以下、まず理研のケースについて見ていきたい。

「富岳」を用いた高度なデジタルツイン技術の開発

医療領域のコロナ飛沫シミュレーションで紹介した理化学研究所は、Society 5.0社会の実現に向けてデジタルツイン活用を産学横断で主導している。スーパーコンピュータの「富岳」を活用し、現実世界を詳細に再現し複雑なシミュレーションを行うことで、産業や都市で活用できるデジタルツインの土台を築いているのだ。

メタ産業革命時代における理研の価値は、「富岳」を活用した複雑なシミュレーションにある。現在、都市のシミュレーションや、産業の材料分析をはじめとして、CPSで求められる計算能力は日々高まっている。既存の技術では十分対応できない難しい課題も出てきているのだ。

これらハイレベルな課題に対して、「富岳」を活用した高精度なシミュレーションを通じてソリューション開発を行い、民間企業の導入・発展につなげるのが理研の役割となる。

複雑な制約条件の両立を図るシミュレーションの実施

例えば製造業では、膨大な形状候補の中からデジタルツインでのシミュレーションと遺伝的アルゴリズム活用で最適な形状を抽出することや、車の挙動をドライバーの動作とともにサイバー空間で詳細に再現するリアルワールドシミュレーションなどを行っている。

これらの課題においては、既存のデジタルツインのシミュレーションソフトウェアでは計算能力の限界から実現ができなかったが、これらにスーパーコンピュータの「富岳」を活用することで可能となっている。その他建築・都市分野においては、複数の制約条件を満たす最適な都市開発のシミュレーションや、防災シミュレーションにもとづく最適な都市設計、快適さと感染症対策を両立した室内環境設計、環境対応と性能最大化を両立したタービンの設計など、複雑なシミュレーションに取り組んでいるのだ。

一例として、図表17-3が神戸地区での南海トラフ地震で津波発生時の浸水シミュレーションだ。都市3Dデータを再現し、既存堤防なしのパターン、堤防を設置したパターンに分けて浸水パターンをモデル化し、防災に最適な都市づくりに活かしている。

今後、同研究所は「富岳」を用いたデジタルツインでのシミュレーションや、その結果を現実世界にフィードバックした技術開発を行い、企業をはじめ産官学が活用できる形でSociety 5.0の土台を支えていこうとしている。

［図表17-3］(左)**スーパーコンピュータ「富岳」、**
(右)**デジタルツインを用いた南海トラフ地震での浸水シミュレーション**

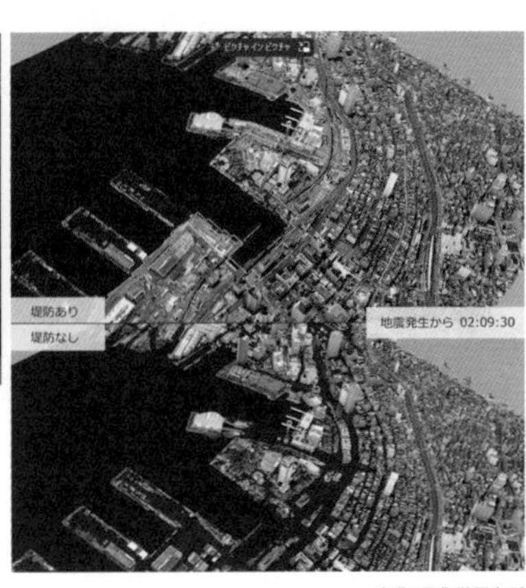

出典：理化学研究所

04

研究機関・学との連携②
産業技術総合研究所

先端・複雑領域の技術開発と橋渡しがミッション

ロイヤルホストやがんこフードサービスにおける人のデジタルツイン・メタバースの取り組みでご紹介した、産業技術総合研究所(産総研)の取り組みについて触れたい。同研究所は、日本の産業や社会に役立つ技術の創出とその実用化や、革新的な技術シーズを事業化につなげるための「橋渡し」機能に注力している。CPSの取り組みとしても民間企業のみでは開発困難な複雑な領域を開発し、その上で産学官で活用できる形で標準化する取り組みを行っている。

第8章でも述べたサービス業(ロイヤルホスト・がんこフードサービス)のケースでは、同研究所の人間拡張研究センターがこれにあたっている。従来「人」「現場」の産業といわれ、デジタル技術の投資や、オペレーションの標準化が他産業と比較して進んでこなかった領域である。また、製造業などと異なり、技術開発・投資を行う専門部隊が存在するわけではないため、これらの取り組みが進んでこなかった背景がある。

しかし、日本のサービス業の品質は世界においても誇れるものである。これら民間ベースでは進みづらい領域の技術開発を行い、CPSを活用して日本のサービス業の競争力を担保していくのだ。

メタバース空間と遠隔ロボットの連携による労働生産性の革新

また、インダストリアルCPS研究センターは領域横断で、CPSを活用した複雑な社会・産業課題の解決を図っている。特に労働力・生産年齢人口が減少する中で、いかにCPSを活用して生産性を向上するのかが注力テーマだ。変種変量で柔軟なラインが求められる中で、人の能力を最大化するため、人間と協調するロボット・ラインを支えるCPSのあり方の検討や、遠隔操作ロボットによる物理的業務実施の検討、熟練技能者スキルのCPS化による伝承などに取り組んでいる。

図表17-4がメタバース空間と遠隔操作ロボットを連携した新しい労働のあり方の検討の構造だ。工場や建設などでは従来「現場」を訪れて作業を行う必要があったが、メタバース空間上で現場を再現し、遠隔操作ロボットと連携することにより、時間・物理的制約があったとしても業務を行うことができると捉えている。さらには、1人1台だけではなく、メタバース空間で複数台を遠隔管理できるようになると、労働生産性が飛躍的に伸びる。

この領域においても、従来の機器・設備のCPSから、「人間」の身長・動作だけでなく技能・判断などの内部も含めたデジタルツイン化がカギとなっている。

これらの人間のデジタルツイン化や、人が主役となるものづくりのあり方について産学官でコンソーシアムを主導している。インダストリー5.0などCPSを土台とした「人間中心(Human Centric)」の重要性がグローバルで増す中で、産総研として日本、ひいてはグローバルの産業のあり方をリードする。

［図表17-4］メタバース空間と遠隔操作ロボットを連携した新しい労働のあり方の検討

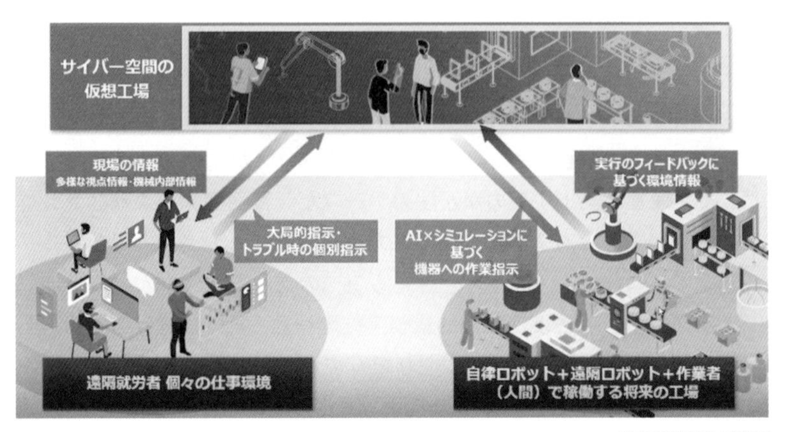

出典：産業技術総合研究所

05 業界団体の役割が拡がる

横断組織の重要性が高まる

同様に業界団体の役割も拡がる。デジタルツイン・メタバースの時代には、1社で独自に展開して囲い込むのではなく、産学官の幅広い主体や、クリエイター・アーティストと連携していくことが重要である。

従来日本では、企業・業界単位、省庁単位、研究領域単位などでサイロ化してしまうタテ型の構造となっていた。技術や世界が大きく広がる中で、広い視点で業界・日本・世界にいかに価値を出していくのかのビジョンを共創していくことが重要だ。

今後、領域をつなげるハブとなる業界団体などの横断組織の重要性が増す。業界団体は、例えば自動車領域では自動車工業会、自動車部品工業会などが組織されているが、メタバースにおいては一般社団法人Metaverse Japanが組織され、企業横断や産学官での連携を進めている。

このような組織では様子見や情報取得のみを目的として参加するだけでは十分な価値を享受できない。自らルール形成に関与して、ビジネスにつなげるべく市場を作り上げていく姿勢が重要だ。ここでは、メタバース時代における領域を超えた連携を促進することを目的に活動するMetaverse Japanの取り組みについて紹介する。

産学官での連携：Metaverse Japan

メタバース時代の産学官・業界・企業の垣根を越えたハブとなることを目的に、Metaverse Japanが設立されていた。先述の渋谷未来デザイン理事・事務局長の長田新子氏と、PwCコンサルティングパートナー執行役員の馬渕邦美氏が共同代表だ。

アカデミアからはデジタルハリウッド大学学長の杉山知之氏や、慶應義塾大学医学部の宮田裕章氏が理事として参画。メタバースの産業界キーパーソンとしては、KDDIの中馬和彦氏などが理事として、Clusterの加藤直人CEOや、Web3を牽引する國光宏尚氏などがアドバイザーとして参画している。

国内外のメタバース、NFT、Web3の有識者を招いた定例勉強会の開催や、複数のワーキンググループの活動の中でガイドライン・政策提言などを実施する計画だ。

アバターが複数のワールドを行き来するためのインターオペラビリティ（相互運用性）の担保をはじめとした論点で、ルール形成を主導する。企業からの関心は高く、DXでは後塵を拝してしまった日本であるが、メタバース時代ではスピード感をもって世界を主導していくべきといった熱のこもった議論がなされている。

また、企業とともに、省庁や自治体からも積極的な声が寄せられている。地域をメタバース起点で活性化することが期待されており、産業を活性化するためのルール形成のニーズ・問題意識が大きい。

同法人が捉えるメタバースのロードマップが図表17-5だ。2025年に安価ハードウェアの提供や、2030年に5Gから6Gへの移行が想定されているが、これらが大きな変化点となる。ハードウェアの普及・利便性向上が進み、ユーザーがより増加すると、リアルとバーチャルの垣根がなくなり、産業メタバース市場とともに、「メタバース生活圏」が生まれると見る。メタバースは日本のマンガ・アニメ・ゲームなどのコンテンツIPと、精度・品質の高い産業の強みを掛け合わせることで、再び競争力を得られると捉えている。今後日本がメタバースを主導するべく、スピード感をもった展開を行う構えだ。

［図表17-5］Metaverse Japanによるロードマップ

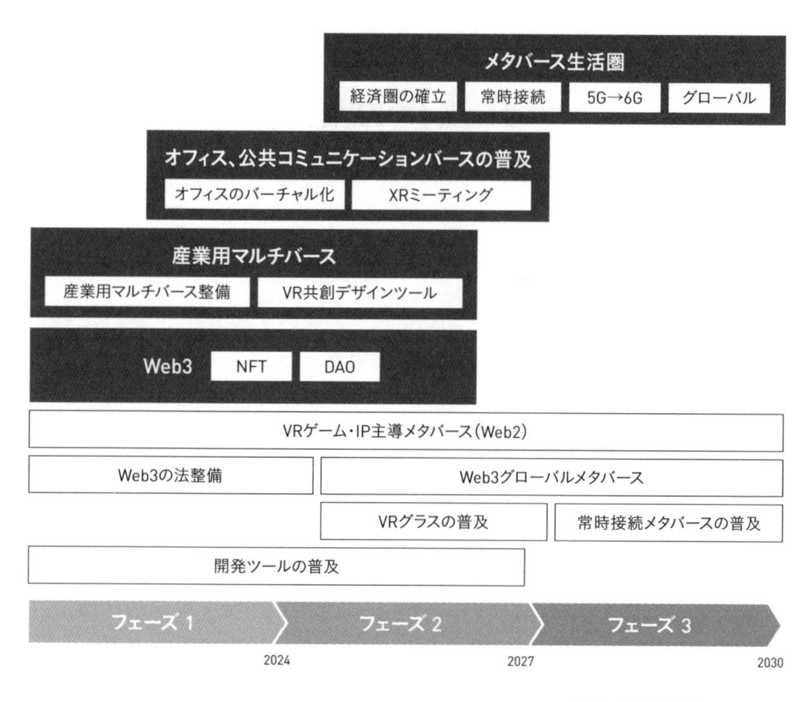

出典：一般社団法人Metaverse Japan

06

企業・領域を超えたデータ連携が必須に

欧州・グローバルで進むデータ共有ネットワーク

CPS時代では、領域を超えたデータ連携が重要になる。グローバルでGAIA-Xや、Catena-Xなどデータ連携ネットワークが活発に議論され、投資が進んでいることは製造業の章で述べた通りだ。欧州電池規制など、データ共有を行わなければビジネスが成り立たなくなってきている中で、グローバルで異業種データ連携対応が必須となっている。

日本においては、従来はケイレツなど企業を超えた連携が強みであったが、デジタル化の中で企業横断でのデータ連携は進んでいない。また省庁や行政におけるデータ連携についても、コロナ禍で課題が露呈されたのは記憶に新しい。

しかし、変化の兆しも見える。デジタル庁の創設により、官公庁においてはデータの横連携が進もうとしている。さらに、データ社会推進協議体(DSA)は日本におけるデータ共有の取り組みであるDATA-EXを主導するとともに、IDSA、GAIA-Xなどの欧州主要団体との連携を行っている。下記にてDSAの取り組みを紹介する。

CPS時代におけるデータ連携の在り方(DATA-EX)

データ社会推進協議会(DSA:Data Society Alliance)は2021年4月に設立された一般社団法人である。産学官でのデータ連携の重要性が高まる中で、170超の企業・組織が参加している。企業・産業を超えたデータ連携の在り方の定義、標準・ルールを策定している。

CPS時代では仮想空間と現実空間をデータが行き来するようになる。DSAはデータの流通・共有が業界を超えて、産学官で行われることで新たなイノベーションを創出することを目指している。

これまでは、幅広いデータを活用して意思決定に活かすことができるのは多くのデータを有する大企業に限られていたが、中小企業も含めて幅広い主体が共有し活用できる仕組みづくりが重要であると捉える。図表17-6の「DATA-EX」は、分野を超えたデータ連携を実現するために、DSAが行う取り組みの総称だ。具体的活動としては下記の3つとなる。

–分野を超えたデータ連携に関わる基盤構築（標準化、基準策定など）
–分野を超えたデータ利活用サービスの創出（各種実証、ベストプラクティス共有など）

［図表17-6］DATA-EXで目指す異業種データ連携コンセプト

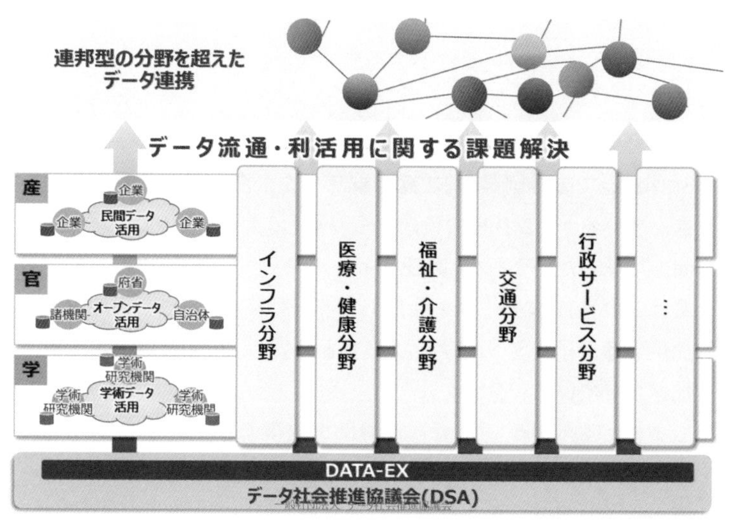

出典：DSA

–分野を超えたデータ連携に関わる社会実装支援（開発支援ツール提供、人材育成など）

産業を超えた連携が進んでいることや、スマートシティをはじめ都市・社会などデータ連携の範囲が幅広くなっており、データ主体の多様化・複雑化が進んでいる。日本ではデータの競争領域・協調領域の振り分けが進んでおらず、自社や限られた企業間で囲い込む傾向にあった。またコロナ禍でも政府・自治体や関係組織間でのデータ連携の課題が浮き彫りとなったのが現状だ。

これらを相手の信用度や与信、データ記録、データ取引市場の形成などによりデータ共有の経済的インセンティブを生み出す。それによってCPS時代におけるデータ流通を促進する考えだ。

DSAは欧州のIDSAや、GAIA-Xなどと国際標準化に向けた提携を行っている。IDSAやGAIA-Xとの連携においては、日本版のHubの設立も発表されている。今後日本国内とともに、グローバルでのデータ共有の仕組みづくり・標準策定に取り組む。

行政のオープンデータを通じたコラボレーション

国土交通省による3D都市モデルのプラトーの展開や、Virtual Shizuokaでの静岡県の3次元点群データ公開などの取り組みが進んでいるが、これらの行政が取り組む3次元データは、現実空間を加味した「デジタル実証フィールド」として機能する。静岡県はこれら点群データを活用して、自動運転用の3次元地図を提供するダイナミックマップ基盤と連携し、自動運転の実証を加速させている。

また、欧州のゲーム会社が静岡の公開点群データを活用し、新たなレーシングゲームを作成したという思わぬグローバル連携も生まれたという。静岡県や東京都、国交省など、行政の3次元データ化・公開が日本全体で進みつつある中で、行政の持つデジタルデータが、CPSを活用したイノベーション創出につながっていくことを期待したい。

例えば都市のインフラデータをはじめ細分化しているデータも、行政側のガイドライン整備とともに積極的に提供・連携することが可能となり、市民にとってイノベーションが生まれやすくなる。静岡県や東京都、国土交通省など、行政の3次元データ化・公開が日本全体で進みつつある中で、行政の持つデジタルデータがさらなるイノベーション創出につながっていくことを期待したい。

07

DADCの取り組み

日本の競争・協調領域の振り分け・アーキテクチャ定義が重要

メタ産業革命においては、現場作業・ハードウェアや、制御・コントローラー、計画系ソフトウェア、実行系ソフトウェアや、それらに実装されるノウハウ・サービスなど、構造の多層化がより進む。何度も述べているように、その中でいかに日本として競争・協調領域を振り分けて、協調領域での連携と競争領域での各社の競争力の強化を行っていくかが重要となる。

日本は従来より3年間といった足元の目線での各社による積上げ型の展開モデルであり、競争領域と、協調領域の振り分けが進んでいないことが多い。その結果として産業として似た事業を展開している企業が競争し合うなど非効率な構造となっている。

産学官での連携のもと、長期的な視点で日本としてどのような社会を作りたいのか、どこは連携し、どこで各社が競争していくのかといったビジョンを先行させて議論を行う必要がある。

今後デジタル化にとどまらずサステナビリティ担保などトレードオフともなり得る複雑な制約条件の中での社会や産業構造のデザインが必要となる。これら日本の社会・産業構造のアーキテクチャ設計を行うDADC(デジタルアーキテクチャ・デザインセンター)の取り組みを紹介する。

産業・社会システムのアーキテクチャを設計

DADCは、グローバルで進むデジタル社会を見据えて、わが国の将来の社会や産業構造のアーキテクチャ設計を行う、透明性を持った中立的な場として、IPA（情報処理推進機構）に2020年に設立された。政府やデジタル庁をはじめとした省庁、民間企業・団体と連携しSociety5.0を実現するために必要となる高度な知見を蓄積し、アーキテクチャ設計を実施することに加えて、規制・標準化・研究開発への働きかけや、今後のさまざまなシステム化に必要なアーキテクトの育成を行う組織だ。

デジタル社会の特徴である、システムがつながりながら、そして、つながったシステムのそれぞれが発展していくことが予想されるSociety5.0では、個々の組織ごとのシステム開発をバラバラに取り組んでしまうと、結果としてできあがる社会や産業のシステムは複雑怪奇となり、個々のシステムを容易に連携することもできず非効率となってしまう。

そうした観点から、各組織が行うそれぞれのシステム開発にも、将来の社会を見据えた全体のルール、システム、技術、ビジネスなどを踏まえた全体アーキテクチャをもとに自らの役割を遂行するシステムを開発していくモデルが求められる。

その全体アーキテクチャ設計を推進することがDADCのミッションなのだ。

［ 図表17-7 ］デジタルアーキテクチャ・デザインセンターの役割

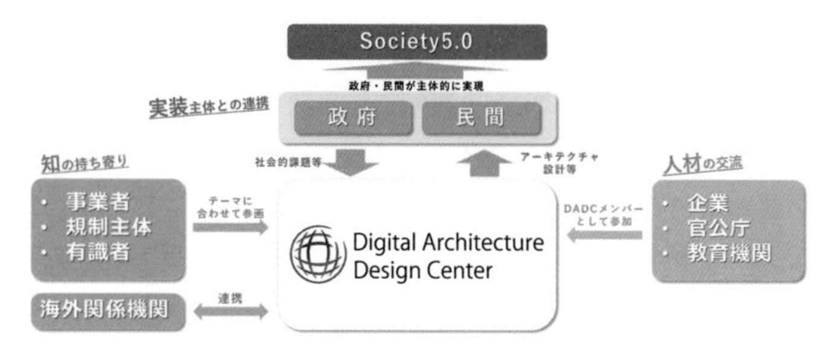

出典：DADC

Society5.0の実現のための
競争・協調領域の振り分け

DADCは政府・民間の依頼に応じて、多様な産学官の総合知を結集し、社会や産業システムアーキテクチャの全体像（見取り図）と協調領域を中心にアーキテクチャ設計を行う。現状アーキテクチャ設計で取り組むプロジェクトは、自律移動ロボットプログラム、企業間取引プログラム、スマートビルプロジェクト、政府システムプログラムなどだ。

センター長の齊藤裕氏はファナックの元取締役副社長であり、アドバイザリーボード座長の白坂成功氏は慶應大学教授など、外部人材から構成される。

アーキテクチャとは、大きく捉えると「目的を実現するための仕組み・メカニズム」を指す。Society5.0では、自動運転やスマートシティなど複数領域がサイバー空間を介してつながり、ロボットやAIを利用して最適化されるサイバー・フィジカルシステム（CPS）へと発展し、複雑化する中で、業界内外での共通の「協調領域」と、個別企業の差別化要素となる「競争領域」を振り分けた仕組みにしなければならない。前述のとおり、従来の日本企業においては、こうした振り分けなど考慮せず、それぞれの企業での個別の目的に応じた最適なシステムやオペレーションを構築してしまっていた。

現在、これからのデジタル社会における、複雑なCPSに適した仕組みづくりをDADCが主導している。

例えば、先述のドローンを例にとった自律移動ロボットプログラムでのアーキテクチャ設計の例が図表17-8だ。DADCとして日本の個々の企業が持つエッジでの制御や現場力などの強みが最大限発揮できるアーキテクチャを設計していくことで、CPS時代の日本の競争力を支える。

［図表17-8］自律移動モビリティ（ドローン向け）基盤システムアーキテクチャ

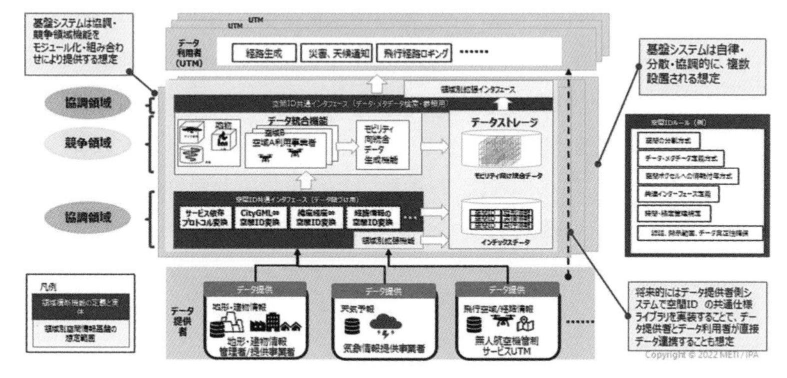

出典：DADC

第18章

構造変化と求められる視点 ［企業編］

Meta-Industrial Revolution

01 領域が社会・都市（マクロ）と、人（ミクロ）へと変化する

CPSにより領域の境目が変化する中で、領域が自社領域のセグメントから2つの方向へと変化してきている。

まず、マクロの観点では、領域の境目がなくなる中で、様々な産業や経済活動の集合体としての社会・都市へと拡がっている。例えばANAはバーチャル旅行プラットフォームにおいては、旅行を切り口としつつも、旅行に付随する小売や、イベント・エンターテインメント、教育などの経済活動の取り込みを図る。

トヨタのウーブンシティや大林組の網島での展開、清水建設の豊洲展開をはじめ、様々な産業の企業が都市レイヤーに進出している。これは自社商材の周辺領域を取り込み新規サービスに活かしたり、自社商材の付加価値向上につなげるためだ。

その中で、デジタルツインの位置づけも、個別要素のシミュレーションから、複数要素をいかにつなぎ合わせて社会課題解決や行動変容などを行うのかが重要となっている。

デジタルツインによるシミュレーションが都市・建物、設備や製品のみならず、人の領域のミクロにも進出している。例えば、製造業における人の作業の負荷とともに、サービス業での人の気づき・判断がデジタル化できるようになっている。

また、メタバース空間ではアバターでの行動やヘッドセットから、人の目線や表情・感情などをセンシングできるようになってきている。人の感情、ウェルビーイング、生きがいなど、より内面に踏み込んだ取り組みが重要となってくるのだ。

今後個別の課題解決を図る「個別視点」とともに、それらを俯瞰的に見て他要素とつなぎ合わせてシナジーを発揮することや、トレードオフの解消、都市・地球や社会的位置のバランスを図

る「俯瞰・全体視点」のバランスが重要となる。

［図表18-1］CPSによる価値領域の変化

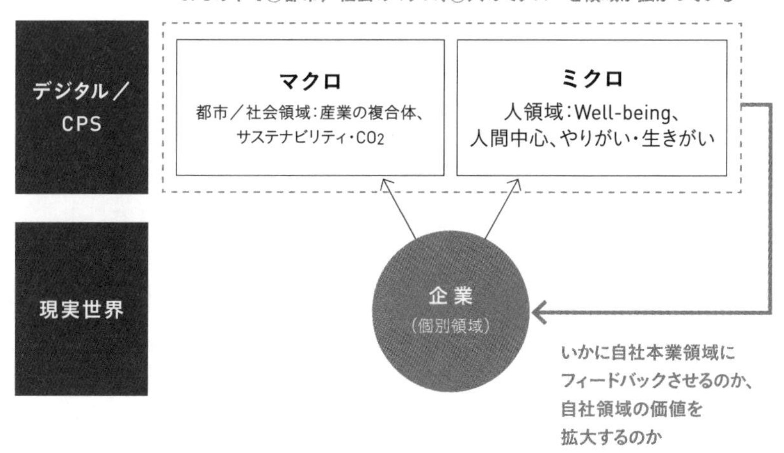

02

経営陣・トップ層の意思決定・コミットメントが求められる

CPSによる変化は個別部門にとどまらず、ビジネスモデルや、複数部門・機能横断、企業間のオペレーションのあり方自体を変える取り組みとなる。そのため、個別部門に対するボトムアップへの提案では進まないケースが多い。経営陣・トップ層への全体俯瞰での提案と、彼らのコミットメントのもと、全社・全組織レベルで推進することが重要となる。

また、新たな取り組みであるため、CPSによる売上増・コスト減や、行政でいうと市民QOLの向上などの既存実績データが豊富にあるわけではない。取り組みが進むと実績データが蓄積されるが、蓄積データがないとそもそも実施の意思決定がなされないという構造にある。

そのため、トップとして数値やROIありき、他事例ありきではなく、「自社で先行事例を作る」スタンスで取り組むことや、文化を形成していくことが重要だ。

本書で紹介したメタバースやデジタルツインの取り組みにおいて積極的な動きを見せている企業・組織では、経営陣のコミットメントと危機感が原動力となっている。既存の経営やオペレーションに対して健全な危機感を持ち、意思決定をスピード感をもって行えるかがカギとなってくる。

何をやりたいのかの長期的ビジョンが重要

足元での数値効果(コスト削減・売上増加、経済効果)などの

ROIのみで見るのではなく、長期的な目的から逆算したKPIに沿って意思決定をしていくことが求められる。2030年などの長いスパンで見て、自社・組織や市としてどういった状態でありたいか、どのような課題をどう解決したいのかなどから逆算して、必要な目標や評価基準を設定する必要がある。

コロナによって、デジタル化が格段に早まったといわれている。何が起こるかわからないVUCAの時代の中で、まずは先んじてチャレンジして取り組み、自ら変化を生んでいくことが重要だ。技術は整いつつある中で、企業・個人に限らず、何をやりたいのか、どういった世界を実現したいのかを描き、他社・他者を巻き込む力が今後より重要になっていくだろう。

また今までは精緻に未来予測を行って、そこから具体化をしていくプロセスであったが、CPSにおいては目指す社会や未来のイメージをまずプロトタイプとして作り、視覚化や解像度をあげながら具体化していくアジャイル型の手法がとれるようになる。デジタル上での未来像やビジョンの策定を早く行うことで、リアル空間での計画に反映させていくサイクルを回していくのだ。足元のビジネスとともに、これらのシナリオ・ストーリーと、それを実現するための道筋の重要性が増す。

加えて、HIKKYや博報堂のように、メタバースのノウハウを持ち、企業を支える企業もでてきている。そうなると、技術は制約やボトルネックとならず、何をやりたいのか、どういった価値を提供したいのかといった構想の部分や、フットワーク軽く、先入観を持たずに早く実行したかどうかがカギとなってくる。

違う評価基準の別会社での展開も有効

スピード感を持って進める上では、組織の体制も論点となりうる。CPSの構築には時間がかかり、すぐに定量的な成果に結びつくとは限らない。そのため大企業の場合では先述の通り、3年での黒字化や、売り上げ数十億円目標といった既存のKPIが足かせとなり、スピード感を持った意思決定ができないケースもある。
そのため別会社化する、もしくはパートナーと合弁会社化して評価基準を変えて展開することも有効だ。プラットフォームビジネス同様に、データやユーザーが蓄積し価値がでるまでは時間とコストがかかる、Jカーブ型のビジネス構造に応じたKPIの設定が肝要だ。

3D・デジタル化・可視化は第一歩にすぎない

産業・都市に対するデジタルツイン提供においては「デジタルツイン化」自体は手段にすぎず、それにより何を実現したいのかの目的が価値となる。見える化・可視化は第一歩であり、価値を生み収益を得るための必要条件にすぎない。見える化されたものを、いかにつなぎ合わせて課題を解決するかに、価値の源泉がある。
例えばある産業系のデジタルツインソリューションにおいてはデジタルツインで顧客の現場オペレーションを可視化するとともに、そのデータをもとに次に必要なアクションをシミュレーションし、必要な機器・材料等を提供するECと連携する。また、進捗状況データを与信として活用し金融サービスを提供している。
これらのように可視化は必要条件にすぎない中で、そのデータと掛け算を行ったビジネスモデル展開が重要である。また、メタバースの観点では、既存のプロセスをゲーミング化し生産性やモチベーションを向上させたり、他社・異業種との接点をつくることにより新たな関係性を生み出すことや、経済圏・生活圏を生んでいくことなどが価値となってくる。

03

フックと回収源：どこにビジネスモデルをもっていくのか

メタ産業革命においては、儲けどころをどこにもっていくのかのビジネスモデル構築が重要な観点となる。まず大別して、デジタルレイヤーで収益を持つあり方と、デジタルレイヤーをフックに、現実世界に回収源を持つ方向性が存在する。

デジタルレイヤーでの収益の例としては、プラットフォーム・ソフトウェア利用料や、ワールドでの土台提供による手数料収益、ゲームエンジン・開発エンジンの提供、メタバース上での広告料などが挙げられる。

また、産業・都市領域ではより現実世界に回収源を持つ戦略も重要だ。ゲーム・コンテンツ産業や、消費者向けのデジタルサービスであれば、ある程度の規模のユーザー・会員数を比較的見込むことができるため、デジタルレイヤーで収益回収手段を持てることとなる。

一方で、本書のテーマである産業や都市領域では、領域がセグメント化されるため、会員数・ユーザー数には限りがある。そのため、デジタルレイヤーでのプラットフォームやサービスの利用料、広告、デジタルコンテンツのみで完全に収益を確保することは難しい。デジタル領域でのユーザーの獲得や、関係性の強化を行った上で、現実世界に収益の回収源を持っていくことが重要だ。

例えば、工場や医療行為のCPSを通じたシミュレーションをフックに、その検討で購入するライン設備や、医療機器側の販売や手数料で収益を回収する、といった方法だ。単価の観点で

［図表18-2］デジタルツイン・メタバースの収益源パターン例

目的（一例） × **フック・回収／収益源（一例）**

メタバース型

- コミュニケーション・コラボレーション
- 生活・経済圏の創出
- デジタルPoC・テストベッド
- ゲーミング・IP連携
- 世界観の共有・ファンの獲得
- 展示会・イベントの実施

デジタルツイン型

- 可視化・モデル化
- シミュレーション・変化対応
- 暗黙知・ノウハウ標準化
- ソリューションビジネスモデル化

デジタル側に収益・回収源

- メタバースPF・ワールドとしての利用料
- 経済活動・クリエイターエコノミ経済圏への課金（小売・デジタルコンテンツなど）
- ゲームエンジン・開発エンジンの提供
- デジタルツイン・シミュレーションソフトウェアの提供
- アバター等デジタルコンテンツ販売（NFT含）
- デジタルツイン・メタバースを活用したデジタルソリューションの展開
- メタバース コンテンツプロダクション・コンサルティング
- メタバース上での物理コンテンツ販売
- メタバース関連ハードウェアの展開

フィジカル側に収益・回収源

- メタバース・デジタルツインによる本業収益増（通信・半導体・クラウド等）
- ファンの獲得・プロモーション、実店舗などへの送客
- 差別化・品質向上による既存事業収益確保・増加、顧客満足度向上
- シミュレーションを通じた実製品・実機の販売、調達取引等への課金

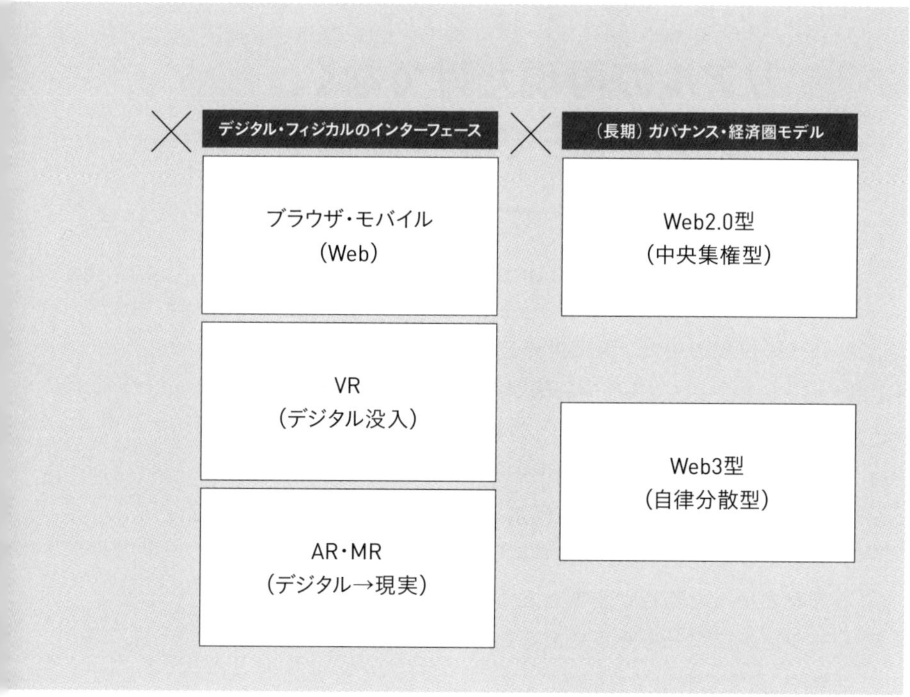

× デジタル・フィジカルのインターフェース	× (長期)ガバナンス・経済圏モデル
ブラウザ・モバイル (Web)	Web2.0型 (中央集権型)
VR (デジタル没入)	Web3型 (自律分散型)
AR・MR (デジタル→現実)	

もデジタルをフックにハードウェアに効果的につなげていくことも重要な戦略となる。

あるいは通信・半導体企業の動向で紹介したように、CPSサービスを提供してユーザーを拡大し、それに必要となる周辺機器・ソフトウェアや事業で回収するといったモデルも存在する。デジタルと現実世界を両面で見て、どこをフックとし、どこに回収源を持ってくるのかの立体的な視点が求められる。

04 リアルの再現だけでなく、デジタルならではの価値を

体験を変化させる

CPSの世界の中で、現実世界をそのままデジタルにもっていってしまうと、コストや時間が大きくかかることに加え、価値が見えづらくなってしまい、効率化や高度化が失敗するケースが多い。何をデジタル・3D化するのかの振り分けを行うとともに、デジタルだからこその価値を追求することが重要である。

そのためにも、情報提供よりも「体験」をどのように変化させるのかといった観点が重要となる。これはビジネスでのオペレーションフローもそうであるし、メタバースでの生活・経済活動や、交流においても同様だ。

メタ産業革命自体では、見せ方・表現の幅が圧倒的に広がる。単なる現実世界のコピーではなく、より効果的に表現したり、技術を組み合わせた価値を創出することや、オペレーションを最適化することが可能となる。また、目に見えない暗黙知やノウハウ、世界観やビジョン、思い・こだわりなども表現できるようになる。これらの特性を踏まえた展開が重要だ。

アーリーアダプターを巻き込む

デジタルツインやメタバースの取り組みは、ある程度ユーザーが拡がったほうが効果が出やすくなるが、逆に効果がでなければ取り組みが進まないという「卵が先か、鶏が先か」の鶏卵問題に直面する、というのはすでに何度か述べた。

CPSのように新たな技術やオペレーションのあり方を提示す

る上では、すぐに目に見える成果が出づらいため、すべての主体の合意を得て、求められている状態を作ることは難しい。そのため、ROIや足元の効果だけでなく、長期的なビジョンや取り組みに共感し果敢に一緒にチャレンジしてもらえるアーリーアダプター（早期に導入してくれる先行者）を巻き込むことが欠かせない。

そのうえで、中間・保守層に対しては他の成功事例が効果的なアピールとなるので、まずは小さくとも実績を作った上で、中間・保守層にも広げていくといった視点が重要だ。

例えば産総研では、サービス業のデジタルツインにおいて接客・サービスに力を入れるロイヤルホストと連携して取り組んでいるとともに、静岡県や東京都の事例では投資の合意を形成しやすい防災向けを皮切りに3D化を進めて、他用途に横展開を進めている。

目指したい姿や技術に共感し、経済的メリットだけでは判断せずに、先行的に取り組んでくれる導入先と深く連携することがカギとなる。

技術力・ノウハウを持つ企業がソリューションプラットフォーマーへ

その中で、自社の顧客への価値提供のあり方、もっというと顧客自体が変わることも念頭においた議論が求められる。鹿島建設や日立物流の事例でも触れた通り、CPSを活用することにより、自社のノウハウやオペレーションを用いたソリューション企業として同業を含めた他社を支えるサービスで新たな収益源を作ることにもなる。

自社内で活用していた技術・システムを外販する上では、セキュリティの担保も重要である。また、自社の基準が過剰であるケースには、業界標準を見定めて時にはディグレードして使いやすくするなどの工夫も必要だ。

さらに営業体制も論点となる。ハードウェアなど単価が高く、目に見える「モノ」を売ってきた営業人材が、サービスやソリューションを売る形へシフトする。このためには、顧客の経営陣をはじめ意思決定層へコンサルティング型で提案していく必要があり、スキルシフトやマインドセット、さらには評価KPIの変化が求められる。

ビジョンを実現するためのエコシステム思考

取り組みを検討するにあたって、足元の事業・顧客や、既存技術、やれることに過度に縛られた構想をしてしまうと発想は広がっていかない。企業は時代とともに変わっていくものであり、保有事業や技術がその企業を形成するものではない。何をやりたいか、どんな世界を作りたいのか、どんな思いを持って働いているのか、この文化やビジョンが企業の幹である。それらを突き詰めて、創造したい未来を具体化していくことが求められる。

その自社として目指したい未来や、提供したい価値を起点に、自社だけでなくエコシステムと呼ばれるパートナーとの連携・関係性を通じて実現に向けたアクションを生んでいく必要がある。ケイパビリティはエコシステムから補完することができるため、自社でできること、自社の範囲内の限界を作らないことが重要だ。

例えば産業向けのデジタルソリューションのエコシステムとしては、①顧客への導入を行うコンサルティング・インテグレーションパートナー、②AI・IoT・CG・ブロックチェーンなどの技術を提供するテクノロジーパートナー、③自社プラットフォーム上で実サービスを創造するアプリケーション・クリエイターパートナー——といったプレイヤーが考えられる。こうしたエコシステムを効果的に活用して、自社の限界を超えていくことが求められる。

コア価値創出と標準化

産業・都市領域のソリューション展開においては、コア顧客・ユーザーとのコア価値創出の「深さ」と、エコシステムを通じて効率的に拡大する「広さ」の両立が必要となる。日本企業は特定ユーザー・顧客のニーズに寄り添い、カスタマイズすることで価値を創出することは得意である。一方で、それを他社や異業種などに横展開し、スケールさせることを苦手としている。

個別のニーズに寄り添えば寄り添うほど、個別解化しニッチな商材となっていき、かつエコシステムパートナー側も横展開・応用展開することができず、広がっていかない。これらコア顧客のニーズを他社・異業種にも横展開できる共通解と、特定企業に特有のニーズの固有解に振り分けることが必要だ。また、ソリューション企業はこれらをなるべく標準化し、共通解に投資・リソースを振り分けることでカスタマイズを最小化し、「手離れのよい」ソリューションとしていくことが重要となる。

例えば、自社以外のエコシステムパートナーがかついで展開していけるように、UIを導入先の技術力にかかわらず運用できるように簡易化する、導入プロセス・提供価値などを標準化する、エコシステムパートナーによる顧客への導入を支援する機能の整備――などが挙げられるだろう。

マイクロソフトなどは自社の売り上げに対して、エコシステムパートナーの売り上げを9倍などと設定し、自社の成長においてエコシステムパートナーとの共存・繁栄を重視している。日本企業においても自前主義を捨て、エコシステムを最大活用していくことが求められる。

第19章

構造変化と求められる視点
［個人編］

Meta-Industrial Revolution

01 ゲームエンジンなど3Dを扱えるスキルの重要性が増す

ゲームエンジンで拡がる活躍の場

今後、様々な産業でメタ産業革命が拡がる中で、必要なスキルも変化する。その中の一つが3D技術のハンドリングだ。

例えばUnityやUnreal Engineなどが扱える人材は、今後多くの産業で重要となる。大林組などに加えて、デンソーがゲームエンジンで自動車部品の開発を行っている事例などは、すでに本書でも紹介した。また、サイバーエージェントなどもメタバース事業強化にあたり、ゲームエンジンなど3Dを取り扱えるエンジニアを大規模に採用を行う計画だ。

自社ビジネスを理解している人に3D技術を教育するよりも、こういったスキルを持っている人に自社ビジネスの知識をつけて活躍してもらう形も、より増えていくだろう。

今後、ゲームエンジンを介在して、ゲーム業界やコンテンツ・エンターテインメント業界でゲームエンジン・3D技術を扱ってきた人材の活躍のフィールドが拡がる。BIMやCADなど産業個別で活用されるソフトウェアの習熟にはコストや個別性が伴うが、ゲームエンジンであれば産業横断で活用できるため、人材獲得・育成の効率化にもつながる。個人としても領域を横断した活躍の場が拡がることにもなる。

今後ゲームエンジンなどの技術を活用して、細分化する個別のデータ・デジタルツインを統合し、コーディネートできる人材の価値が増すのだ。また、産業・都市領域の企業や自治体としても、今までの連携先がゲーム開発会社や、エンターテインメント企業、クリエイターなど大きく広がることになる。

自分で学んで試すことが可能に

ゲームエンジンのうち、Unreal Engineなどは無料で提供されており、意欲さえあればこれら先端の3Dの技術を学び、試す環境が整ってきている。加えて、リアル空間をセンシングして3D化する既存技術もより身近になってきている。

例えば、iPhone12 Proには高精度LiDARが搭載され、誰もが点群データを生成することができるようになっている。これらセンシングデータをもとに、無料の3Dエンジンを活用して仮想の都市空間を作り上げるということも容易に行えるのだ。

今後、これらセンシングや、3D空間を作る技術がより身近なものになり、誰もが扱える時代を迎える。伊勢丹のREV WORLDSにおいても、推進メンバーが自ら学んで小さく試すことで、企業全体の取り組みへと発展させている。CPSの取り組みはスコープが大きいため鶏卵問題に陥りやすいが、これを脱却する上でも、全社としての意思決定を待つ前に、まずは試し、それを意思決定の材料として提供するといった姿勢が重要だ。

小さく作るうえでは、自社内だけでなく「学」プレイヤーとの共同研究の場の活用など本社とは離れた「出島」を活用することも重要となる。そうすると机上の空論ではなく、ユーザーや、社内外からフィードバックを得てブラッシュアップできるとともに、意思決定層の判断を得やすくなる。

国全体で見ると、日本の強みをより本質的な競争力へ変えていくためにも3D教育の仕組みの整備が重要であろう。これら身近になる3D生成・センシングを、小学校をはじめとした学校教育などにも取り入れ、若いうちからこうした技術を誰もが使いこなせる人材基盤を作っていくことが国の競争につながる。

ゲームエンジン活用の教育も行う先述の九州地方整備局によると、若い世代はゲームや3Dに親しんでいることもあり吸収が圧倒的に早いと述べている。若い世代を中心にこれらの技術の普及や人材育成を図ることが求められる。

02

コストが下がる建設的な「失敗」を進んで行う

まずは自らやってみる

メタバースやデジタルツイン上であれば、失敗のコストが最小化できる。失敗を恐れずに小さく回し、躊躇せずに擦り傷をつけながらも前に進んだ企業が競争力を持つことができる。アイデアや構想をデジタル上でPoCや社会実験として回してみて、試行錯誤の中で進めていくことが重要となる。課題に対する解決の方向性を検討したり、試した上で、実際に展開をすることができる。

実際にアイデアや構想があっても、スピードの遅さや、縦割り組織により実行力が担保されなかった日本の産学官にとって、一歩踏み出すツール・武器となりうる。

まずは他社の事例を調査してから、自社でその事例にもとづき試すといった姿勢が多いが、自ら事例を新たに作るといった姿勢が今後のメタ産業革命時代においては重要となる。

常に技術に関心を持ち、自らの業務とつなげて考える

メタバース・デジタルツインなど様々な技術が日々進化してきているが、コロナ禍で既存産業のメタバースの取り組みが加速したように、思いもよらない形で技術と自社事業がつながることもある。よりオープンに、自社や個人の取り組みにどう活きるのかなどについて、自分ごととして関心をもって吸収・検討することが重要である。

例えばビームスなども、短期的な足元の売上を求めるよりも「まずやってみる」「失敗しながら学ぶ」という姿勢でバーチャルマーケットに取り組むことで、ノウハウやナレッジを蓄積し、取り組みをブラッシュアップしてきている。完璧主義を捨てて、まずは取り組んでみる姿勢が求められる。技術の詳細を身につけなくとも、世の中の専門のプレイヤーと議論ができるように、全体像や、最新技術で何ができるようになっているのかを理解していくことが重要だ。

オープンなカルチャーが重要

そのためには、やりたいことや挑戦したいことのアイデアが出てきた際に、否定から入るのではなく、「面白がって」広げられないかを検討することが重要だ。デザイン思考における「yes and」の考え方だ。

安価にリスクを最小化してシミュレーションやデジタルPoCができるようになるため、より開かれたカルチャーを作り、挑戦していくことが重要となる。評価のKPIも、売り上げベースから、新規のチャレンジをした人や、異業種との連携を行った人たちが評価されるモデルに変えていくことが欠かせない。

また、今までは組織や事業全体を変えていくためには、長年の経験が求められていた。しかし、デジタルツインやメタバースを通じて全体を表現する技術を持っている人材と、そうした現場での長年の経験がある人材が連携をして取り組むことができれば、より大きな効果を生むことができる。

先述の大林組でもUnityなど3D技術の扱いに長けた若手と、現場・事業経験の長いベテランが連携している。若手にとっては、そうした機会が全体感をもって取り組むことができるようになるチャンスとなるのだ。3Dに関心のある若手の登用も含めて、このような取り組みを企業として積極的に行っていく必要があるだろう。

求められるタテ・ヨコ・ナナメ思考

CPSで領域の垣根がなくなり、産業全体や都市へと広がる中で、同業界のみならず、異業種や、領域外の企業や専門家との連携が重要となってくる。同一企業や業界では同様の発想となることが多く、別の領域の発想がヒントやイノベーションの種になることは多い。

こうした外部との連携はもちろん、日本ではグループ内に多様な事業を有しているコングロマリットが多い。これら縦割化している内部組織を横でつなぎ、技術を複数領域で試すことができるインパクトは大きい。今後は、個別の要素をつなぎ、俯瞰で見られる人材の重要性が高まる。

現在ゲーム・エンターテインメント領域と、産業領域の融合が図られているが、例えばソニーなどではゲーム・非ゲームでの社内連携が図られることで大きな競争力を発揮することとなる。

こうした領域間での横連携、領域外での連携、それらを組み合わせる「タテ（顧客・取引先・パートナーなど）・ヨコ（業界内別企業）・ナナメ（異業種・異領域）」の思考がメタ産業革命時代にはより重要となる。

他領域企業との議論においては、自分たちの業界の常識を押し付けるのではなく、相手目線で柔軟な提案をしていくことが欠かせない。最初から具体として目先の技術や収益配分などから議論をするのではなく、どういったビジョン・世界を実現したいのかといった大きな視点での議論を重ねたうえで、具体議論に入ることが求められる。

既存の成功体験・オペレーションにとらわれない発想を

デジタルツインやメタバースでは、既存の技術では実現できなかったことが可能となる。経験が長ければ長いほど、その経験に縛られ本質を見誤る「専門家バイアス」に陥りやすくなる。特に既存事業や経験を多く持つ大企業ほど、足元の成功・失敗体験や、思考の枠、常識・業界慣習に縛られない柔軟な発想がより大切になる。

例えばメタバース展開に積極的なある大企業のR&D部門は「Think outside the box」をスローガンとしている。今後のメタ産業革命では、「これはできそうだ」といった安心感やロジックの整合性だけではなく、今までの常識ではできないと感じる「違和感」を大切にする必要がある。

デジタル上での小さく速く自由なPoCを通じて、この違和感をワクワク感や確信へと自社起点で変えていき、既存の事業の軸とは異なるオプションを作り続けられる企業が今後の競争力を持つだろう。いかに既存事業や他者が考える枠の外で発想できるのかがカギだ。足元の課題・ニーズと、未来の洞察・創造、この両輪を回していくことが重要だ。

03 大林組による未来構想

未来を構想する仕組みを経営に取り入れる

デジタルツイン・メタバースの取り組みは既存のプロセスの延長線上でなく、ビジネスモデルやオペレーションのあり方の大きな変革となる。そのため、足元課題や事業課題のみならず、長期的なビジョンや、あるべき経営・事業のあり方をもとに検討することが重要である。

ただし、長期的なビジョンや未来のあるべき姿を検討するにあたっても、日々の業務に忙殺されて中々進まなかったり、一時的な取り組みで終わってしまい継続的な検討につながらないケースも多い。

また、視点の枠を広げることも重要だ。第7章のアバターインは「10億人をいかに変えるのか」という振り切った視点で事業構想に取り組んだことが今の事業モデルにつながっている。未来を構想するプロセスやカルチャーを継続的に経営として仕組み化することが重要である。

その好例が、建築や都市など幅広い領域でデジタルツインの取り組みを展開する大林組だ。

街づくりのアイデア創出・合意形成を行うOWNTOWN構想

大林組は多くの住民が参加して街づくりができないかという着想から、OWNTOWN構想を提唱している。

個人の思いにもとづきメタバース上でステークホルダーと合意を得ながら都市づくりのアイデア発想やプロトタイピングを

行って、デジタルでの街や建物を作る。そのメタバース上での街のアイデアとリアル空間がつながっており、建築材料や資材の選択から発注までをメタバース上で行うことにより、現実空間での街づくりが進むといったアイデアだ。

それとともに、仮想空間上での街づくり自体においても大林組の建設業として培ってきた技術・ノウハウを活かして、メタバースでのデジタル建築を提供することも、同社の未来の事業につながると見る。

これらにより、個々人が都市や家・建築物に介入し、愛着や思いを持つ姿を創ることもゼネコンとしての役割と捉える。この構想から、長期ではメタバース上でのバーチャル建設業の展開、中期ではメタバース上での構想・アイデア発想を行い現実世界での建設につなげる取り組みの展開、短期においてはデジタル上での顧客の要望に合わせたマスカスタマイズ建築の事業案が生まれた。

同社は、短期では仮想空間上の構想をもとに、顧客が求める部材も含めて選択してカスタマイズできるプロセスの実装も構想に加えている。このように大林組では、足元課題からだけではなく、長期的なビジョンや構想を描き、そこから具体化していくことにより、足元の事業アイデアも生んでいる。

自由な視点での長期構想を「仕組み化」し全社で支援

同社はこうした未来構想のプロセスを経営として仕組み化している。大林組では定期的に「季刊大林」を発行しており、その機会を通じて本業とは別の新しい構想やビジョンを検討し、取りまとめる仕組みが存在する。

OWNTOWN構想の他には、宇宙エレベーターや、火星での都市建設などが長期的で自由な発想で構想されている。これらの取り組みは部門横断でベテラン・若手など多様なチームが形成されて議論される。

「季刊大林」での未来構想は経営陣が支援しており、次の世界・社会のあるべき姿をトップも含めて議論を行う。「大林組の未来を作る取り組み」として社内で認知されており、各部門でも取り組む時間を確保するなどの支援が行われているのだ。

また季刊誌で発信することにより、外部テクノロジー企業から連携の打診がくるなど仲間作りにもつながっている。多くの日本企業が長期の構想・アイデアを生み出せずにいる中、大林組は未来構想をプロセス化し、長期構想が生まれるカルチャー・プロセスを作っている。メタ産業革命時代の日本企業として大きな示唆となる取り組みだ。

［図表19-1］大林組のメタバースを活用した都市づくり OWNTOWN構想

出典：大林組

04 SF視点の重要さが増す

SF(サイエンスフィクション)に学ぶ

メタバースという概念はニール・スティーヴンスンの小説『スノウ・クラッシュ』がもとになっていることは広く知られている。変化が激しく、かつ技術の進展が速い中においては、目指す世界やビジョンを策定する上で、足元の延長線上や常識・商慣習に縛られない自由な発想が求められる。

その観点でSFから着想を得ることも重要であり、スティーブ・ジョブスなど多くの起業家がSF好きであることはよく知られている。また、映画『レディ・プレイヤー・1』(スティーヴン・スピルバーグ監督)や、『アバター』(ジェームズ・キャメロン監督)、『サマーウォーズ』『竜とそばかすの姫』などの細田守監督作品などは、メタバース関連の事業家に大きなインスピレーションを与えている。

日本は今までアニメやゲーム、SFなどを通じて新たな未来を提示し世界へ影響を与えてきた。下記にてSFの考え方を活かしたプロトタイピング手法であるSFプロトタイピングを紹介したい。

SFプロトタイピング(宮本道人氏)

SFプロトタイピングは、SF的発想をもとにナラティブ(物語)を描き、様々な形のプロトタイプを作って企業のビジョンやミッションの策定、新規事業の創出などのアイデア創出に活かすことを指す。様々な方法論が存在するが、応用文学者の宮本道人氏が提示しているSFプロトタイプ手法では、予想外の未来社会を創造して、そこに存在する課題や、その解決策を創造するプロセスを取る。具体的には図表19-2のステップだ。

同氏はコロナ禍や、現在のウェブ会議・メタバースを含めたリモートコミュニケーションの原型は、1950年代にすでに予見されていたと指摘する。

例えば、1957年刊のアイザック・アシモフの『はだかの太陽』においては、感染症が拡大する世の中で人々が3次元映像を介したリモートでのコミュニケーションを行う世界観が示されている。このケースにおいても、足元の延長線上ではなく、「予想外の未来」のストーリー・世界を解像度高く紡いでいるからこそ、解決策としてのVRに近い3次元を活用した交流が提示できていると見る。

多くの企業において、未来ビジョンは現時点のバズワードや、目新しさのない言葉で表現されていることが多い。そうではなく、企業として見る世界観・ビジョンをクリアにして尖らせるうえでもSFプロトタイプの考え方が活きると見る。

SFプロトタイピングでは、自社の強みを前提において実施してしまうと、結局足元の延長戦上の「計画」になってしまう。そのため、前提や制約を取り除いて取り組まなければならない。

その結果として、描かれた世界が自社の既存の強みが必ずしも活きない結果もあり得るが、そこが自社としての成長や変革の余地となるのだ。SFプロトタイピングとメタバースの親和性は高く、創造した世界をメタバース化して議論の解像度を上げることや、提案するメタバースの世界観を設計する上でも、SFプロトタイプは有効とみる。

宮本氏はSFプロトタイピングの手法を企業向けや、自治体向けにワークショップとして提供している。こういった機会を活かして新たな発想を行うこともメタ産業革命時代では重要となる。

［図表19-2］SFプロトタイプ手法

1	自己紹介とテーマ出し(関心分野の抽出)
2	ガジェット作成(①の単語をもとにした造語とその説明の作成)
3	キャラクターの内面作成(自分や誰かの悩み/こだわりの話から、 少し変わった悩み／こだわりを持つ人物を作成)
4	未来社会像構築(③の悩みを解決しうる②のガジェットを選択。 ②の造語が拡がるために必要な技術条件・社会条件を抽出)
5	未来の業界像の構築(④で選択したガジェットの存在が前提となっている30年後の未来で、良い影響を及ぼしている業界、悪い影響を及ぼしている業界を選択)
6	キャラクター職業作成(⑤の業界に③のキャラクターをあてはめ、 未来社会の負け組、勝ち組の人物を選ぶ。それぞれの職業を考え、 全員と関わる人物を主人公に)
7	プロット前半作成(主人公の行動や感情の動きを中心に考察)
8	研究開発テーマ作成 (未来社会が必要とする研究開発テーマを考える)
9	プロット後半作成・寸劇作成

参考書籍

『SFプロトタイピング〜SFからイノベーションを生み出す新戦略〜』
(宮本道人監修・編著)

第20章

メタ産業革命時代における日本の未来

Meta-Industrial Revolution

01

変わってきた日本、スピードで勝負できるか

意思決定できる部課長クラスに、インターネットやPCを幼少期から使っていた人たちが着任し始めた。デジタルを活用することで、どう課題解決できるのかを前提に議論ができる土台がより整ってきているのだ。

自治体をはじめ、自分でコードを書いて小さく試してみるという人も増えてきている。省庁の動きも加速している。先述の国交省は、省庁自らプラトーでのプロジェクトの座組みや企業への提案も行い、民間企業と連携して案件組成も主導している。正解がない世界の中で、省庁・民間・アカデミアなどが連携しながらスピーディに対応している。

VRやメタバースの取り組みとしては、ゲームなど3Dとの親和性が強いことからも、スタートアップや大企業の一部アーリーアダプターの動きは、他国と比較しても速い。これらを一部の動きにとどめることなく、企業全体や、産業全体、都市・自治体の動きへと、より大きく発展させていくことが重要である。

大企業は保守的な文化がまだまだ根強いが、少しずつ変わってきている。また、アバターの相互運用に向けたVRMコンソーシアムや、KDDIなどが主導しているバーチャル都市に関するガイドラインなどを策定する「バーチャルシティコンソーシアム」の展開など、日本から世界へ先んじて打ち出す動きも出てきている。

02 アニメ・コンテンツ・IPの力を活かす

アニメ・ゲーム・コンテンツは世界においても日本は強く打って出られる分野だ。ドラえもんや、ポケットモンスター、スーパーマリオブラザーズ、ゴジラ、ファイナルファンタジーなどをはじめ、世界で根強いファンを有するコンテンツを作り出してきた。

ゲーム開発エンジニアなど、潜在的にこの技術を使える層も一定数存在し、CPSで重要となる非言語で表現するということに強みを持っている。これらの領域が、各産業と融合していく中で、日本の競争力へと転換していくことが有効だ。

この領域では、3Dに対して人々がなじんでおり、また、世界に類をみないほどゲームに対する課金が受け入れられてきたという市場性がある。今後メタバースが進展する中で、日産自動車や、mediVRのリハビリのように、既存の分野とエンターテインメントとの融合が重要な戦略となってくる。

日本の強い産業分野と、コンテンツ・エンターテインメント分野での連携が進むと、メタ産業革命時代における競争力となり得る。

03 クリエイターエコノミーのうねりを活かせ

今まで見てきた通り、メタ産業革命時代には企業の戦い方の変化のスピードが速くなる。先行企業・組織の戦い方として、自社やパートナーなどの提供者側の視点でのサービス開発のみならず、ユーザーやクリエイターのアイデアを幅広い視点から取り入れて、一緒に取り組んでいる。今後ユーザーやクリエイターエコシスムといかに連携し、大きなうねりを起こせるかが重要となる。

それにより、企業を超えるクリエイティビティ・想像力をもとに自社では捉えられなかった視点でフィードバックを得ることができる。

例えば、本書でも紹介している企業は、アバターやデジタルコンテンツの販売において、当初は改変を認めない形で展開をしていた。しかし、ユーザーが自由に改変して「改造」したいというニーズが高まり、結果として自社では思ってもみなかった形で高度化された。

その企業はそれ以降、メタバース空間において自社で「枠」を決めることなく、いかにクリエイターエコノミーの中で一緒に世界を作っていけるのかの「遊びシロ」を持つ形に方針転換した。このように、提供者側の視点で規定しすぎるのではなく、それらの予期せぬ変化を「楽しむ」姿勢が求められるのである。

企業のみならず、官公庁においても同様のことがいえる。先述の国交省のプラトーの取り組みにおいては、クリエイターによるアイデアソン・ハッカソンが開催されている。誰もがオープンデータとしての3D都市モデルを用いて、課題解決や、「遊び」を生みだすイノベーションのきっかけとなっている。国交省のハッカソンにおいては、映画「シン・ゴジラ」を真面目に再現して被害のシミュレーションをするアイデアも生まれた。

［図表20-1］国交省プラトーのアイデアソンでのグランプリチーム巨災体「わりと本気でゴジラ対策してみる」

出典：国土交通省

日本ではこうしたクリエイティビティや遊びの中から多くのイノベーションが生まれてきた。企業・行政としてはメタ産業革命において、クリエイターエコノミーをてこに自社やサービスの「改造」を一緒に作りあげる姿勢が重要だ。

04

中小企業や個人にもチャンスが

メタ産業革命の中では、住む場所などさまざまな制約を超えて価値を出せる幹や専門性をもっているか、物怖じせずにコミュニティに飛び込むコミュニケーション能力があるか、スピード感を持った取り組みができるか——などが重要となる。今後はこういった人材は、地方—東京など日本にかかわらず、グローバルで活躍する時代となっていくのだ。

DXにおいては、デジタル投資ができ、データを多数保有する大企業が有利であった。しかし、メタ産業革命においては、中小企業をはじめ尖った世界観やノウハウ・データを持つ企業が、自社の技術やノウハウをデジタル化してグローバルに外販・展開することが可能になる。

一例としては、スマートシティ化の中で地域交通を担う企業は貴重なモビリティデータを有していることとなり、データ提供側に回っていくことも想定される。日本の尖ったクリエイターや、技術力を持つ中小企業が、メタ産業革命を契機に、より活き活きと活躍していくことを期待したい。

05

先入観を持たず、まず経験することが重要

ここまで見てきたように、デジタルツインやメタバースはあらゆる産業に拡がっており、「いつか理解しよう」と様子を見ている間にタイミングを逸してしまい、変化に取り残され、競争力を失うということになりかねない。デジタルツインやメタバースでできることをまずは経験することも重要となる。

例えばメタバースにおいては、気軽に体験できる機会も提供されている。連続起業家の北村勝利氏が運営している「メタバースの学校」では、2時間のプログラムでメタクエストヘッドセットを用いて、Meta社のホライズンや、米VR Chatで交流できるワールドなど、メタバースの体験・講習を行っている。北村氏がビジネス用に顧客向けに実施していたものを、「より多くの人にメタバースのインパクトを知ってもらいたい」との思いから一般向けに提供したものだ。

開始後半年ですでに300名を超える受講者がおり、一般的にテクノロジーやゲームなどに関心のある20〜40代の男性層のみならず、女性や年配の方も含まれており、メタバースへの関心を持つ層の広さが見える。企業向けにも研修の形で提供しており、自動車・通信・建設・テレビ局など幅広い業種で導入されている。

体験後に企業をあげてヘッドセットを購入し、新規事業の具体化につながった企業も存在するという。新たな技術に抵抗感を持つことなく、こういった機会を活用して、「どういった世界なのか」「何ができるのか」「ユーザーの視点で何を感じるのか」を知り、理解を深める上でも、最初の一歩として体験することが重要だ。

[図表20-2]「メタバースの学校」での企業研修の様子

出典：メタバースの学校

06

現場・エッジに強い日本が再び世界で競争力を発揮できる時代へ

DX時代においては、日本の強みの現場オペレーションやロボット・機器などのエッジ技術が十分に活かせず、クラウドプレイヤーや、IT導入を積極的に進める企業に押される状況になっていた。しかし、産業CPS時代においてはいかに現場にもとづくモデルを有することができるかがカギになる。現場において優れたオペレーションやサービス、ノウハウ、制御技術などを持っているかが、CPSへフィードバックされ競争力となるのである。これら日本の現場・エッジでの強みを活かしてデジタルツイン・メタバースの分野で世界に先駆けた取り組みも生まれており、スピード感が上がってきている。今後メタ産業革命時代において、エッジ・現場が強く、ゲーム・コンテンツ・IPに強みを持つ日本が競争力を持つことを期待したい。

［図表20-3］メタ産業革命時代における競争力

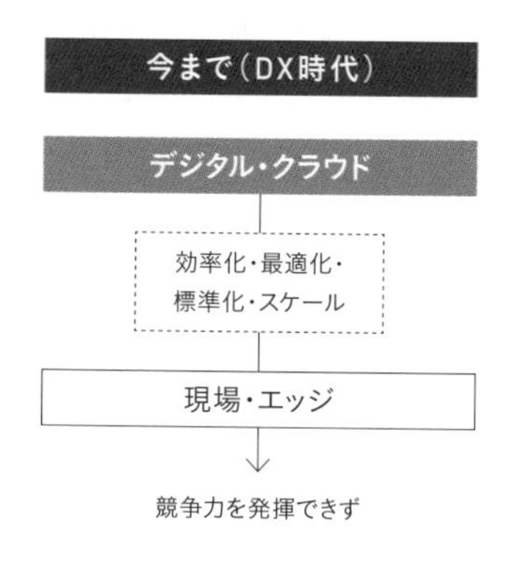

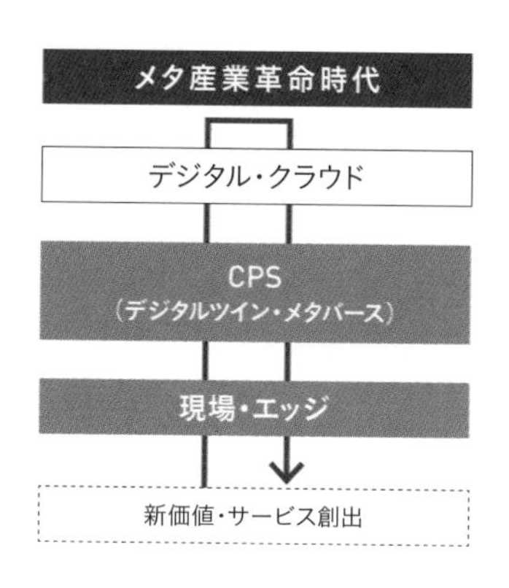

07 最後に

このようにメタ産業革命は多くの産業・都市へ広がり、変化を生み出している。前述のとおり、現場に強く、産業とともにIP・アニメ・ゲームに強みを持つ日本にとって多くのチャンスとなり得ると期待している。

冒頭でも触れた通り、日々新しい技術や事例が生まれる領域であり、本書で紹介できたのは一部にすぎない。しかし、本書がデジタル時代の競争戦略に苦慮する日本企業や、デジタル時代の都市・政策作りに取り組む省庁・自治体にとって少しでもお役に立てば幸いである。

デジタルツイン・メタバースでは、今まで物理的にはできなかったことが試せるようになり、新たな企業・人の可能性が広がる。さらに様々な制約によって創造性や能力が発揮しづらかった人の可能性が引き出されることとなるだろう。すべての人が活き活きと創造性を発揮できる、多様性のあふれる社会になることを願う。

また、メタバース・デジタルツインは、今まで難しかった「相手視点」に立つことができるツールともなりうる。制限やハンディキャップがある方の環境をVRなどで再現し、他者視点からその人に寄り添ったプロダクトや社会を作る動きも進んでいる。昨今は国際情勢においても悲しいできごとが増えているが、CPSを通じて少しでも想像力があり、互いを尊重し合える優しい社会になることを願うばかりである。

結び・謝辞

　本書は様々な方々のご支援のもと、執筆をさせて頂いている。まず、本書の企画・編集・執筆をご支援頂き、著者以上に「メタ産業革命」のコンセプトを信じ二人三脚で本の製作を行って頂いた日経BPの赤木裕介様に感謝申し上げたい。そして、多忙な中ヒアリング・ディスカッションにご協力を頂いた下記の協力企業の方々に御礼を申し上げたい。デジタルツイン・メタバースにより大きな構造変化が起こる中で、自社・自組織の取り組みが他の企業・組織の参考になり社会やビジネス課題解決に繋がるのであればと快くご協力頂いた。そのビジョンや思いに触れる度に、この受け取ったバトンを、本書を通じてしっかりと表すべく身の引き締まる思いであった。加えて、取材のご対応者のみならず、御多忙の中で幅広い関係各所との調整や、文言確認などを行っていただいた広報ご担当の皆様のご尽力がなければ本書は成り立たなかった。ここに御礼申し上げたい。またホロアイズの杉本様には医療分野に関して企業のご紹介を頂くとともに激励・アドバイスを頂き、九州地方整備局の房前様にはEPIC Games様をご紹介頂いた。深く御礼申し上げたい。

[**取材にご協力頂いた方**（企業・組織名50音順 ※取材当時含む）]
- AGRIST株式会社　代表取締役 兼 最高技術責任者 秦 裕貴様
- アンシス・ジャパン株式会社
  Area Vice President カントリーマネージャー 大谷修造様
- 株式会社イクシス　代表取締役 Co-CEO兼CTO 山崎文敬様
- 株式会社三越伊勢丹　営業本部オンラインストアグループ
  デジタル事業運営部 池田英生様
- HTC NIPPON株式会社　代表取締役社長 児島全克様
- Epic Games／Architecture Industry Manager Ken Pimentel様、
  Epic Games Japan／Business Development Manager

杉山 明様

- ANA NEO株式会社 様
- avatarin株式会社 代表取締役CEO 深堀 昂様
- 日本電信電話株式会社（NTT）
代表取締役副社長 副社長執行役員 川添雄彦様、
サービスイノベーション総合研究所 所長 大野友義様、
研究企画部門 プロデュース担当 担当部長 深田 聡様、
研究企画部門 プロデュース担当 チーフプロデューサ
（医療健康ICT） 林 勝義様
- エヌビディア合同会社　エンタープライズマーケティング
シニアマネージャ 田中秀明様
- オートデスク株式会社
日本地域営業統括 技術営業本部 業務執行役員 本部長
加藤久喜様
- 株式会社大林組
土木本部生産技術本部先端技術企画部 部長 山口貴志様、
課長 元村亜紀様、副課長 湯淺知英様／
ロボティクス生産本部技術開発部 部長 清酒芳夫様、
部長 岩下正剛様／営業総本部スマートシティ推進室
ソリューション部 部長 中村 昇様、課長 土屋恵美子様／
設計本部設計ソリューション部 部長 一居康夫様
- 鹿島建設株式会社　デジタル推進室 室長 真下英邦様、
BIM/CIM企画チーム リーダー 藤田雄三様、
データ活用推進チーム リーダー 國近京輔様、
建築管理本部 BIM推進室 BIM-ITグループ グループ長
遠藤 賢様、建築企画部 企画・管理グループ 課長 川島慎吾様、
建築企画部 建築ITグループ 課長代理 天沼徹太郎様
- 国土交通省九州地方整備局
企画部 インフラDX推進室 建設専門官 房前和朋様、
国土交通省九州地方整備局 九州技術事務所 品質調査課長
糸山国彦様、日本工営株式会社 事業戦略本部 DX 推進部 部長

佐藤隆洋様

- クラスター株式会社　取締役COO 成田暁彦様
- 株式会社クボタ
  農機国内営業部 KSAS推進課 課長 藤田 強様、柚山奈々様、
  カスタマーソリューション事業推進部 スマート農業推進室
  課長 美馬京志様
- KDDI株式会社　事業創造本部 副本部長 兼
  ビジネス開発部長／KDDI∞Lab長 中馬和彦様
- 国土交通省　都市局 都市政策課 課長補佐 内山裕弥様
- 株式会社サイバーエージェント
  AI事業本部 AIクリエイティブDiv. 統括 毛利真崇様、
  株式会社CyberMetaverse Productions 事業責任者 中野英祐様
- 国立研究開発法人産業技術総合研究所 人間拡張研究センター
  研究センター長 持丸正明様／
  スマートワークIoH研究チーム 研究チーム長 大隈隆史様／
  情報・人間工学領域 インダストリアルCPS研究センター
  研究センター長 谷川民生様
- 三明機工株式会社　代表取締役社長 久保田和雄様
- 株式会社Shiftall 代表取締役CEO 岩佐琢磨様
- JP GAMES株式会社　代表取締役 田畑端様
- 一般社団法人渋谷未来デザイン　事務局長／
  一般社団法人メタバース・ジャパン 代表理事 長田新子様
- シーメンス株式会社
  デジタルインダストリーズ デジタルエンタープライズ&
  ビジネスディベロプメント部 部長 鴫原 琢様、
  広域営業部 部長 濱地康成様
- 静岡県 交通基盤部 政策管理局 建設政策課
  未来まちづくり室 杉本 直也様
- 清水建設株式会社　スマートシティ推進室
  豊洲スマートシティ推進部長 谷口精寛様、エンジニアリング
  事業本部　情報ソリューション事業部　事業部長 林 隆浩様

- 株式会社ジョリーグッド　代表取締役CEO 上路健介様
- Symmetry Dimensions Inc, CEO／Founder 沼倉正吾様
- 株式会社スペースデータ 代表取締役社長　佐藤航陽様
- ソニーグループ株式会社
  執行役員 事業開発プラットフォーム 新規事業化推進部門長
  山口周吾様
- ダイナミックマップ基盤株式会社
  代表取締役社長CEO 吉村修一様／執行役員（事業開発担当）
  雨谷広道様／執行役員（OEM事業担当） 山下元之様
- 株式会社大丸松坂屋百貨店
  本社 営業本部 MDコンテンツ開発第2部 フーズ担当
  スタッフ ギフト企画運営担当 田中直毅様
- ダッソー・システムズ株式会社 建設・都市・地域開発業界
  グローバル・マーケティング・ディレクター 森脇昭夫様／
  インダストリー・ビジネスコンサルタント兼
  サステナビリティ・リード 由利直美様
- Datumix株式会社　代表取締役社長／CEO 奥村和樹様
- 一般社団法人データ社会推進協議会（DSA）
  専務理事・事務局長 真野 浩様
- 独立行政法人情報処理推進機構　デジタルアーキテクチャ・
  デザインセンター（DADC） センター長 齊藤 裕様
- 株式会社Dental Prediction 代表取締役 宇野澤元春様
- 株式会社東芝　執行役員常務 コーポレートデジタイゼー
  ションCTO　デジタルイノベーションテクノロジーセンター長
  山本 宏様／東芝インフラシステムズ株式会社
  インフラシステム技術開発センター センター長 近藤浩一様／
  東芝デジタルソリューションズ株式会社　IoT技師長
  中村公弘様
- 東京都　デジタルサービス局 デジタルサービス推進部
  オープンデータ推進担当課長 元島大輔様、
  デジタルサービス局 戦略部 デジタルシフト推進担当課長

清水直哉様
- 凸版印刷株式会社　DXデザイン事業部 技術戦略センター
  データ戦略企画室 室長・田村 元様／藤崎千尋様
- 有志団体 Dream On　代表 中村 翼様
- 名古屋大学大学院医学系研究科 メディカルxRセンター長
  藤原道隆様
- 株式会社パソナグループ
  常務執行役員 広報本部長 兼 メタバース本部長、
  株式会社パソナJOB HUB　代表取締役社長 髙木元義様
- パーソルマーケティング株式会社
  メタバースデザイン事業部 事業部長 川内浩司様
- 東日本旅客鉄道株式会社（JR東日本）
  マーケティング本部 くらしづくり・地方創生部門
  新規事業ユニット ユニットリーダー 市原康史様、
  マーケティング本部 戦略・プラットフォーム部門
  戦略・CXユニット マネージャー 阿部健司様
- 株式会社HIKKY PRマーケティングチーフ＆法人営業
  大河原あゆみ様
- 株式会社ビームス
  ビジネス統括部ビジネスプロデュース3課 課長 木村 淳様、
  社長室広報部 兼 ビジネスプロデュース部 VR担当
  木下香奈様
- Holoeyes株式会社
  代表取締役 最高経営責任者CEO 最高医療責任者CMO
  帝京大学冲永総合研究所 Innovation Lab教授
  帝京大学医学部付属病院 外科学講座 医師・医学博士
  杉本 真樹様
- 日産自動車株式会社
  日産総合研究所 エキスパートリーダー 上田哲郎様
- 日本経済団体連合会　21世紀政策研究所 事務局長 吉村 隆様
- 日本電気株式会社（NEC）　グローバルイノベーション戦略部門

マネージングディレクター 菅原弘人様、
グローバルイノベーション戦略部門 CTO戦略統括部
ディレクター 山本 淳様、
新事業推進部門 上席プロフェッショナル／
大阪大学 教授 下西英之様、
新事業推進部門 シニアプロフェッショナル 永井 研様

- 株式会社博報堂
  生活者エクスペリエンスクリエイティブ局 クリエイティブ
  ディレクター／hakuhodo-XRリーダー 尾崎徳行様、
  生活者エクスペリエンスクリエイティブ局
  ビジネスプロデューサー／hakuhodo-XR 前原双葉様
- 株式会社博報堂DYホールディングス マーケティング・
  テクノロジー・センター 開発1G グループマネージャー／
  チーフテクノロジスト hakuhodo-XR サブリーダー 木下陽介様、
  マーケティング・テクノロジー・センター 開発1G 上席研究員
  ／hakuhodo-XR 目黒慎吾様
- BASFジャパン株式会社
  アグロソリューション事業部マーケティング部部長
  野田信介様、マーケティング部カスタマーサクセス＆
  デジタルソリューションシニアマネージャー 関根真樹様
- 株式会社 日立製作所
  社会ビジネスビジネスユニット 制御プラットフォーム
  統括本部 シニアストラテジスト 入江直彦様
- 株式会社日立物流
  経営戦略本部 経営戦略部 部長 石山 圭様／
  IT戦略本部 副本部長 佐野直人様
- PTCジャパン株式会社
  ビジネスディベロップメント ディレクターフェロー 後藤 智様
- 富士通株式会社　フェロー SVP 兼研究本部
  コンバージングテクノロジー研究所 所長 増本大器様、
  Digital Solution事業本部 次世代交通オファリング事業部

グループ長 井上大悟様
- 日本マイクロソフト株式会社
  プロダクトマーケティングマネージャー 上田欣典様、
  コーポレートコミュニケーション本部 金澤聖訓様
- 一般社団法人メタバース・ジャパン 共同代表理事／
- PwC コンサルティング合同会社　パートナー執行役員
  馬渕邦美様
- メタバースの学校　北村勝利様
- 株式会社mediVR　代表取締役社長 原 正彦様
- 理化学研究所　計算科学研究センター
  「富岳」Society 5.0 推進拠点　副拠点長 伊藤 聡様、
  理化学研究所チームリーダー／神戸大学教授 坪倉 誠様
- ユニティ・テクノロジーズ・ジャパン株式会社 事業開発統括
  マネージャ 産業分野担当 中嶋雅浩様
- 応用文学者／『SFプロトタイピング』編著者 宮本道人様
- 弁護士／京都大学 法学研究科 特任教授／
  前経産省情報経済課ガバナンス戦略国際調整官 羽深宏樹様

加えて、2022年8月初まで所属した野村総合研究所（NRI）内や知人において多忙の中、執筆に際してご協力頂いた下記の方々に御礼を申し上げたい。多忙な中、内容にコメントを頂いたり、議論を通じて幅広いアイデア・視点を頂いた。特に松林一裕氏には企画段階から意見やコメントを頂き、青嶋稔氏・疋田時久・重田幸生氏には取材先の紹介を頂く等、多大な尽力を頂いた。野村総合研究所の「未来創発」のコーポレートメッセージにあるように、社会や産業、人々の暮らしを変えていきたいという会社や一人一人のNRI社員の熱い思いや情熱に常に刺激を受けてきた。2022年8月中旬をもって卒業することとなったが、野村総研の一員として切磋琢磨できたことを誇りに、今後も引き続き社会や産業構造の変革に向けて努力していきたい。

［ NRI（野村総合研究所／2022年8月中旬まで所属）で
執筆にあたり協力頂いた方 ］（敬称略／50音順）

- 青嶋 稔、岩﨑はるな、岡崎啓一、古賀龍暁、近野 泰、坂上竜馬、重田幸生、住谷貴之、竹尾友里、田中雄樹、疋田時久、百武敬洋、藤野直明、松林一裕、ローレンスヘール スターリング

最後に、現在筆者が働きながら所属し、研究員兼 社会人修士学生として研究をしている慶應義塾大学システム・デザインマネジメント研究科（SDM）の関係者の皆様には講義や研究室等の中で多大なるインスピレーションを頂き、本書を進める上で大きなヒントを頂いた。いつもお忙しい中ご指導頂いている指導教官の春山真一郎先生や、素晴らしい機会をご提供頂いている白坂成功先生、山形与志樹先生をはじめ、ここに御礼を申し上げたい。

本書は数々の方のご協力がなければ実現し得るものではなかった。改めて、今回の企画においてご協力を頂いた方、出会った方との縁に御礼を申し上げるとともに、執筆中数々の協力をしてくれた妻と5歳の息子、両親や姉に感謝し筆を置くこととしたい。

2022年10月　小宮 昌人

小宮昌人（Masahito Komiya）

JICベンチャー・グロース・インベストメンツ プリンシパル／イノベーションストラテジスト
慶應義塾大学大学院システムデザイン・マネジメント研究科 研究員

1989年生まれ。日立製作所、デロイトトーマツコンサルティング、野村総合研究所を経て現職。2022年8月より官民ファンド産業革新投資機構（JIC）グループのベンチャーキャピタルであるJICベンチャー・グロース・インベストメンツ（VGI）のプリンシパル／イノベーションストラテジストとして大企業を含む産業全体に対するイノベーション支援、スタートアップ企業の成長・バリューアップ支援、産官学・都市・海外とのエコシステム形成、イノベーションのためのルール形成などに取り組む。
また、2022年7月より慶應義塾大学大学院システムデザイン・マネジメント研究科 研究員としてメタバース・デジタルツイン・空飛ぶクルマなどの社会実装に向けて都市や企業と連携したプロジェクトベースでの研究や、ラインビルダー・ロボットSIerなどの産業エコシステムの研究を行っている。
専門はデジタル技術を活用したビジネスモデル変革（プラットフォーム・リカーリング・ソリューションビジネスなど）、デザイン思考を用いた事業創出（社会課題起点）、産業DX（製造・建設・物流・都市・農業など）、サステナビリティ（インダストリー5.0）、データ共有ネットワーク（GAIA-X、Catena-Xなど）、デジタルツイン・メタバース、ロボティクスなど。
著書に『製造業プラットフォーム戦略』『日本型プラットフォームビジネス』（共著）などがある。

問い合わせ：masahito.komiya@keio.jp

メタ産業革命

メタバース×デジタルツインでビジネスが変わる

2022年10月24日　第1版第1刷発行

著　　者　小宮昌人

発 行 者　村上広樹
発　　行　株式会社 日経BP
発　　売　株式会社 日経BPマーケティング
〒105-8308 東京都港区虎ノ門4-3-12
https://bookplus.nikkei.com
装丁・本文デザイン　梅田敏典デザイン事務所
印 刷 ・ 製 本　中央精版印刷株式会社
編 集 担 当　赤木裕介

ISBN978-4-296-00124-8
Printed in Japan